憶えている

40代でがんになった
ひとり出版社の1908日

OKADA Rintaro
岡田林太郎
みずき書林

コトニ社

はじめに

憶えている

2021年9月9日（木）

みずき書林／岡田林太郎に関わってくださるみなさまへ

先月の15日から31日まで、腸閉塞で入院していました。
開腹手術をして大腸を半分ばかり切除しましたが、おかげさまで手術は成功し、いまは退院して日常生活に戻っています。

ただ、その治療と検査の過程で、胃にがんが見つかりました。
スキルス胃がんという進行の早い厄介ながんで、それがすでに大腸に転移していました。つまり、ステージ４です。

ステージ４のスキルス胃がんは手術による根治はほぼ不可能で、今後は原則として、通院しながら抗がん剤での治療を行っていくことになります。

「〇年後の生存率は〇％」といった統計を信じるつもりはありませんし、具体的な数字をここに書きたい気もしません。

でも正直に書くと、あまり楽観できるシチュエーションではありません。

本日、築地の国立がん研究センターに行きました。

いうまでもなく、日本でも屈指のがん治療の専門施設のひとつであり、お医者さんも看護師さんも信頼感のある人たちでした。

シビアな状況ではありますが、おかげで今後の治療方針も見えてきましたので、今日はひとまず気持ち的に少し落ち着くことができました。

いまは、抗がん剤の副作用などはあるにしても、これまでとさほど変わらない暮らしを営みながら生きていけるようになっているということです。

ですから、可能な限り長く、みずき書林を続けていこうと思っています。

いまの目標は、数年先に「まだ生きてるじゃん。あのときの岡田さんって〈死ぬ死ぬ詐欺〉だったね」と笑われることです（笑）。

＊

病気がわかって以来、このことを公表すべきか、いささか迷いました。

でも僕としては、この先の時間を分かち合う人たちには、知っていてほしいと願うようになりました。

先月、腸閉塞で入院していた頃（つまり僕自身もがんについて知らなかった頃）、本当にたくさんの励ましやお見舞いのメールをいただきました。ものすごく嬉しかったです。

そして退院した後も（つまりがんであることを知った後も）、退院を喜んでくださる方がたくさんいらっしゃいました。

「無事の退院おめでとう」と喜んでくださる方に対して、内心で「実はがんなんです……」と思いながら笑ってみせるのは、とてもしんどいことでした。

なんにせよ正直でありたいし、とくに大切に思い、また僕を大切に思ってくださる方には、素直な気持ちで付き合いたいと考えるようになりました。

もしかしたら僕は、親しい方々に打ち明けることで、自分の恐怖や不安を紛らわそうとしているだけなのかもしれません。

でもやはり、知り合って関係を結び、これからもその関係を続けていきたいと願っている人たちには、僕がいまどんなことを考え、これから先どういうふうに生きていくことになるのか、知っておいてほしいのです。

今後はこのブログも、仕事のことと並んで、病気のことを綴ることが多くなると思います。

入院中は、コロナの影響で、面会が一切禁止でした。そんななかでも、いただいたメールやSNSで、皆さんとつながっていることが実感できました。みずき書林は本当に恵まれた出版社だと感じられました。

今後もこのブログなどを通じて、僕が何を思っているかを綴り、みなさんとつながっていることを感じられればいいなあと願っています。

*

33歳の若さでがんで亡くなった保苅実は、死の直前に友人たちに宛てたメールで、以下のように書き残しています。

勇敢で冷静、そして美しくありたいと感じています。

このことばがどこかに引っかかっていたのかもしれません。僕もステージ4のがんであることを知らされたときに、ともすれば取り乱しそうになる頭の片隅で、勇敢でありたいと考えました。

保苅実にならって僕なりのことばで言うと、いまは、

「勇敢に、丁寧に生きていいたい」

と思っています。

＊

このテキストを読んでくださっている方々には、これから先、個別に頼ったり、泣きついたり、愚痴ったり、号泣したり、取り乱したりするかもしれません。

何人かの人たちには、早速に様々なお願いを聞いていただいています。

出版というのは、常にある程度中長期的な視野を持つことが求められる仕事ですが、そのような展望を持つことが現実的に難しい計画については、見直さざるをえない場合もあると思います。

そのようなご相談を申し上げねばならない際には、ご理解を賜わりますよう、何卒お願い申し上げます。

もちろん、先ほども書いた通り、みずき書林は可能な限り続けていくつもりです。
何人もの会いたい顔が頭に浮かびます。
幾つもの作りたい本のことを考えます。
友人たちや、敬意を抱いている人たちがたくさんいます。
それは今までと変わらず、僕の光源であり続けます。

これから先、達成できることもあるでしょうし、やむを得ず諦めなければならないこともあるでしょう。
わがままを承知で申し上げますが、みなさまには、今までと変わらぬお付き合いをお願いできれば、本当に幸せです。

(ありきたりなクロージングのことばではなく、切実な願いを込めて)
今後ともどうかよろしくお願い申し上げます。

2021年9月9日　みずき書林／岡田林太郎

僕は２０１８年の春に、ずっと勤めていた会社を辞めて、ひとり出版社〈みずき書林〉を立ち上げた。自分ひとりだけで、自宅の一室で進める出版活動。かつて「机と電話があればできる」と言われた出版業の原則はいまでも基本的に変わっていない。「パソコンとWi-Fiがあればできる」といっても決して大げさではない。

独立創業以来、僕の人生は好転した。ちょうど40歳になったばかりだった。

資金繰りなど悩みや課題は山積みだったが、自分で選んだ働き方・時間の使い方で、何事も自分だけで決めていいというひとり出版社のありかたに、ドキドキしていた。単独行動が性に合っていたということもあるのだろう、多くの協力者にも恵まれ、僕の毎日は危なっかしくも楽しく過ぎていった。

そしてこの日、２０２１年９月９日以降、僕の人生は再び様変わりした。

43歳の秋、僕は末期がんになった。

そんなに長くは生きられないらしい。

いまこれを書いている時点は２０２３年２月28日。告知から1年5カ月が経ったことになる。

僕に残された月日はあとどれくらいなのか。果たしてこの本を書き終えることができるのか。まったくわからないまま、途中で力尽きる可能性も覚悟しながら、ひとまず書き始めている。

僕は2018年からずっと、会社のウェブサイトにブログを書き続けている。当初は毎日という予定だったがさすがに毎日書き続けるのは難しく、3日のうち2日、といったペースだ。それでも5年以上続けていると、相当な日数・分量になる。

冒頭に掲げたテキストもそのブログからだ。この日が僕とみずき書林のターニングポイントになった。

これが本書の基本的な構成になる。つまりまず過去のブログからの抜粋が引用・ペーストされる。そしてそれに対して、いまの僕が感じていることを書いていく。いま、というのは2023年の3〜4月くらいになるだろう。「本を出しませんか」という望外な提案をいただいてしばらく悩んだ末に辿り着いたのが、この構成だった。

本書は出版社の作り方（あるいは閉じ方）といったハウツー本ではない。また、患者さんやその家族に喜んでもらえるようながんの闘病記でもない。ではなんの本かというと、ひとりの人間の生活の記録、ライフヒストリーのような本になるだろう。16年間サラリーマンをしたうえでひとりで独立創業し、その後末期がんになった40代男性が、自分の書いたブログをよすがに過去を思い出し、いまどう思うかを綴る。そのような、いささか奇妙な構造の本になるだろう。

そう、最近思うのだが、思い出すことと思い出を作ることは、おそらく重要なことだ。生きるということは、思い出を積み重ねていくことに等しい。過去のブログを振り返りながら、いま何を考えているかを書くという行為は、未来へ、他者へ向けて思い出を投げかける行為でもあるだろう。


我々は日々、思い出を作る。

そして日々、誰かのことを、かつてのことを思い出す。


この本にはたくさんの日付が出てくる。そのころあなたは何をしていただろうか。たとえば2021年の9月9日に、あなたは何をしていたか、思い出せるだろうか。

そしてあなたがこの本を読むときに、僕はどこで何をしているのだろうか。

あるいはもうどこにもいないのかもしれない。

憶えている

目次

40代でがんになったひとり出版社の１９０８日

2022年　365

2023年　461

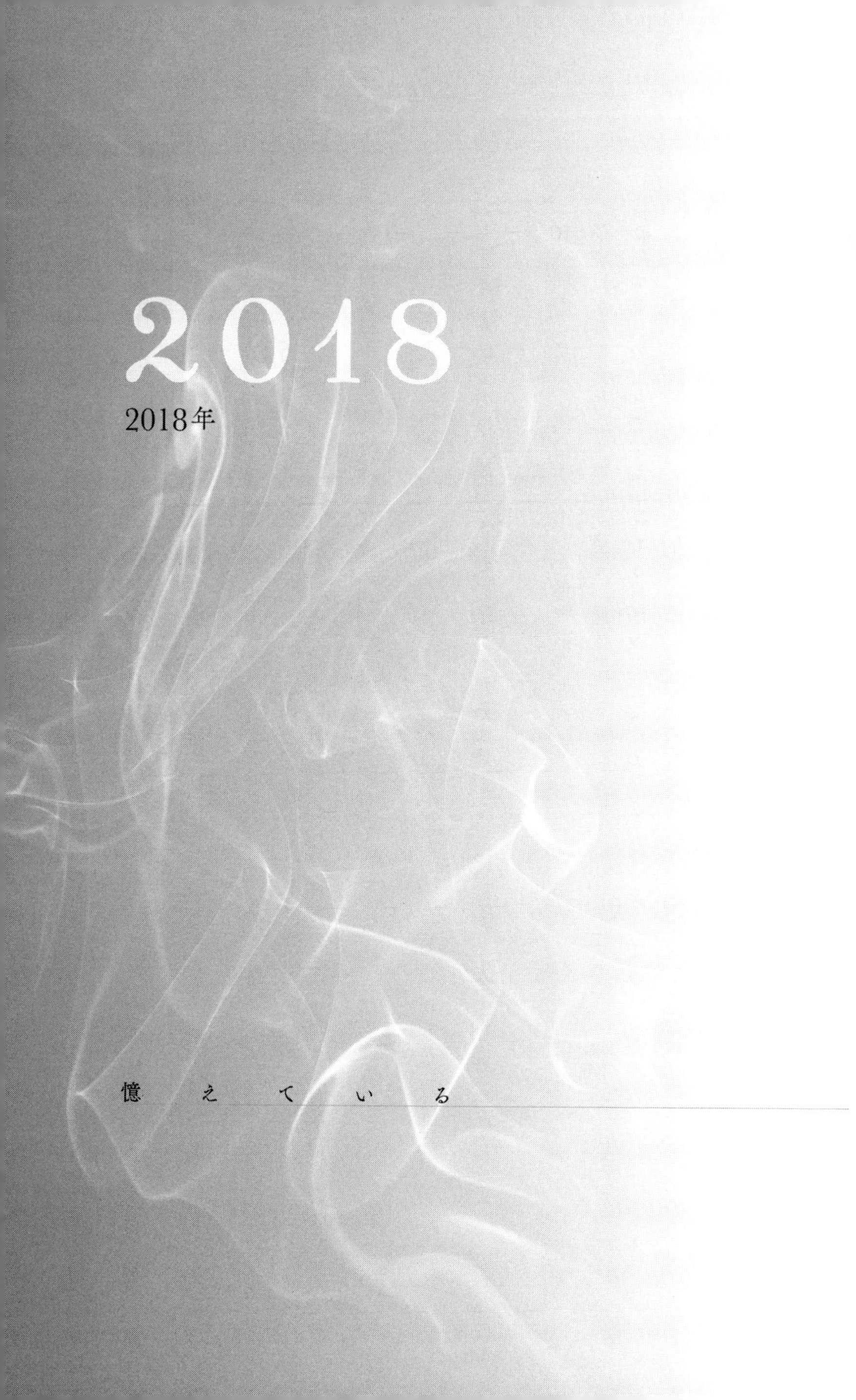

2018

2018年

憶　えて　いる

5月30日(水)

社名の由来

新社名を決めたのは、3月の頭頃でした。

あまり奇を衒《てら》わずにシンプルに、

みずき書林

にしました。

「みずき」というのは、僕がもし女の子だったら両親がつけるはずだった名前です。

40年前の3月に、僕はボストンで産まれました。

予定日より1カ月以上早い出産で、産まれたときには肺から出血していて、危険な状態だったとのことです(早産で3月が誕生日になったことは、考えてみれば僕の人生に決定的な影響を与えていると思います。もし予定通り4月以降になっていれば学年が変わり、出会う相手や経験もまったく異なるものになったはずです)。

異常に早く産まれたため、連絡を受けてタクシーに乗って病院に向かっている時点で、父親はまだ名前を決めていませんでした。

タクシーの窓から花水木の並木が見えて、父は女の子だったら「みずき」にしようと思ったらしいです。

それで「みずき書店」にしようと考えたのですが、そのことを前職の人たちに発表したところ、ある先輩が「書林にすれば林太郎の〈林〉の字も入るよ！」と提案してくれました（荒井さん、見てますか？）。

というわけで、自分の分身という意味に、もうひとつの人生の誕生という意味も込めて、自分だったかもしれない女の子の名前をいただくことにして、〈書〉の字を挟んで本名もまぎれこませました。

危険な状態で生まれた、というところもそっくりですが（笑）、しぶとく生きていきたいものです。

ここにも書いているとおり、僕はボストンで生まれたとき、6週間の早産で、母子とも

2018

に危険な状況だったらしい。出生時体重は2390グラム。生まれたときには呼吸器から出血していて、すぐに新生児集中治療室に入れられたとのこと。

つまり僕の人生最大のピンチは、いまではなく、生まれた直後だったことになる。命にかかわる重大局面に立っているのは、なにもいまが初めてではないのだ。だからといって心慰められるわけではないが。

ところで、みずき書林はひとり出版社である。文字通り、たったひとりで運営している。つまりみずき書林＝僕自身である。この点、このあとの書き方にもかかわるが、僕はしばしば、自分と自分の出版社とを区別しないで、同一化して語るだろう。この出版社の命名にも、そのことが強く表れている。

もし女の子だったらつけられていたはずの名前。ありえたかもしれないもうひとつの人生。もしみずきだったなら、僕はやはりひとり出版社（林太郎出版）を立ち上げて、40代でがんになっていたのだろうか。それとも、ぜんぜん異なる人生を歩んだだろうか。

ちなみにタクシーの車窓から花水木の並木を見たというのは父の勘違いというか、後から無意識が作りだした物語である可能性が高い。ボストンの3月半ばでは、花水木はまだ咲いていないだろう。母が言うには、残雪を見たのではないかと。

真相はわからないが、父が幻を見て、それが僕の社名にとどまったのだとするなら、それもまたいいと思っている。

8月23日(木)

とりあえず。

とりあえず4冊刊行しました。

実質的に4月から活動を開始して、5カ月弱が経ちました。

この間のことをきちんと整理してまとめておきたいと思いつつ、あれやこれやとすることがあって、なかなかこの舞台裏というか裏庭ともいうべきブログに手が回りませんでした。

会社の登記手続きをして、法人口座を開設して、社判を作ったり経理関係の書類を整える。

ホームページを作る。Twitterアカを作る。

もちろんその間に4冊の本の編集作業を進める。

営業活動をする（何をやってもどれだけやっても何もできていない気持ちがつきまとう、営業活動）。取次・トランスビューと契約し、版元ドットコムに加盟してJPOに情報を流し、見本提出を行い、細々と書店を回る。プチプチやら梱包材やらを買ってきて発送し、請求書を送る。

チラシを作り、サイト上に特設ページを作り、POPを作り、なぜかクッキーまで作る。

人に会い、会合に顔を出し、酒を飲み、笑う。

そんなことをやっているうちに、あっという間に夏が終わろうとしています。

「平成最後の夏」というワードを耳にすることが多いですが、僕にとって平成最後の春から夏は、もうわけもわからず走り回っていた季節でした。

まあ、傍目には小さな出版社がひとつ立ち上がって、少部数の本を4点刊行しただけなのですが、やっている本人にとっては大冒険だったのです。

それもほんのちょっと一段落したのかもしれません。

営業はエンドレスだし次の仕込みはあるにしても、ともあれ会社は無事に立ち上がったし、出すと決めた最初の本たちは出来てしまいましたから。

というわけで、ブログを毎日更新する、ということをしばらく自分に課してみたいと思います。

本当はどんなに忙しくても、短くてもいいからこの間のことをちょこちょこ書いておくべきだったのですが、誰にも強制されない文章を書くというのは、やはりなかなか難しいものです。しかし、このあたりでちょっと弾みをつけておかないと、このままやらなくなる可能性が高そうだし。

このブログは、おそらくそんなに多くの人が見ているわけではなさそうですので(苦笑)、自分自身の備忘録のために、ちょっと突っ込んだことなど書いてもおそらく問題ないでしょう。


さてどうなることやら。


この日から、ほぼ毎日のブログ更新を続けていくことになる。

これまでは、あまりにも忙しくて慌ただしくて、ブログにまで手が回っていなかった。

いま思えば、痛恨事ではある。創業当時のあの目まぐるしさを、もしブログに書いて残し

2018

ておくことができたなら、きっと楽しい記録になったに違いない。

とはいえ、ここで一念発起して毎日ブログ更新を自らに課したことは、結果的に、想像を超える効果をもたらすことになった。当初はウェブサイトの中にひとつくらいは定期的に更新されるコンテンツがないと訪問者が増えないだろうし、刊行物の宣伝を中心に書いていこうという程度の思惑で始めたことだった。しかしここに日々の思いを綴ることは、途中からもっと大きな意味を持つことになった。時間を見つけては少しずつでもブログを書くことは、僕の重要な日々の営みになり、そこで書いたことは――読み直すことはそれほどないにせよ――自分の感情を整理し、仕事を整頓するのに役立った。

ここにも書いてあるとおり、ひとりで出版社を立ち上げて4冊の本を刊行することは、誰が何と言おうと僕にとっては個人的な大冒険だった。

いま振り返っても、あの頃の興奮と楽しさと不安をありありと思い出すことができる。仕事というのはこんなに面白いものだったのかと、あらためて感じる日々だった。そしてその思いは、がんが発覚して活動が著しく制限されるようになるまで続くことになる。

いや、がんになった今も、本質的には変わらず続いているのかもしれない。

仕事は面白く、日々を充実したものにしてくれる。

なおここで「4冊」と言っているのは、刊行順に、

小松健一著『民族曼陀羅——中國大陸』
戦争社会学研究会編『戦争社会学研究　第2巻　戦争映画の社会学』
井上祐子編著『秘蔵写真200枚でたどるアジア・太平洋戦争』
大川史織編『マーシャル、父の戦場』

の4点を指す。これらは以前勤務していた出版社で進めていた企画で、前職を辞めるときに会社と交渉し、退職金がわりにもらい受けてきた企画たちだった。多少の現金よりも、すぐに動かすことができる企画があったほうが長い目で見て有効だと考えていたし、実際、ある程度編集作業が進んでいたからこそ、5カ月で4冊の本を刊行することができた。それに、なによりぜひ自分で手掛けたい、思い入れのある企画群だった。

4点の本を作りながら、ここで築いた人間関係の多くは、みずき書林の方向性を決定づけ、後々まで重要な意味を持つことになる。

8月27日(月)

不定期連載①——会社のつくり方 その1

というタイトルをつけましたが、本当に連載するのかどうか。

会社を作る際にどういうプロセスが必要でどれくらいの時間がかかるものなのか、備忘録としてちょこちょこ書き留めておこうと思います。

備忘録といったところで次の機会があるとも思えませんが（いや。人生何が起こるかわかりません。そもそも会社を立ち上げようなど、ほんの半年前は本気で思ってはいなかったのだから）。

それに、もしかしたら誰かの参考にはなるかもしれませんし。

出版社を作るといっても、様々なかたちがあります。

作る本の内容によっても、流通をどう考えるかによっても、戦略や方法論はぜんぜん違うと思います。

僕自身も、とりあえず確立したいまの方法が正解なのか（少なくともこれから先、生きていくことができるのか）、よくわかっていません。

このやり方が正しかったのかどうか、今後身をもって検証していくことになるでしょう（恐ろしくて身の毛がよだちます）。

ここでは、

・ひとりで
・自宅で
・流通はトランスビュー方式と取次を併用
・刊行物は人文系、価格帯はやや高め、少部数

というようなことを考えてスタートした版元のケースをご紹介します。

今後の目次代わりにＴｏＤｏリストを列記すると、

1. 真っ先に着手すべき登記手続
2. 社屋をどうするか考える
3. パソコンやらプリンタ、ＦＡＸなどインフラ整備
4. 流通のことを考えて必要な人に会いに行き、必要な組織に加入する

2018

5. 主要書店・TRCなどのことを考える
6. ISBNの取得
7. 倉庫の検討
8. 印刷・製本所との折衝
9. 1を受けて法人口座開設

当時のメモによると、このあたりまでを最初の3週間ほどで行っていました。もちろん同時進行で、刊行に向けた編集や営業も進めていきます。

あらかた終わった今だからこそ言えることですが、よくやったね、マジお疲れ、という感じではあります。

そのいっぽうで、めちゃくちゃしんどかったとか、辛かったという記憶もとくにありません。やることは山積していましたし、何が何だかわからず不安も多かったですが、とはいえ毎日てんこ盛りだったのも確かです。

もう一回やれと言われれば、当分はいいかなという気持ちですが、やるべきこととやりたいことが直通でつながっていたことは、けっこう心楽しいことでもあったような気がします。

ともあれ、どんな会社であれ、まずは法人の実態をあらしめねばなりません。出版社であれどんな会社であれ、まずは法務局に登記です。

もっとも意味不明で、しかし最優先・最重要の案件、それが登記。

（つづく。たぶん）

結局、「会社の作り方」は第3回まで連載した。

これからひとりで出版社を立ち上げようという人にとっては、多少でも役に立つテキストかもしれない。

当時のハイテンションぶりがなんとなく伝わる筆致ではあるが、実際には不安も大きかった。以下は連載第3回のテキストより。不安を抱きながら部屋の片づけをしていたときのことは、いまでもよく記憶している。

一番不安だったのは、辞めると宣言してから数日経ったころでした。

他の出版社に転職活動をするつもりはなく、最初から独立して自分ひとりでやってみようということは決めていました。

とはいえ、それ以外に具体的になにも決めていたわけではなく、公算があるわけでもありませんでした。

刊行物については、いま企画を進めている先生方にお願いして、新しいところで出させてもらうように交渉するつもりでしたが、みなさんが了解してくださる確証はありませんでしたし、いまいる会社との交渉がうまくいくとも限りません。

ずっと編集中心にやってきたので、流通や営業に関しては自信がありません。取次と口座を開設するのは至難の業だと感じていました。

倉庫はどうすればいいのでしょうか。

お金だって、ぜんぜんふんだんに持っているわけではありません。

そもそも、会社をゼロから立ち上げたことなどあるはずもなく、どこからどう手をつけたらいいのかも皆目わかりません。

それでいて、いまの会社を辞めるためには、あとひと月くらいで残務整理と引継ぎを終えてしまわなければなりません。

ようするに、ほとんど何の目算もなく、何も知らず、何をしたらいいのかもわからない状態で、ひとりになってしまったのでした。

そんな状態でまずはじめたのは、部屋の片づけでした。

資金のことを考えると社屋を借りることは考えられなかったので、書庫代わりにしていた自宅の一室を空けて新社屋にすることだけをまず決めました。決めたも何も、それ以外に選択肢はなかったのですが。

本棚を5本ばかりいれて書庫にしていた部屋を整理して、そこを職場にするしかありません。

辞めると決めてから3日後、僕は会社を早退して、段ボールを20箱ほど買ってきて、とりあえず本の片づけから始めました。

3月になったばかりのよく晴れた日の午後、これから職場にしようという六畳ばかりの部屋をひとりで片づけているときの不安感は、いまでも憶えています。それは恐怖といってもいい感じでした。

自分はなにか大それた、どだい無理なことをやろうとしているのではないだろうか。とりかえしのつかない破滅的な選択をしていて、2カ月後には食うに困って路頭に迷っているのではないだろうか。

前職の仲間たちや関係者たちはみんなあきれはてて、僕のやろうとしていることをあざ笑っているのではないだろうか。

退職宣言を撤回して、いままでどおり、16年間勤めた会社に戻らせてもらうべきではないだろうか。

少なくとも、独立なんかしないでどこかに就職するべきではないだろうか。本を段ボール箱につめこんでガムテープで封をしながら、そんな思いにとらわれていました。

やるべきことは山ほどあるはずなのに、狭苦しい部屋の片づけなどしている場合なのだろうか。

もっとほかに、今すぐ着手すべき喫緊のことがあるような気がして、でも具体的にすべきことはなにも思い浮かばなくて、僕は学生時代からせっせと買いためた本を箱にしまい続けました。

いま僕は、すっかり仕事場所としてなじんだ六畳の部屋でこの文章を書いている。あのときの不安感はいまでもよく憶えている。ひりひりするような、ざらっとした手で背中を撫であげられるような不安感だった。

ひとたび走り出してしまえば、テンション高く、濃密な日々が始まる。でもその直前には不安と心配でいっぱいだった一日があったことを、忘れないでいようと思う。

8月28日(火)

marshallese songs 1

ここ数日ずっと、マーシャル諸島の音楽を聴いています。

人肌を感じさせる、とても親密な気持ちにさせてくれる音楽です。

ウクレレ1本をバックに歌われる曲と、みんなで合唱している讃美歌と、大きく分けてふたつのタイプの曲があります。

生活のなかに、みんなで歌うことが根付いているんだろうなと思わせられます。

誰かがウクレレを持っていてその場で歌い始めたらみんなが一緒に歌い始めた、あるいは、教会や集会所でだれかが声を出したらみんなが唱和した、という感じの曲がほとんどです。そういう、自然発生的なリラックスした雰囲気があります。

飾り気のない素直なメロディがとても心地いい。

曲調としてはハワイアンに似ているけれど、ハワイアンよりも音数が少なく、ほのかにビターなメロディです。躍るための音楽ではなく、歌うための音楽という感じ。

そして、明るく陽気な曲なのですが、ずっと聴いているとかすかに悲しい気持ちになってきます。

日本の童謡に少し似ているかもしれません。

というのも、マーシャル諸島には、日本語がたくさん残っていて、日本の歌もずっと歌われています。

マーシャル諸島はドイツ領だったのが、第一次大戦を経て日本の委任統治領になり、以降太平洋戦争でアメリカが占領するまで日本領でした。南洋庁が置かれて統治されていたので、東南アジアや南洋についてよくイメージされるように、戦時中に占領したわけではありません。1941年6月には、中島敦もパラオ南洋庁に赴任しています。

なので日本統治時代が比較的長く、日本語のことばがそのままマーシャル語になっています。

サンポ・オボン・ゾウリ・サシミといったことばが、少しずつ発音と意味を変えながら、いまでも使われているとのことです。

日本語を学んだマーシャル人が作った、日本語歌詞の曲もあります。

そんなことからも、日本の童謡を連想させるのかもしれません。

いま聴いている音源には、「ありがとう・さようなら」(歌詞がわからなくなって、途中で笑いながら歌うのをやめてしまいます)、「上を向いて歩こう」(もちろん戦後に、もしかしたらアメリカ経由で入ったものでしょう。でも歌詞は日本語です）など日本の曲もたくさん入っています。

けっこう驚いたのですが、「君が代」も歌われています。伴奏なしで、とても美しいハーモニーだけで歌われる「君が代」。この歌のバックグラウンドについてどうこう書くつもりはありません。単純に曲として聴けば、正直そんなに面白いとは思えない曲です。

しかし、遠いマーシャル諸島の人たちが、おそらく日本語の意味については知らないままに（サザレイシってなんだ？）みんなで美しくハーモニーを作っているのを聞くと、脳が揺れるような気持ちがします。

予期せぬ場所でばったり知り合いに会った時に感じるような、ちょっと時空がゆがむような感じがあります。

日本人だって、こんなに美しくはハモれないでしょう。

そして戦後はアメリカの信託統治領だった時代が長いので、讃美歌やクリスマスソングなんかも歌われています。

「サンタが町にやってくる」（日本語と英語のちゃんぽんです。スズノネガスズソコニと歌っています）、「もみのき」、「Imagine」（もちろんジョンのあれです。この曲は

2 0 1 8

バックはピアノで、原曲にほぼ忠実なカバーです）などなど。

マーシャル語のマーシャルの歌、日本語のマーシャルの歌、日本由来の歌、アメリカ由来の歌が、少しずつ流れていきます。

マーシャル版「みんなのうた」という趣きです。

そしてそのすべてが、シンプルな演奏とハーモニーしかないぶん、メロディの美しさが際立つアレンジになっています。アレンジ、という言い方もふさわしくないような気がします。アレンジというほど技巧を感じさせるものではなく、みんなで歌えるかたちを素直に楽しく表現したら自然にこうなった、という雰囲気の音楽です。

遠い南の島に、まるで孤児のように日本語で歌われる曲が残されていること。そして例によって例のごとく、戦後にはアメリカン・カルチャーがものすごい勢いで流れ込んでいること。

それらをウクレレ1本で受けとめて、しっかりと自分たちの歌声にしてしまっていることのたくましさと健気さを感じます。

そこにちょっとした哀しさややるせなさを感じるのは、僕が日本人だからこその感傷でしょうか。

そんなことを、まわりの人たちや、できることならマーシャルの人たちと話し合ってみたい気がします。

なお、ここで言及した音楽は市販されている音源はないので、マーシャルの曲を聴きたい方は、9月29日からアップリンク渋谷で公開される映画『タリナイ』をご覧ください。

冒頭から最後まで、素敵なマーシャルの曲がたくさん聴けます。以下のサイトから予告編も観られるので、そこでも少し聴けます。

https://www.tarinae.com/

ドキュメンタリー映画『タリナイ』の監督であり、『マーシャル、父の戦場』を一緒に作った大川史織さんは、大学卒業後に2年間マーシャル諸島共和国で暮らしていた。そのときに集めたマーシャルの歌の音源を、無理をいっていただいた。以来、折に触れて聴いている。

つい先日（2023年1月6日）、親しくしている仲間たちが集まって、我が家で『タリナイ』の上映会をした。僕にとっては久しぶりに作品を観る機会で、病気になってから観るのは初めてだったと思う。

2018

そのときに、この映画は僕にとって青春映画だったのだと気がついた。戦争を介した、日本とマーシャルのいびつな歴史を描いたドキュメンタリーで、決して青春映画と呼べるような内容ではない。でも僕とみずき書林にとって――もしかしたら大川さんにとっても――この作品は青春時代の象徴のようなものだったのだと思う。この映画がいまはなきアップリンク渋谷でロングラン上映され、足繁く通っては繰り返し観ていたころ、僕は40歳で、青春時代と呼ぶにはいささかとうが経っていた。でも出版社として独立したばかりの僕にとって、そのときの日々は、目くるめくような青春の日々だった。

　そんな時間を、大川さんとその映画、本とともに過ごせたことを幸福に思う。

　マーシャル諸島の人びととの歌声は、僕の青春時代のＯＳＴだ。


　なお、この本の準備のためにすべてのブログを読み直したが、大川史織さんはおそらく、ブログへの登場頻度がもっとも高い登場人物だろう。このあと2冊目となる『なぜ戦争をえがくのか――戦争を知らない表現者たちの歴史実践』という本を再び一緒に作り、いまも単著の準備をしている。彼女が登場する限り青春時代は続く、のかもしれない。

9月1日(土)

弱さについて

今年の5月、是枝裕和監督がカンヌでパルム・ドールを受賞した直後に、取材で語っていたことば。

僕は人々が「国家」とか「国益」という「大きな物語」に回収されていく状況の中で映画監督ができるのは、その「大きな物語」(右であれ左であれ)に対峙し、その物語を相対化する多様な「小さな物語」を発信し続けることであり、それが結果的にその国の文化を豊かにするのだと考えて来たし、そのスタンスはこれからも変わらないだろうことはここに改めて宣言しておこうと思う。

ここで言われる「小さい」という形容は、「弱さ」と言い換えることもできると思います。

たとえば、中国という大国のなかの少数民族。
かつてあった大東亜共栄圏という強国のなかの、庶民の暮らしという視点。

戦争社会学という、まだまだはじまったばかりのコンセプト。

あるいは、マーシャル諸島共和国という遠い国で名もなき一兵卒が残した、小さな日記。


そういった「弱さ」を視座にして、本作りをしていければと考えています。

個人的に、〈弱国史〉〈弱国史観〉と命名しています。

なんといっても僕自身が、自宅で・ひとりという史上最弱の出版社ですから（笑）。

いわゆる〈強国史〉は大きな会社にまかせます。

僕としては、《「大きな物語」に対峙し、その物語を相対化する》ような、弱さをそのまま弱点と捉えるのではなくて多様性の表現や特長へと変換できるような、そんなことができれば、と思っています。

そういう視点をもった人と本作りができれば幸福だろうな、と考えています。


是枝監督のことばを受けて、それを我田引水的に自分の出版物に引きつけ、さらに今後の出版のねらいについて綴った文章。

弱さ、小ささ、遠さ、そんなことをコンセプトにしようという考えは、たしかにこの後も活動の基調になっていく。とくに近現代史の本を作るときには、ひとつの視座になったのは間違いない。

この考え方をより尖らせたものが、後出の「〈弱国史〉概論――1／4「弱国史」とは何か」というテキストであり、それを元に企画されたアーヤ藍さんとの本作りであった。その本ではシリア、マーシャル、マダガスカル、コンゴ、グリーンランド（北極圏）など、日本から遠く、国際的に弱く、経済的に小さいとみなされている国や地域をとりあげ、読み終わったときにはその遠さ、小ささ、弱さがひっくり返るような本を目指した。アーヤさんとの本作りはその後多少の紆余曲折を経て、いまは大川史織さんと藤岡みなみさんのユニット、春眠舎が編集を引き継いでいる。フリーランスのライターであるアーヤさん、編集初心者の春眠舎、ひとり出版社のみずき書林と、弱くて小さなチームが集まって、弱くて小さくて遠い国についての本を作っていることになる。

この本も、間もなく刊行になるだろう。


ところで、みずき書林の狭いオフィスには、世界地図が貼ってあり、書籍で取り上げた国や地域は赤ペンで丸く囲んでいっている。真っ先に囲んだのが、日本とマーシャル諸島共和国だった。いまは32の地域・国まで広がっている。

9月6日(木)

ラディカル・オーラル・ヒストリー

たいへん嬉しいことに、この一月ほど、保苅実さんのお姉さまとメールでやりとりをしています。

それで、あらためて『ラディカル〜』を読み返しています。

以下は、今年の春にある人に送ったテキストを少し変更したものです。

＊

この時期に出会ったことが奇跡のように思えている本がもう一冊あります。

保苅実著『ラディカル・オーラル・ヒストリー——オーストラリア先住民アボリジニの歴史実践』。

初版は2004年、御茶の水書房より。

この4月に、岩波現代文庫に入りました。

著者の保苅実さんは、2004年に、わずか32歳で亡くなっています。この本は翻訳や寄稿などを除けば、彼の唯一の著作です。

保苅さんがノーザンテリトリーのグリンジという部族のもとに滞在し、グリンジの長老たちへの聞き取りを基にして作られた本です。そういう意味では、人類学・民族学の研究書だと思われるかもしれません。実際、そういう種類の本ではあるのですが、同時に、そしてそれ以上にこの本は歴史書であり、ある種の文学的・哲学的な本でもあります。

ここでは、グリンジの歴史家がどのような歴史観・世界観を持っているかが、もっと言えば、それは私たちが学び、自明のこととしている西洋的な歴史観・世界観とどれだけ違うかが、きわめて明晰で魅力的な文章で語られます。

保苅さんが生きていたらおそらく賛同しないであろう、あまりにもわかりやすくて奇矯な喩え方をすると、それはいわば火星人の歴史観を、空間把握能力を、移動の概念を、他者への意識を、知ろうとするようなものです。それくらい、アボリジニの歴史観と僕たちのそれとは違っています。そして著者は、それらを無理に西洋近代的な歴史観に接続して一本化して乗り越えようとするのではなく、「ギャップ越しのコミュニケーション」として把握しようとします。

ここでグリンジの長老たちの歴史把握について書くのはやめておきます。それを要約するのは僕には骨の折れることですし、そんなものを読むくらいなら『ラディカル・オーラル・ヒストリー』（なんとカッコいい書名でしょう）そのものを読めばいいわけですから。

この本のなにがそんなにも僕を引き付けるのでしょうか？　真摯に注意深く、相手の声に耳を傾けること。そして違いを違いのままに、その違いごしに対話を試みること。そういった著者の歴史に向かい合う姿勢そのものが、この本の本質です。ゆえに、歴史についての研究書でありながら、まるで異なる方向から、この本は読者の心を鷲掴みにしてきます。

この本は研究書でありながら、きわめて良質な小説やエッセイが、優れた哲学書が成しえることまでも成し遂げているのです。

他者に向き合い、話を聞き、考察し、そのプロセスのなかで他者を尊重しようとする著者の姿勢を美しく感じます。

オーストラリアの大地を乾いた風が吹き抜けていきます。赤く細かい砂があらゆる粘膜と繊維の隙間に入り込んできます。著者はそこにしゃがみこんで、一心に長老の物語を聞いています。その眼は強い好奇心にきらきらと輝いています。今ここにある人生を心から楽しみ、自分の知的欲求をどん欲に追い求め、風の音の向こうから響く声に懸命に耳を澄ませている。そんな若者の姿が浮かんでくるのです。

保苅実はもういません。そのことはこの本の本質には直接関わりのないことですが、とはいえ保苅さんが32歳の若さで末期がんに侵され、あっという間にこの世を去ってしまったことは、この本の輝きを特別なものにせざるをえません。僕たちは、彼の本を前にして注意深くありたいと強く思うことになります。彼がグリンジのひとびとにまっすぐ向き合ったように、彼の遺したことばを丁寧に真剣に扱いたいと思うのです。

自由で危険な広がりのなかで、一心不乱に遊びぬく術を、僕は学び知りたいと思っている。

保苅実の遺した文章のひとつです。
ある人からこのことばを教わって以来、ここ最近の僕のマントラになっています。彼がアボリジニの地で一心不乱に遊びぬいたように、僕もまた自由で危険な広がりのなかに出てみることを決めました。

勇敢で冷静、そして美しくありたいと感じています。(死の直前に、友人たちに宛てたメールの一節)

2 0 1 8

丁寧に勉強し、静かに深く感じ、そして身体で経験し続けたいと思います。それ以外に豊かに人生を生きる方法なんてないでしょうが

（『ラディカル・オーラル・ヒストリー』）

これらのことばに代表される保苅実という研究者に、このタイミングで出会ったことは、僕の人生に決定的な影響を及ぼしたのかもしれません。多くの読者と同様に、僕も保苅実の熱に当てられ、知性に憧れ、やさしさに感嘆し、喪失感に呆然とします。

これ〔『憶えている』〕を書いている2023年3月の時点で、保苅実のお姉さま・由紀さんとの交流はいまなお続いている。保苅実へ向けられた僕の高い尊敬の念とテンションも維持されたままだ。もう何度『ラディカル・オーラル・ヒストリー』を読み返したことだろう。

この文章を書いた当時、僕は病気ではなかった。いまは保苅実より一回り年長になったとはいえ、同じく死病にとりつかれている。それでも——だからこそ、5年前に書いたこの文章に強く共感する。自分が書いた文章に強く共感していてもしかたがないのだが。

この長いブログテキストに付け加えることは特にないような気がするが、病床の保苅実

について加筆しておきたい。
保莉実は病床にあって、友人知人たちに何通かのメールを一斉送信している。上記の「勇敢で冷静、そして美しくありたいと感じています」もその一節だが、そのすべてのメールの全文は公式ウェブサイト上に公開されているので簡単にアクセスできる。そのなかから、いま共感する印象的な部分を抜き出してみる。

人は繋がっているし、世界は繋がっているということを今ほど深く確信したことはないように思います。それだけでもがんになった甲斐（？）があるというものです。

病から本当に多くのことを学びました。それが今後の人生でどのように生かせるかが、大きな課題であるように感じています。今年もまた、皆さんと学びあえる関係でいれたらどんなにすばらしいかと思います。

そして、人生に無駄ってないんですよね。入院生活、痛みや苦しみ、身体との深い対話、家族や世界中の友人たちからのサポートなどすべてが、本当にかけがいのない経験になっています。信じてもらえないかもしれないけど、僕ってなんて幸福なんだろう、としょっちゅう感じているんですよ、マジで。

ここで保苅実は、病気になったことは必ずしも不幸なことばかりではないと繰り返している。そして周囲の人々への感謝を述べている。この感覚は、僕にもよくわかる。

この年齢で末期がんになったことは不運なことではある。試みていた治療はすべて終わり、いま現在はがんの治療という意味では、なすすべなく在宅医療で延命を図っているだけだ。薬で痛みが抑えられているのが不幸中の幸いで、でもその状態もいつまで続くかわからない。そのような状態で生きていくことは、それ自体ではやはり幸福とは言いにくいだろう。

でも僕は、自分が不幸だと思ったことはあまりない。積極的に幸福かどうかと問われるとちょっと躊躇するが、それでも考えた末に、最終的には「幸福なんだと思う」と返事するくらいの気持ちではある。

保苅実は病から多くのことを学んだといい、それを今後の人生にどう活かすかを考えている。そしてもっと病状が進んで、「今後の人生」が考えにくくなってからも、「僕ってなんて幸福なんだろう、としょっちゅう感じている」という。

この強靭な生命力と生きる意志はどこから立ち上がってくるのだろうか。

彼は何を思って、最後の日々を生きていたのだろうか。

「自由で危険な広がりのなかで、一心不乱に遊びぬく術を、僕は学び知りたいと思っている」

この考え方を、病床のなかにも適用させていた保苅実。その術を、僕もまた学び知りたいと思っている。

9月11日(火)

あれから17年も経ったのですね

あのとき、僕は大学生で、杉並区下井草というところで一人暮らしをしていました。ひとりで部屋にいて、テレビを見ていたのを憶えています(あの頃はテレビを持っていました)。

何を見ていたのかは忘れましたが、ドラマだかバラエティ番組だか、とにかく他愛もない日常的な番組を、見るともなしに見ていました。

するとそれが断ち切られるように終わり、いきなり臨時ニュースに切り替わりました。

煙を上げる高層ビルを背後に、NYに駐在しているアナウンサーが喋りはじめましたが、この時点では事故なのか事件なのか、まったく詳細はわかっていませんでした。

そうこうしているうちに、背後に映っているもうひとつのビルに、また飛行機が突っ込んだのが見えました。僕はテレビ越しとはいえ、2機目の突入をリアルタイムで見届けたのでした。

日本のスタジオにいるキャスターが「いまもう1機ぶつかりませんでしたか?」と訊き、現地のアナウンサーが「はい? え。そうですか?」と混乱していたのをよく憶えています。

多くの人と同様、この瞬間に僕も、これは事故ではないと確信しました。

当時、姉がNYに住んでいました。

すぐに実家に電話して——細かくは憶えていませんが、その夜のうちには姉の無事が確認できたのは記憶しています。

(当時住んでいた部屋から黒煙が見えたと、あとになって聞きました)

その日以降とうぶんの間は、不穏な微粒子みたいなものが空気中に満ちていました。ある意味では、あの日以降、空気感というか時代の肌ざわりは微妙に変わったままです。それはもう元には戻らないのでしょう。

姉の無事も確認でき、直接はかかわりのない東京に住んでいる立場ではありましたが、その後どこに行っても、東京の街全体が異様で緊迫した雰囲気に包まれていたことはよく憶えています。

（その張り詰めて不安に慄いているような空気は、それから10年後の3月11日以降、ふたたび街中を包み込むことになりました。そしてそこで変わった空気も、もう元には戻りません）


ごく稀に、自分が世界史的な事件や時代の転換点に立ち会ったな、と実感されることがあります。

普通に暮らしていたら、ある日突然何かが起こり、ことの重大さに呆然として、その瞬間から否応なく何かが変わってしまう日があります。

その日がいつだったのかは、その人の年齢やそのときいた場所などによって、それぞれに違います。

僕はそういう話を聞くのが好きで、いろんな人に自分が歴史的な現場に立ち会ったと感じた日はいつか訊いてみることがあります。

ある文芸誌の編集者は迷いなく、１９６０年６月15日国会と答えました（その人はそこにいたとのことでした）。

ある関西人は嬉々として、１９８５年４月17日、バース・掛布・岡田のホームラン3連発と言いました（それは世界史的な事件ではないだろう、いくらなんでも笑）。

玉音放送を挙げる人も、昭和天皇崩御と答える人も、ベルリンの壁やソ連邦崩壊のことを口にする人も、阪神・淡路大震災のことを言う人も、地下鉄サリンの一日のことを話しはじめる人もいました。

僕の世代にとっては、やはり911と311がそうだと答える人が多いのではないでしょうか。

(そういえば先日、アーサー・ビナードさんが、日にちがそのまま事件名になっている出来事は背景に胡乱なものが潜んでいる、と言っていたのを思い出しました)

自分がいま歴史的な重大事件に立ち会っているんだと実感された日。
あなたにもそんな日がきっとあると思う。
僕にとってはやはり911と311ということになると思う。実家のある岡山県に住んでいて強い揺れを直接感じたという意味では阪神・淡路大震災も大きな事件だったが、その頃僕はまだ高校生で、ことの重大さをいまひとつわかっていなかったかもしれない。
911のときは大学生、311のときは社会人としてすでに働いていたし、その後の展開——前者の場合はイラク戦争に至るまでの世界情勢、後者の場合はその後の長期にわたる東北の人びとの避難生活と、原発のもたらした混乱——も含めて、社会的なインパクトがすさまじかった。これらの日を境に変わってしまったことは、いまでも元に戻らないままだ。

ところで、この本を書きながら、僕はある本を読んだ。

『わたしは思い出す I remember』(AHA!［Archive for Human Activities／人類の営みのためのアーカイブ］編、2023年)。

東日本大震災の前年に生まれた子どもの11年分の育児日記を再読することで、311を従来とはまったく違った観点から見つめ直そうとする、展示と書籍からなるプロジェクトの成果物。

育児日記そのものを収録しているわけではなく、それを震災から10年後に再読した主婦かおりさん(仮名)の思い出すこと、憶えていることを聞き書きしている。

そのテキストは膨大な量にのぼる。本文の大半を占める、11年分のその回想の記録を読み進めていく。

僕には育児の経験もないし、震災当時は東京に住んでいたので、仙台で被災したかおりさんとは震災体験の質も違う。そもそも東北にゆかりもない。性別も違う。

まるで異なる環境にいた赤の他人の記憶が、しかしなぜこんなに引き込まれるように読めてしまうのだろう。単に、震災というあのとき日本に暮らしていた人たち全員が共有した体験があるからとは言えない。この本は震災体験を中心に描かれたものではなく、中心に据えられているのは、あくまでかおりさんとその家族の生活史だからだ。震災とその爪痕は、彼らの暮らしのなかで時折顔を覗かせるにすぎず、記述の大半は暮らしの些細な細部であり、そこでかおりさんたちがどう振舞ったかに割かれている。

にもかかわらず、それが実に面白く読めてしまう。

繰り返すが、縁もゆかりもなく、環境もずいぶん違う人が自分の11年間を振り返った、個人的な生活史である。なぜそのような内容が面白く感じるのか。不思議といえば不思議だ。

先に結論めいたものを書いてしまえば、つまるところ、我々は他人とどれだけ一緒かということを知ったときに、感慨を抱くということなのではないだろうか。かおりさんと僕の人生が直接交差することはない。でも、たとえば２０１８年４月11日、かおりさんはラジオを聴きながら、手紙の処分と書類の仕分けをやっている。僕の会社の創業日はその２

日後。このことは何らの接点のなさを強調するとともに、我々が同時代を淡々と生きていることをも表している。

たとえば震災から1年後の3月12日、かおりさんと長女のあかねはアンパンマンミュージアムに行っている。帰宅してからはリビングの室内遊具セットで遊んでいる。翌13日は僕は34歳の誕生日。34歳といえば、前職で社長になった年だ。

やはり接点はなく、僕の人生も彼女の人生も、淡々と過ぎて行っている。

要するに、人生とはそういうものであり、そしてだからこそ、そこに曰く言いがたい感動や感慨があるということなのだろう。ひとつの人生には歴史があり、ことばにならない、あえてことばにしない思いがふんだんに詰まっている。そこが面白い。

ところで、いま書いているこの本は、『わたしは思い出す』と似たような構成である。かおりさんは育児日記を再読していまの思いを語る。僕はブログを再読して、いま考えていることを書いていく。いずれも過去の自分との対話という意味で共通している。

ひとまず一巡目を書き切ることを目的としてこの2カ月程集中して書いていったが、途

2 0 1 8

中で果たして面白いのかどうか、自分ではわからなくなっていった。そのわからなさを端的に言うと、あまりにも個人的な内容で、パブリックにする必要があるのかどうかわからなくなっていった、ということだと思う。

一体この個人的な記録をパブリッシュすることで、誰が面白がってくれるのだろうか、ということだ。

そんなことを思い悩みながら書いているときに、『わたしは思い出す』に出会い、とても勇気づけられた。上記のとおり、「個人の記録は面白い」ということに気づいたからだ。おこがましいことだが、『わたしは思い出す』が面白いなら、僕の本を面白いと思ってくれる人も一定層いるのかもしれない、と思えた。

その面白さを言語化することはなかなか難しいが、ひとりの人間が生まれ育つところを見つめ続けたかおりさんの11年間が個人の記録・記憶として読みごたえがあるとしたら、僕のささやかな5年間の記録と記憶——僕は逆に死にいこうとしている——もまた、誰かに何かを感じさせるものになっているかもしれない。

＊

このブログを書いた翌年から、僕はある都内の私大で非常勤講師を務めることになる。

予想外に受講者数が多くなり、結局140人近い学生を前に喋ることになるのだが、そこで学生たちに「自分が歴史的事件に立ち会ったと思える瞬間」について訊いてみたことがある。

多くの学生が、「まさに今、コロナ禍のこのとき」と答えることになった。なるほど確かにそうかもしれない。いま大学2年生の学生たちにとっては、311ですら子どもの頃の出来事だ。911のころなど生まれてすらいない。いままさに自分が世界史的な事態に立ち会っているとなると、全世界的に同時進行しているコロナ禍を措いてないだろう。

＊

末尾に出てくるアーサー・ビナードさんについて。僕と大川史織さんは両国で行われたアーサー・ビナードさんの講演会に出かけ、その帰路にはじめて、『マーシャル、父の戦場』の次となる書籍企画についてアイデア交換を行ったことを憶えている。さらにその数日前に、『ペリリュー ――楽園のゲルニカ』で話題だった武田一義さんの新刊刊行サイン会に行っていた大川さんは、戦争を共通テーマとして、アーサーさんの詩や武田さんの漫画などが同居している本が読みたい、というアイデアを語った。翌日、僕はそれをアレンジして企画書を書いた。

後に『なぜ戦争をえがくのか――戦争を知らない表現者たちの歴史実践』となる本の企画は、こうして両国の公園を歩きながらキックオフされた。

9月14日（金）　映画『タリナイ』

情報も出そろってきたので、本腰入れて告知します。

小社刊『マーシャル、父の戦場――ある日本兵の日記をめぐる歴史実践』の編者・大川史織さんが監督した映画『タリナイ』が劇場公開となります！

9月29日（土）から、アップリンク渋谷にて。

アップリンクのサイトはこちら。
『タリナイ』公式サイトはこちら〔https://www.tarinae.com〕。
公式Twitterはこちら〔@tarinae_film〕。

上映時間は93分。

上映後には、監督とスペシャルゲストたちによるトーク回もあり！

映画の予告編やあらすじ、大林宣彦監督・武田一義さん・矢部太郎さんをはじめとするたくさんの方々によるコメントなどは、ぜひ上記サイトをご覧ください。


この場は出版社のサイトなので、姉妹本『マーシャル、父の戦場』との関連でちょっと書いておきます。


ある大学の先生にご紹介いただき、僕は去年の6月にこの映画を観ました。

観終わったときには、これは本になると確信し、監督に長い感想のメールを書きました（僕は油断するとうっとうしいくらい長い文章を書く悪癖があります。このテキストがそうなりつつあるように。なお、こういう成立事情なので、姉妹編というときには映画が姉で、本が妹です）。

それからちょうど1年くらいを費やして本書は爆誕し、ほぼときを同じくして映画も劇場公開が決まりました。

個人的なことを書けば（まあそもそも、このブログでは個人的なことしか書いていないわけですが)、この1年の間に僕はずっと勤めていた会社を辞めて、ひとりで新しく仕事をはじめることにしました。

その決断に至るまでにはいくつかの要因がありましたが、本書の出版計画およびその元になった映画が、主要因のひとつだったのは確かだと思います。

この映画の内と外には、何かを強く/長く求めている人たちが登場します。

カメラの内側に映っているのは、主要な被写体である佐藤勉さん、陽気に歌を歌うマーシャルの人たち、戦争の記憶を引きずるマーシャルの人たちです。

そして画面には映りませんが、カメラの外側には、勉さんの父である餓死した日本兵・佐藤冨五郎さん、「コイシイワ」という曲を作ったマーシャル人、ファインダーをのぞく監督自身がいます。

彼らにはそれぞれに求めているものがあります(ありました)。

そしてその求めているものに向かって、肩ひじ張らずにごく自然に手を伸ばしているのも、彼らの共通点だと思います(映画のメインビジュアルである、マーシャルの少年に話しかけている勉さんからは、気負いや緊張は感じられません。彼は英語もマーシャル語も達者ではないにもかかわらず。さきほど「決断の主要因になった」と書いたのは、たとえばそのような力みのない真っ直ぐさに惹かれたという意味合いです）。

彼らはそれぞれに何を求めている（いた）のか。

たとえば、39歳で死んだ父・冨五郎さんは、なぜ死の直前まで日記を綴りつづけたのか。

それから70年以上がたって、74歳になった息子の勉さんは、なぜどうしても父が死んだ島に行きたかったのか。

そのときまだ20代だった監督は、なぜマーシャルとその歴史に惹かれることになったのか。

そんなことも、この映画の鑑賞ポイントのひとつになるかもしれません。

……なんだかすごくヘヴィな映画みたいな書き方になったかもしれません。

実際には、観るのがしんどいような、重たく暗い気持ちになる映画ではありません。むしろ逆に、映画のトーンそのものは終始明るく優しげとすらいえるかもしれません。

おそらくそれは、画面全体をおおう南国の美しい風景と、映画全体を包む楽しいマーシャルの曲があるからだと思います。

マーシャルの曲については先日書いたので、よければ読んでみてください〔本書35ページ〕。

風景は単純に美しいわけでもなければ、音楽は単純に楽しいわけでもありません。美しければ美しいほど、楽しければ楽しいほど、その背景にあるものを考えざるをえないことになります。

そういうことを考えてみようというときに、へんに深刻にならずに、でも真剣に考えてみようかなと思わせるところが、この映画の最大の達成でしょうか。


〈ハリウッドをはじめとする全国展開するような大作映画は、〈多くの人が共通して期待しているカタルシス〉という、あらかじめ決められたひとつの感情に観客をリードしていくように作られていると思います。

いっぽうドキュメンタリー映画は、〈多くの人が予期していなかった感情をゆさぶる〉ことで、観客がそれぞれ個別に考えて想像することを目指すのだと思います。

ゆえにハリウッド的大作はマジョリティーに受け入れられやすいですが忘れえぬ唯一の作品にはなりにくく、ドキュメンタリーは敷居は高いけれどもインプレッシブなものになりえます。

あと数年経ったら、世界を破滅の危機から救ったのがブルース・ウィリスだったのかアーノルド・シュワルツェネッガーだったのかは曖昧になっているかもしれません。でも、父親を呼びながら島に降り立った佐藤勉さんの叫び声は、あるいはただたどしい日本語で歌を歌った異国の老婆の表情は、もしかしたらずっと忘れることができないかもしれません。

マーシャルという国は、おそらく多くの日本人にとってすごくマイナーだと思います（苦笑）。でも未知の場所だからこそ、そのぶん〈予期していなかった感情をゆさぶ〉られる可能性は高いかもしれません。

自分自身がどう感じるかを見届けに、ぜひ劇場にいらっしゃってください。


この頃からほぼ1年程前の2017年の初夏に、僕は出版企画を検討するために、『タリナイ』という映画を初めて観た。よく晴れた土曜日の午前中に、自宅ベッドに寝転がってスマホの小さな画面で観たのを憶えている。以下に、鑑賞後に大川さんに送ったメールを引用する。

会ったことも顔写真を見たこともなく、どんな年恰好の方かも知らなかったので、敬称が「先生」になっているのがご愛敬である。

大川先生

「タリナイ」、拝見しました。

とても丁寧かつ暖かく作られている作品ですね。

その印象は、全編を彩る島の美しい風景や人びとと音楽、日本人スタッフの親切で明るい雰囲気、そういった肌触りを切り取っていった監督の才能・お人柄によるものと思います。

その暖かさの中心に、父親を求める子どもとしての佐藤勉さんがいて、家族を思って亡くなった冨五郎氏がいると思います。そのなかで、40歳で亡くなった冨五郎さんも含めて一番の年長者が勉さんであることが、大きな特色になっているのではないかと感じました。

一般的なフィクションや物語では、年老いたものが若者を導いて旅を進めていきます。しかしここでは、むしろ若い人たちが老人を導きながら旅を共にするのがとても興味深い点でした。大きな動機をもった勉さんを中心にして、大川先生が旅の起点になり、同じく若いコーディネーターや通訳の方が強力にサポートし、現地の若い人たちが歌を歌い、最終的には子どもたちが真っ先に狭い穴倉に入り、またタンクの砂のことを教えてくれます。

こういった、老いた人の想いを若者が伝えようとする過程は、たとえばスターウォーズやロード・オブ・ザ・リングといった、想いは強いが未熟な若者を、経験を積んだ老人がリードするという古典的・神話的な物語構造とは正反対であり、そのことは「戦争の記憶の継承」を進めていくうえでは、極めてまっとうな形なのではないかと考えさせられました。

体験者が健在である間は、彼らが若者に語り継ぐという上から下へのかたちが主流でしたが、戦争体験者がどんどんいなくなって高齢化している今では、彼らの想いや記憶を受け継ぎたいと考えている若い世代が旅のリーダーになっていくのは、とても自然なことと感じました。

行動力・伝達力・体力といったアウトプットに関わる力は、若いほうが高いのは間違いないことであり、それが当事者的・記録的・実体験的なインプットを持つ前の世代と良い形で結びついた時に、柔らかで強い作品が生まれたのだと思います。

そのような結びつきが、冨五郎さん、勉さん、大川先生、日本人スタッフ、現地のお年寄り、現地の若者といった、世代もおそらくは人生観も戦争観も異なる人たちをひとつにして、この作品の暖かさの根本になっていると感じました。それは、政治や外交、経済効果や歴史といった他の学問領域では、表現しにくいことかもしれません。

多くの人にとっても同じかもしれませんが、私にとってこの作品のクライマックスは、佐藤勉さんがエネヤ島に上陸し、砂浜を歩きながら「やっと来ました」と父親に向かって語りかける場面でした。この、いまの世代にはハワイやグアムを想起させる明るく開放的な雰囲気の南の島が、かつて日本兵にとって孤絶と飢餓による緩慢な地獄であり、佐藤勉さんにとっては何とかして行ってみたい家族のルーツのひとつであり、大川先生にとっては記憶をめぐる冒険のひとつの到着点であり、つまりそれぞれの世代にとって何らかの形での旅の終わりであり、また結果的に次世代に引き継ぐべき始まりの舞台だったのだと思います。

本作りにも多少似た部分があり、いろいろ大変なところや面倒な部分もありますが、映画や本の良いところは、当事者にとっては到達点でありながら、誰かに向けて「残る」ということだと思います。まさに冨五郎さんの日記がそうであったように、今回作るであろう本も、我々以外の誰かにとって良い本にしたいと思います。

余談ながら、私は学生時代に映画サークルに所属して、勉強もしないで8㎜映画を作ることに熱中していました。もちろんこの作品を学生映画と同列に論じることは失礼な話ですが、多少なりとも映画を作ったことのある身としては、この作品を作るための企画力と行動力、長期にわたる高いレベルでのモチベーションの維持には、本当に頭が下がります。


長々と失礼致しました。

こういったことは、お目にかかった折にでもあらためて。

お目にかかれるのを楽しみにしております。

よろしくお願い申し上げます。


以上、延々と引用した。

これ以降、大川史織さんとは膨大なメールやメッセージのやりとりをしながら、交流はいまに至るまで続いている。

その最初がこういう気持ちであったことを、編集者としてこんなふうなメールを最初に送ったことを、どこかに記録しておきたかった。

2018

9月16日(日)

昨日は記者クラブで『タリナイ』の上映を観ました。

今日は明治学院大学で、田中祐介さん主催の「近代日本の日記文化と自己表象」の研究会に参加していました。


共通点は、ともに日記を扱っていること。

『タリナイ』と『マーシャル、父の戦場』で扱われた佐藤冨五郎日記は、マーシャル諸島で餓死した一兵士の2年間にわたる日記が題材のひとつになっています。

今日の研究会では、いくつかの日記が俎上に上がりました。そのなかでもとりわけ、明治から昭和まで膨大な日記を綴りつづけ、日本の近現代史に寄り添うように生きてきた吉田得子という市井の女性の日記が印象的でした。


佐藤冨五郎さんは明治39年生まれ。昭和20年に異国の地で、39歳で餓死しました。

吉田得子さんは明治24年生まれ。岡山県で生まれ育ち、昭和49年に83歳の天寿を全うしました。

それぞれに、忘れ去られてもおかしくない人たちでしたが、日記を遺したことで少なくとも誰かの記憶にとどまり、何人かの生き方を揺さぶることになりました。
本人たちはおそらく意識してはいなかったと思います。しかし日記が遺り、思いもかけないつながりを生んで、後世の誰かの想像力を刺激したことがわかれば、きっと得子さんは満面の照れ笑いを浮かべ、冨五郎さんは手を合わせて頭を下げるのかもしれません。

このブログも、もしかしたら１００年後の誰かの関心を呼び起こすことになるかもしれない、などとありえない空想をしながら、今夜も眠ります。

おやすみなさい。

ありえない空想、というわけでもないのかもしれない。
当時は予想していなかったことだが、このブログは１０００回を超え、その間に病気になったこともあって意外なほどのＰＶを記録する日もある。こうして抜粋が本になるという光栄な出来事も起こっている。

ここで登場する田中祐介さんも、今後何度か触れることになるだろう。

出会ったのはいまから10年前になる。ある学会で出会い、その後日記文化の研究会を立ち上げたばかりの彼にある企画を持ち込んだことで交流が生まれた。そして何年かのブランクを挟んで、このたび『マーシャル、父の戦場』という日記本を刊行したことが田中さんの目に留まり、再会することになった。

田中さんも僕も酒が好きだったこともあり、再会して以来、何かと理由をつけてはふたりで飲む機会も増えた。その関係は僕が病気になって酒がまったく飲めなくなるまで続いた。

これを書いている今、10年前に持ち込んだ企画を実現すべく編集会議／研究会を重ねている。縁は不思議なものだ。そしてその企画を実現させることは、いまの僕の目標のひとつになっている。大型の企画だし、刊行までにもうしばらく時間がかかるだろう。僕の身体がそれまで保つのかどうかわからない。でも、何とかして達成したいと思っている。田中さんとの約束を果たしたいと思っている。

9月28日（金）

創るひとびと

こういう仕事をしていますから、文章を書く人とたくさんお付き合いしています。
彼らには、追究すべきものごとがあり、表現すべき方法があります。
そういうものを持っている人たちには、素直に頭が下がります。

いま僕の周りには、仕事に直接関係する人であれ、関係しない人であれ、そういう人たちがたくさん集まっている感じがしています。

彼らにはそれぞれに、追い求めているものがあって、なんとか表現しようとしていることがあって、自分でもわけのわからない衝動にかられて、何かを書いたり撮ったりしています。

そういうふうに何かを求めている人たちは、見ていて気持ちがいい。

仕事に関わることはおいおいに書いていくとして、ここでは仕事には直接関係ないことを書いてみます。

僕には東京に出てきて以来、もう20年以上の古い付き合いになる友人がいて（彼は泣く子も黙るクソ大企業のエリート社員であり、出版などに関心はありません。よってこのブログも見ていない前提で書きますが）、ガキのころからお互いに知っている、たったひとりの親友と言ってもいい間柄です。

彼は仕事の傍ら、ずっと映画の脚本を書いています。

毎回書き上げたものを送ってくれて、僕は覚束ないながらも読んで意見交換をしています。

あるいは僕には、ほとんど同じ歳の従兄弟がいます（彼は大学に属する研究者であり、やはりクソ優秀な人物で、やはりこのテキストは見ていないと前提しています）。

彼は最近、あるとてつもない経験をして（そのことについて書くと長くなるので割愛しますが、それは話を聞くだに常人には耐えられそうにない、長く恐ろしく絶望的な年月です）、そのことを書いて残しておこうとしています。

最近僕はその体験をつづったものを読ませてもらって、感心、というか感動しました。

ある程度の長さと、まとまった内容をもつ文章を書くのは、かなり難しいことです。
なんとなく漫然と書いて惰性でなんとかなるわけではありません。
そこにはかなりの強度を持った意志が必要になります。

もちろんこういう仕事をしていますから、そういうことを継続的にできる能力を持った人たちはたくさん知っています。
そういう意味では、まとまったものを書き、あるいは何かを表現しようとすることは、特別に大騒ぎするような能力ではないのかもしれません。

しかし僕にとっては、やはり特別で敬意を払うに値する能力です。
そういう人が、いま不思議とまわりにたくさんいるようです。

ここに登場する親友・佐藤尚史は映画の脚本を何作も書き、そのうち何作かは賞の選考のけっこう良いところまで残ったりもした。従兄弟である岡田拓也は後に自分の経験を下敷きにして、『まっすぐな遠まわり』（第4回「人生十人十色大賞」長編部門最優秀賞受賞、文芸社、2021年）という小説を書き、作家デビューすることになる。

ふたりとも、いまはブログを読んでいることがわかっている。この本が刊行されたら、きっと目を通すだろう。

ふたりとも、僕の体調を気遣って、ちょくちょく短いメッセージをくれたり会いに来たりしてくれる。

拓也くんとは、お互いが本当に小さかった、小学生からの付き合いだ。夏休みに田舎で虫とりや釣りをして以来の仲。

尚史とは1997年4月、我々が大学に入学して以来だ。同じ映画サークルに属して、大学時代の間中、映画を作ってずっと一緒に遊んでいた。卒業後は、4年間もルームシェアをして、気楽な独身時代をともに過ごした。結婚してからはお互いの結婚式でスピーチを読みあい、家族ぐるみでたまに旅行に行った。最後の旅行になったのは2019年のGWのプーケット。東京の街で一番古い付き合いの友人だ。

ふたりが何かを書こうとしたときに、そのプロセスを共有する相手として僕を選んでくれたのは、嬉しいことだった。

10月16日(火)

最近、年齢について考えることが増えました。

20代30代と、比較的安定した環境で仕事をしてきました。その時間は、16年間に及びました。

あっという間の16年でしたが、終わってみればそれなりに長い年月だったと思えます。

いろいろとしんどいこともありましたが、毎日やることがたくさんあって、金持ちだったわけでは全くありませんが定期的な収入もいちおう保証されていて、なによりよい知り合いに囲まれ、かなり幸福で恵まれた年月だったといえるでしょう。

そのままそういう暮らしを続けることもできたのでしょうが、今年3月に、ちょっと思うところがあって環境を変化させてみることにしました。

ほぼ同時に、40歳になりました。

この半年間、我ながら若返ったと思います。

40

2018

もちろん、身体的にはもう若いとはいえません。ランのタイムも落ちてきましたし、髪質も昔はもっと太くてコシがあったように思います。日本酒を飲みすぎると翌日胃がもたれるし、やたら早朝に目が覚めたりもします。

しかし実際の感じとしては（厚かましいことに）、たいして歳をとったとも思えないのです。

まあ、いつまでも子どもっぽいだけなのかもしれませんが、20代や30代と話をしていても、そこまで隔世の感があったりはしません（向こうがどう思っているかは知らないし、知りたくもない）。

仕事上の環境を変えたことが大きいと思いますが、いまさらながら新しいことをはじめてみて、感情の起伏が激しい毎日を送っています。もちろん楽しいことばかりではなくて、考えてみれば不安感や焦燥感を感じることのほうが多いかもしれません。しかし、そういった感情も含めて、かつてなくエモい日々になっていることは確かです。

この半年間、会う人に「嬉しそうな顔をしている」「元気そうになった」と言ってもらえることが多くありました。もしかしたらいつまでガキっぽいんだ、ということが言いたかったのかもしれませんが（笑）、僕自身も我ながら最近は嬉しそうな顔をしていると思うのです。

まだそれほどの歳ではないはずだけれど、とはいえもう若いともいえないかもしれない40歳になって、日々生きていくうえでのささやかな営業方針をふたつ。

1．自分を〈おっさん扱い〉しない。

自己規定は伝播する。「もうおっさんだからさ〜〜」などと年齢をエクスキューズにしはじめたときから、自他ともに認めるおっさんになる。

他人からそう思われるのはしかたないが、自分にそれを許した時から、ヒトは無反省で甘えた悪しき〈おっさん〉と化す。

歳月はいずれ我々すべてを飲み込んでいく。いずれ年齢を認めざるをえないときがくるだろう。

でも、そこはもうしばらくの間、ちょっと抗っていこう。

2．とりあえず面白そうなことには首をつっこんでみる。

自己規制は何も生まない。

もちろん、自分が持っている時間とコストと能力の範囲内で判断する。

でも、そういった諸条件が許すなら、とりあえず新しいこと・面白そうなことには

2018

目と耳を向けてみることにする。

請われれば一差し舞える人になれ。

たぶんそのほうが、明日が楽しい（今頃になってそんなことに気づいた）。


今日は、嬉しいことが連続的に起こりました。

嬉しいときは素直に喜べばいいのだと、僕はこの歳になって学びました。

もしかしたら結局うまくいかないかもしれない。ぬか喜びになるかもしれない。そんなことを思って心に予防線を張って、いざというときに傷つかないように喜びに自己規制をかける必要はないのだと思います。

僕はそういうことを、この半年間でやっと実感として学びました。


この話題、たぶん断続的に続く。永遠のテーマとして（笑）。


この文章を書いているのは2023年3月15日。僕は2日前に45歳になった。

でも、ここで書かれていることにはいまだに同意できる。

僕は自分がそれほどの歳だとはいまだに思えないし、若返ったとまでは言わないまでも、右の文章を書いてから現状維持しているとは感じているかもしれない（厚かましいことに)。

5歳ぶん歳をとり、40代も後半に入った。この間に胃がんというシャレにならない病気になり、体重も大きく落ちてがん患者特有の痩せた体型になった。肉体的・外見的な衰えははっきりしている。もうランニングは続けていない。

しかしにもかかわらず、僕はまだ若いつもりでいる。

いま「人生が楽しいか?」と訊かれたら、深く深く考え込んでしまう。それはとても答えるのが難しい質問だ。いうまでもなく病気のことがあり、日々の体調は刻々と変わるから、単純に楽しいとはいえない。しかし、まったくつまらなく辛いかと訊かれれば、そうとばかりもいえない。たしかに、右のテキストを書いていた5年前に比べれば、純粋な楽しさは目減りしたかもしれない。でもいまでも、やりたいこととやるべきことが一致している。これは幸福なことであって、病とは関係がない。

たしかにこれは、永遠のテーマだ。

この日に連続的に起こった嬉しいことが何だったのかは、もう憶えていない。

でも嬉しいときは留保することなく喜べばいいのだとは、これもまたいまだに思っていることだ。

2　0　1　8

いいことが起こったら、喜ぶタイミングはいましかない。それが起こったときに、その余波が続いているうちに、きっちりと喜ぶこと。

たとえば昨日、僕は国立がん研究センターに行き全身のCTを撮った。その結果、がんは特別大きくなっておらず現状維持ができていることが判明した。すでに抗がん剤治療を止めている身としては、がんが多くなっていないことは、いっそ不思議と言っていいくらい喜ばしいことだ。

長い目で見れば、いつかぬか喜びになるだろう。長い目で見なくても、近いうちに、僕の身体はがんに負けることになる可能性が高い。それでも、いまCTの結果が良かったことの喜びは目減りしない。喜べるうちに喜んでおくべきだ。悲しみが待ち受けているなら、なおのこと。

11月12日（月）

『いかアサ』速報④——カバーイラストは山田南平先生!!

この週末の立命館シンポジウムでも情報公開し、Twitterでも開示しましたが、なんと本書の装丁イラストを山田南平先生に描いていただきます!!

連載中の『金色のマビノギオン』において、緻密な舞台・キャラクター設定と大胆な構成でアーサー王世界を描いておられる山田南平先生。

すでに先生のブログでもたびたび『いかアサ』に言及いただいており、本装丁プロジェクトについても一足先に触れていただいております。

そのたびに楽しいカットや仕事場の写真をアップくださったり、たいへん恐縮しつつも嬉しく拝読しております。

カバーについてはすでにラフを送ってくださっており、編者のおふたりともども、鼻血が出そうになっています。

僕はこれまで、瓦せんべい並みにガチガチに硬い研究書ばかり作ってきました。そういう仕事をしていると、漫画家の先生にカバー用のスケッチをいただくようなことは、滅多にあることではありません。

もちろん今回も、アーサー王伝説のサブカルチャーへの影響を考究する、きわめて真面目で研究的な書籍なのですが。しかしなんでしょう、この「人文系の学術書」らしからぬグルーヴは（編者おふたりのお人柄によるところが大ですね）。

そしてなんでしょう、ラフをいただくときのこのドキドキ感は。

２０１８

図版などをのぞけば、基本的に文字情報をメインに商売にしてきた僕にとって、イラストやビジュアル要素がゼロから立ち上がっていくプロセスには、新鮮な驚きがあります。

このあたりは、同じ本という媒体とはいえ、漫画と研究書の作り手で、ずいぶん感覚が違うものなのかもしれません。

おそらく大学教員である編者の両先生もそうだと思いますが、言語化する仕事には慣れていても、視覚化する仕事には未知の喜びがあります。

なお、

美しいイラスト＋長いタイトル

で、すでにカバーについては設定を盛りすぎなのですが、さらにもうひとつ。

なんと今回の本では、カバーを3パターン作ろうかなと、考えています。

これもまた、学術書ではもしかしたら前代未聞かもしれません。

アーサー王物語はやはりキャラものですから。

そして（こういうことを言うと憤慨する人もいるかもしれませんが）、おそらくアーサー王その人は、一番人気の人物ではないですから（笑）。

ここは人気のあるキャラを配して3つのカバーを制作し、読者の方たちには好きなキャラのものを買っていただこうという趣向です。

まあしかし、やっぱりアーサーは外せないですよね。

そして小宮真樹子先生はランスロット推し、岡本広毅先生はガウェイン派となると……。

さて、どういうイラストが、どんなキャラが、どんな3パターンが出来上がるのか……!?

(もちろん書籍の内容は同じです。このあたり、流通上の混乱が生じないように、目下各所に聞き取り・確認中です。どうすれば読者の方々に好みのカバーが無事届くか、ほぼ目途は立ちつつあります)

年末~年始にかけて、全貌が明らかになってくると思います。

まて続報!


この前後から、漫画家の山田南平先生との交流が本格的に始まった。

お互いがほぼ毎日更新するブログをしていることもあり、本の進行状況や雑談などなど

2018

相互に言及し合ったり、楽しいやりとりをさせていただいた。

この出会いは、いまに至るまで、僕にとって大きな意味を持っている。極めて穏当な考え方とまっとうな配慮ができるお人柄である山田南平先生。彼女の優しさに、何度救われ、恐縮したかわからない。

『いかアサ』を作っているときには、僕や編者と一緒に羽目を外してくださりながらも、常に読者目線に立って、踏み外してはいけない最後の一線を引いてくださった。

僕が病気になってからは、あたたかいエールを送ってくださっている。頻繁にお目にかかるわけではない。でも、楽しかったときから病気になって弱っているときまで通じて見守ってくださる、僕にとって忘れられない方のひとりである。

それにしても、『いかアサ』の編集作業は実に面白く充実したものだった。いま振り返ってみると、「興味深い」「苦労はしたけれどそのぶん得るところも大きかった」などといった感慨ではなく、「ただひたすら面白かった」というのに近い。

これは岡本広毅、小宮真樹子の両編者のパーソナリティによるところが大きかった。おふたりとも若く、アーサー王への愛に溢れ、なにより本書にかける意気込みが強かった。そのふたりの選んだ執筆者のみなさまも、本作りの過程を十分に楽しんでくださったことと思う。簡単に言えば、みんなノリが良かった。その楽しさ、喜びが、寄稿いただいたテキストから溢れるようだった。

なお、ここでは「『いかアサ』速報④」を抜粋したが、この速報は最終的には㉑回まで発表されることになる。

以下、発表時のタイトルと簡単な内容紹介。

①――正式タイトル決定

タイトル『いかにしてアーサー王は日本で受容されサブカルチャー界に君臨したか――変容する中世騎士道物語』の発表。

②――関連するシンポジウム、学会

シンポジウム「日本のファンタジー文化における西洋中世のイメージの源泉と受容」および国際アーサー王学会日本支部の年次大会の案内。

③――装飾文字！

本書では、本文の見出し部分に使用する数字を、カリグラファーの河南美和子さんに装飾文字として制作いただいている。その美しい装飾文字の紹介。

④――カバーイラストは山田南平先生!!
このブログ本文。

⑤――本文レイアウト完成!
宗利《むねとし》淳一さんデザインによる本文レイアウトの紹介。

論考編では主要人物や主要ワードは赤字で印刷。これは索引として視認性を高める機能ももち、同時にキャクストン写本へのオマージュでもあった。

⑥――対談レイアウトとアイコン
対談のレイアウトを紹介。対談はSNS風のページに。アイコンも山田先生の書き下ろし。

⑦――山田南平先生のイラスト完成!&ラフチラ見せ
山田南平先生の書き下ろしイラストが完成。興奮して完成した日に公開。

⑧――山田南平先生ラフ、続き。そしてスティング。
山田南平先生の制作プロセスを公開しようという企画の続き。

⑨――山田南平先生ラフ、色がつく！
前回に引き続き、山田南平先生のイラスト制作過程を紹介。

⑩――刊行日決定。ガ……ガウェイン……‼？
刊行日を3月10日にすることが決定。ほかにSNS上での3種カバーの人気投票の結果など。

⑪――コースターあり☑
本書はまだまだ編集作業中だったが、一足先にコースターを制作。ランスロットとガウェインの背景にあるオリジナル円卓を用いたデザイン。

⑫――カバーデザイン完成‼
山田南平先生の画に宗利淳一さんのデザインが重なり、装丁デザインが完成。

⑬――特設サイト公開！
特設サイトを公開。https://www.mizukishorin.com/ikaasa

2 0 1 8

⑭——立ち読みページUP！
昨日公開したサイトに「立ち読み」をアップ。

⑮——不定期連載コラム、スタート！
先日公開した『いかアサ』特設サイト内に、
いかにして『いかアサ』は編集されたか——編者と編集者による制作の裏側ノート
という不定期連載を開始。

⑯——記事掲載、BRUTUSなど。
コミックナタリー、BRUTUSに掲載された記事の紹介。

⑰——見本出来！
いよいよ完成。出来上がってきた。

⑱——ぞ、増刷⁉
月曜日に見本出来。翌日には取次各社に見本を提出に行き、水曜日に倉庫搬入。木曜日

には早々に増刷決定。発売前増刷ははじめてのことだった。

⑲――ラジオ、増刷、イベントグッズ
岡本・小宮の両編者がラジオに出演。本屋B&Bでのイベントのグッズが決定。コースター、クリアファイル、ポスターなど。

⑳――ブッケン卿からの手紙
書籍に収録できなかった斉藤洋先生のテキストの紹介。

㉑――グッズまとめ
ポスター、クリアファイル4種類、コースター、クッキー2種類など関連するグッズの紹介。

こうして当時やっていたことを抜粋するだけでも、あの頃のテンションが思い出される。編集者として、さまざまなアイデアを具体化していくのは楽しかった。

そしてそれによって本のクオリティが着実に上がっていき、同時に参加くださった執筆者のみなさまと、SNSで編集過程を読んだ読者の期待が高まっていくのも感じられた。

2018

幸福な本作りだったと言える。

12月20日(木)

今年はもう11日しかないらしい

つい3日ほど前に会社を立ち上げたばかりなのに……。
あれからもう9カ月も経とうとしているのか。

実際、今年はいろいろありました。
間違いなく、近年稀なほどに変化が激しく、また実に面白い1年間でした。

どうしてこんなに面白かったのか。

これはもう、人に恵まれたのが一番の理由であるとしか言いようがありません。

独立してひとりになった、何者でもない僕に付き合っていただいたみなさま。

至らない点は多々ありましたが、みなさまにご助力をいただけたことで、支えられました。

僕は今年1年、好きな人としか会いませんでした。

グーグルカレンダーの記載によって、たとえば今年の毎月1日になにをやっていたか振り返ってみると。

1月：正月。実家。
2月：前職時代。同僚と史料編纂所へ行き打ち合わせ。
3月：出版クラブで会合。辞めることを決めた直後だったのでスルーして部屋の片づけ。
4月：休日。アメリカ出張から帰国し、独立直後。機材・備品の設営。
5月：午前中にジュンク堂本店へ。午後は印刷所の営業担当者を訪問。
6月：マーシャル日記翻刻会議。
7月：「マラソン予備」と書かれている。要するに、長丁場&連続の編集会議の予備日。
8月：丸善さんと面談。午後は前職の同僚と呑む。

2　0　1　8

9月：休日。さるイベントに参加。
10月：終日社内で仕事。翌日のトークイベントに向けて集客。
11月：著者と打ち合わせ&呑み会。
12月：午前中、映画初日。午後、打ち合わせ&呑み会。

一日一日は変哲もない日々です。
でも、楽しかった。

あなたがいたから、充実して過ごすことができました。
きみがそこにいるから、負けじとがんばることができました。
おかげさまで、ふらふらしながらなんとか生きています。
あなたたちがいるから、来年もまた楽しいでしょう。

わかっています。これはどうしようもない文章です。
しかもなぜか、なんだかもう死ぬみたいなかんじです。

まあいいや。

＊

ずっとお付き合いいただいているある教授の研究室のドアにはホワイトボードがかけてあり、そこには
「生きて　生きるよー」

と書いてあります。

もう何年も、ずっと変わっていません。

可愛らしいような手書き文字で、マジックペンで書いてあるのでいつ消えても不思議ではないのですが、何年も残っています。

先日も久しぶりに研究室を訪れて、まだ残っているのを確認してきました。

生きて　生きるよー

「なんだかもう死ぬみたいな」文章。

これを書いているいま、僕は吐き気に悩まされている。胃の中に胃酸が溜まり、肥大したがんが邪魔をして、それがなかなか下まで降りてくれない。それで胃が詰まったように

2018

なって吐き気を催すらしい。もちろん、実際に吐くこともしばしばある。

僕の人生は、単純に楽しく嬉しいというだけではなくなってしまった。

しかしそれでもやはり、この5年間がとても興味深いものだったのは間違いない。

それはすべて、ここに書いてあるとおり、人に恵まれたからだ。

直前に書いた山田南平先生もそうだし、他にも多くの方が身近にいてくださる。彼ら彼女たちに支えられて、僕は毎日を生きている。


ちなみに最後に書いてある「ある教授」とは、この当時上智大学の教授だった蘭信三先生のこと。先生の研究室のドアにはホワイトボードがかけてあり、そこには「生きて 生きるよー」という文字がずっと消されずに残っていた。

研究室を訪ねるたびに目にしていたメッセージで、いまでもたまに確かめるように口にしてみることがある。生きて、生きるよー。


駆け抜けるようなテンションだったこの頃の記事を読むと、泣けてくる。

自分なりに感謝を伝えたくて書いた文章なのだろう。「なんだかもう死ぬみたいな」文章。

冗談を言っている場合ではない。あんた、本当に死ぬんだよ。4年後にはがんになって、死ぬことになってしまうんだ。嫌だろうけどしかたがない。そういうふうに決まってるんだよ。

ああ、吐きそうだ。
でもまだだ。まだ死なんよ。
生きて　生きるよー。

12月24日(月)

早坂先生のこと

早坂暁先生が亡くなって、今月の16日で1年が経ちました。

今でもよく憶えていますが、その日の朝に僕は先生の訃報を知り、やや呆然とした気持ちで、銀座で上映されていた大林宣彦の『花筐／HANAGATAMI』を観に行きました。『花筐』の巨大な壁画のような映像美と作風に圧倒されながら、早坂先生の死が、映画のなかに色濃く漂う死の匂いを強めていたのは間違いありません。

戦争の時代と広島という町と、映像と文章に深いかかわりをもったふたりの作家についで思いを馳せながら、銀座から広尾まで歩いて帰り、家の近所の居酒屋でずっとひとりで飲んでいました。

以下は、その日から翌日にかけて書いたテキストです。


最近、早坂先生のことを思い出すことがあったので、昔書いた文章に日の目を見せて、先生への1周年の追悼とします。

(今となっては奇妙な符号ですが、『夢千代日記』『華日記』『「戦艦大和」日記』など、早坂先生の代表作には「日記」をタイトルに冠したものが多くあります)

＊

先生が亡くなった。

88歳、いずれこういう日が来ることはわかっていたが、寝床の中でニュースサイトを見て、来るべき日が来たと知った。

昨日の昼、外出先で倒れてそのまま亡くなったという。

これまで山ほど病気をして入院してきたのに、最期は苦しまずにあれよあれよという間に逝ってしまったのはいかにも先生らしい。もしかすると、死ぬ間際に実際に、あれよあれよ、と呟くくらいはしたかもしれない。

　飄々として暖かく、いつもユーモアを忘れず、楽天的だった。無根拠に楽観的なのではなく、酸いも甘いも噛み分けたうえでの実感に基づいた、いわば地に足のついた楽天家だった。その仕事はテレビや映画の脚本をメインとして、ドキュメンタリー、小説、エッセイと多岐にわたる。テレビや映画の脚本家とは、締め切りに追われながらたくさんの人を巻き込むプロジェクトの起動をする役割である。テレビドラマの黎明期を支え、多くの名作ドラマを生み出した。

　また、詳しくは書かないが、私生活においても渋谷のホテルを住まいとして、最晩年まで破天荒というか自由気ままに過ごした人だった。仕事においてもプライベートにおいても、自由に生きる代償としてのその苦労や努力は大きなものであったに違いない。しかし先生はいつもにこにこ笑って、ときにこちらが苛立つくらいに余裕だった。先生ヤバイですよ、と言うと、そうかそうかヤバイですか、と僕の焦った顔を見て笑っていた。

　訃報を伝えるニュースによれば、そして先生が主に活躍した時代である昭和的な言い方をすれば、「温もりのある目線で庶民を描き続けた」。格差も貧富もいまほどではなく、庶民といえば私たちみんなのことだと通じあえた時代だった。そのことを、元号も変わった晩年の12年ほどお付き合いしていただいた僕が言い換えるとすれば、笑い方を教わったということになる。嬉しいとき楽しいときは言うに及ばず、苦しいとき、腹の立つとき、悲しいとき、ヤバイとき、大人はどのように笑えばいいのかを教わり続けたような気がしている。

こういうことは時間が経つと忘れてしまう。憶えているうちに、先生との思い出を書きつけておこう。

最後にお目にかかったのは2カ月前だった。大病をして入院していた直後で、ずいぶん痩せていた。

ふらりと会社に現れて1時間ばかり雑談をした。僕が編集した広島の原爆を撮影した写真集のページをめくりながら、「可哀そうに」と何度も繰り返し呟いていたのを憶えている。

その後、周恩来について調べているとのことで、神保町にある東亜高等予備学校の石碑までお連れした。普通に歩けば5分程度で着く距離だが、すっかり足腰の衰えた先生には20分ほどかかった。もっとも、町を歩くときに関心のあるものに出くわすと、立ち止まっていつまでも眺めているのは、元気だったころからの癖だから、一概に足腰ばかりのせいにはできない。植木鉢や室外機などがごちゃごちゃと続いている細い路地の入口を興味深そうに覗きこむこと二度、路上でマンホールを開ける工事の作業を眺めること一度。そういうものを興味津々の顔で見つめるのは、昔から変わらない。

石碑に着いてからも、石碑の文字は言うまでもなく、周囲でタバコを吸う人々やら冬枯れた花壇やらをいつまでも飽きずに眺めている。とても高名な脚本家には見えず、どこからどう見てもヒマそうな老人に過ぎない。

とにかく人間とその暮らしを見つめて観察する。それが先生がドラマを生む秘訣だったのだろう。


それから、駿河台下にいまも残る、周恩来が行きつけにしていた中華料理屋にも足を伸ばしてみるつもりだった。しかし途中まで歩いたところで先生は疲れてしまい、喫茶店に入ってお茶を飲んで別れた。

神保町の交差点でタクシーに乗る前に、先生と僕は握手をした。中華料理屋にはいつか昼飯でも食べに行って、ついでに周恩来について何か耳寄りな話がないか聞いておきますよ、と僕は言った。ありがとう、よろしくと先生は言った。

それが最後にお目にかかったときのことだ。

先生は若い頃に交通事故にあって嗅覚がなかった。乗っていた車が事故にあって意識不明になり、気がついた時には病院のベッドで寝ていた。

目覚めたとき、なにかがおかしいと思ったが、それが何なのかわからない。明らかだが特定できない違和感を感じながらしばらく経ったときに、不意に気づいたという。嗅覚がない。

それ以来40年ばかり、先生は匂いのない世界で暮らしていた。たとえば視覚を失ったり手足を失ったりすることに比べれば、切実ではないかもしれない。外見的な変化もないから、周囲の同情や共感も得られにくいだろう。

一見して悲惨には見えないかもしれない。でも、失われたものは二度と戻らない。そういう喪失感のあり方は、いかにも先生的だ。

ねえ知ってますか君、嗅覚がないとね、松茸なんてただのゴムだよ。先生はそう言って笑い、美味しくもなんともなさそうな顔でコーヒーを啜った。コーヒーなんてただの苦いお湯だよ、君。

あるいはまた、先生は同郷の先輩である、とある華道家を支え、その晩年の面倒を見ていた。この華道家もまた、花の道の異端として世界的な名声を得た、実に個性的な天才だった。

しかし晩年は身寄りもなく、痴呆に苦しんだ。生まれつき脊椎に障害があり、極めて小柄だった。

先生は彼を引き取り、郷里の老人ホームに入れるために奔走した。

その最晩年に、先生が老華道家を見舞い、一緒に昼飯でも食べようと誘ったときの話だ。華道家の好物は、郷里の味であるうどんと、その世代にとっては東京のハイカラな食べ物であったカレーだった。

「お昼でも食べに行こう。うどんがいい？　それともカレーにしようか？　どっちが食べたい？」。聴覚の衰えた華道家の耳元で、先生はやさしく怒鳴った。

華道家はしばらく考えて、やがて小さな声で言った。

「カレーうどん」

このエピソードを語ってくれたときの、先生のいかにも楽しそうな表情を憶えている。

それからまもなく、老華道家は亡くなった。喋りながら大笑いしていた先生も、もういない。

先生のいろいろな笑顔を思い出す。

公園通りを歩きながら、ゴスロリの女の子の集団に無遠慮な目線を投げていた先生。

2　0　1　8

あんまり見ないほうがいいですよと言うと、ああいう娘たちは見られたくてああいう格好をしているんだよ、と微笑んだ。

広島の老舗お好み焼きソース会社の本社ビル屋上で、広島市街を一望しながらお好み焼きのフルコース（この世にはそういうものがある）をご一緒したときの、ご満悦な笑顔もよく憶えている。広島にゆかりの深い人だった。

書店でサイン会をしたときは、読者のほとんど全員に気さくに話しかけすぎるためにちっとも列が減らなかった。閉店時間が近づき僕と書店の担当者はやきもきしたが、先生はまったく意に介さずに、お客さんひとりひとりとの対話を楽しんでいた。

事務所には、いつも何十四もの猫がいた。ほとんどが怪我をした野良猫か、引き受け手のいない仔猫だった。そんな猫をなによりも可愛がった。野良猫、ということばは使わず、自由猫ということばを好んで使った。

昨日、奥様から電話があり、先生の最期について聞いた。いつもと変わらない朝をゆっくりと過ごし、先生と奥様はお昼を食べに出た。2日後に検査入院の予定だったので、美味しいものを食べて英気を養おうと、あるホテルのなかにあるお気に入りのトンカツ屋さんを目指した。ホテルに着くと、ロビーには巨大なクリスマスツリーが飾ってあった。それを見上げて、ああ綺麗だね、と言った直後に倒れた。

緊急搬送されたが、そのときにはもう亡くなっていた。クリスマスツリーを見たのが最後だったか、倒れた後に私の顔を見たかどうか、と奥様は言っていた。

猫と対話と人間観察をこよなく愛した先生。

おわかれです。

前職からずっとお世話になった早坂暁先生のこと。

この長い長いテキストに付け加えることは特にない。

この後、僕は奥様と一緒に、早坂先生のエッセイを精選した本を刊行することになる。男鹿和雄さんに装丁の装画をいただき、巻頭に桃井かおりさんの文章を配したエッセイ集は『この世の景色』と名付けられることになった。

その本が出来上がった頃だっただろうか、早坂先生が最晩年を過ごし、いまは奥様がひとりで暮らしているマンションを訪れた際に、形見の品をいただいた。

腕時計と、さまざまな色のガラスがはめ込まれたランプと、ハンカチ。

腕時計は3時5分で止まっている。先生と渋谷のホテルで待ち合わせをするときは、だいたいこの時間帯であることが多かった気がする。この時計は僕のデスクの斜め前、目を上げればすぐに視界に入る位置にピンでぶら下げてある。

ランプは手で包み込めるほどの大きさで、さまざまな形と色のガラスがはめ込んであり、スイッチを入れると色とりどりに光る。派手好き、照明好きで知られた先生のコレクションのひとつだ。

ハンカチは青を基調とした渋い色合いのものだが、よく見るとデザインはけっこう派手だ。

ハンカチと照明は、デスクの右手にある本棚に飾ってある。

あっちに行ったら会いたい人は何人かいるけれど、早坂先生は真っ先に会いに行きたい方のひとりだ。

きっといつもどおり手を後ろで組んだ姿勢で、飄々と笑いながら「もう来たの。早かったね」なんて言ってくださると思う。

2019

2019年

憶　え　て　い　る

1月2日（水）

言語化困難な今年の目標

今年の目標、ということを考えてみたいのですが、言語化するとなかなか陳腐なものになりそうです。

この歳になって独立して自分で会社を始めたことは――他の誰にとっても重大事ではないとはいえ――僕にとっては極めて重大事でした。僕は社会人になって以来16年間変えなかった環境を変化させ、そのことは少しく勇気を必要とすることでした。

その結果、僕はいま弱音をはけない、言い訳のできない、人のせいにできないシチュエーションにいます。

もしかしたら、不安は増したかもしれません。でも少なくとも、不満は明らかに目減りしました。他者にたいして、なにより自分自身に対して。

そしてそのことを（少なくとも今までのところは）とても心地よいものとして受け止めています。

強気で押しまくるというほど自信満々な性格ではありません。つい起こりうる一番良くないことを想定して、自分が傷つかないように先回りして感情のセーフティネットを張ろうとするのも相変わらずです。これまでも、上手くいかないことを人のせいにしてきたつもりはないのですが、しかし無意識に誰かのせいにして、不用意な発言をして、自分を守ってきたことはあったかもしれません（かつて僕はある人から、男性であり年長であり管理職であるという三重の意味で、僕はある種の他者を理解できないと言われたことがあります。呆然として言い返せず、そのことばは今でも僕を恐れさせています）。

元来がそういう、自分でもあまり気に入っていないキャラクターなのですが、とはいえこの9カ月ほどはそれでも、自分のことをやや好ましく思えるようになってきたところです。この歳になってひどくナイーブなことを言っていて、僕のことを知っていてこれを読んでいる何人かの、呆れ顔の苦笑が思い浮かびますが。

先日も少し書きましたが、昨年は中長期的な目標は持ちようもないまま、ひたすら転がった。という年でした。

かなり高い確率で、今年もそういう1年になるでしょう。まだ創業して1年未満、落ち着けるような年であろうはずもなく、当たるを幸い手当たり次第に、自分の間口を広げるために動き回ることを自分に課すような年になるでしょう。

2　0　1　9

まあそれでいいやと思っています。上記のような、よく言えば自己分析的・悪く言えば消極的な自分の性格を考えると、満足いくように動けるかどうかいささか心もとない部分もありますが、とはいえ自ら求めてこういう状況を作ったからには、フットワーク軽く動いてみるしかないでしょう。

「自分の間口を広げるために」「フットワーク軽く動いてみる」。

当初の懸念通り、言葉にすると陳腐なものになるようです。

しかしながら――昨年がそうであったように――今年もまた、僕自身にとっては陳腐な年ではありえません。

賑やかで慌ただしく、きっと驚きに満ちた年になるでしょう。

言葉にすると頼りないですが、年頭にあたって今年何が起こるのか楽しみに感じられるのは、喜ばしいことではあるはずです。

本年もどうぞよろしくお願い申し上げます。

「独立して自分で会社を始めたことは――他の誰にとっても重大事ではないとはいえ――僕にとっては極めて重大事でした」と書いている。

これはいまの状況にもあてはまるだろう。

ステージ4のスキルス胃がんになったことは——他の誰にとっても重大事ではないとはいえ——僕にとっては極めて重大事であった。

実際、ここにはふたつの考え方がある。

ひとつめは、死ぬということは人生の極めて重大な一局面であり、他の全員にとってはともかく、自分にとっては最重要な出来事のひとつであるというものだ。死病にとりつかれて死ぬかもしれないという崖っぷちに追いやられることは、自分にとって重大事に違いない、という考え方。

もうひとつは、死というものは例外なく全員が経験することなのだから、大騒ぎするには値しないという考え方だ。ひとりの例外もなく、人はいつか死ぬ。それを免れることができる人はいない。であるなら、死ぬということは恐れたり騒いだりせず受容すべきである。

僕は病気発覚の頃は1番目の考え方を中心にしていた。それは極めて個人的な重大事であった。

そしていまは、2番目の考え方にやや近いかもしれない。死は誰もが通過するポイントであり、受け入れるべき通過点に過ぎない。

そう考えると、不安はやや減じる。それはみんなが経験することなんだから、そこまで恐れることはない。不満は——もともとそれほど不満はないのだが——やはりぐっと目減りする。

僕はいま、引き伸ばされた死を生きている。

考えてみれば、まだ40代で、自分の寿命がそろそろ尽きることを意識しながら生きている人はあまりいない。もっと年齢が上になればともかく、この歳で自分の死を間近に感じながら生きることは、稀なことではあるだろう。そして考えようによっては、それはおそらく、贅沢なことでもあるはずだ。

急な事故、あるいは戦禍などによって、自分が死んだことすら気づかずに死んでしまった人もたくさんいるだろう。それこそウクライナで空爆を受け、死を意識することすらなくあっという間に死んでしまったというケースだって不自然ではないのだから。

だとするなら、死を意識し、引き伸ばされた死を生きるということは、恵まれているとすら言いうることなのかもしれない。

その一方で、中長期的な目標を持ちにくい、という点も共通している。

この病気で長期的な目標は持ちようがない。もちろんこの本の完成を見ることはひとつの目標であり、それは中長期的なものとみなしてもいいのかもしれないが。
そして今年がありきたりで陳腐な年ではありえず、驚きに満ちた年になることもほぼ間違いないだろう。せめて、その驚きを受け入れて、もし可能であれば楽しみたいと思う。楽しむ、というのは適切な表現ではないかもしれないが、自分の死も含めて、きちんと見届けたいと思う。そこにはやはり初めて体験することの驚きがあり、発見があるだろう。それを享受したい。苦しみや痛みをともなう場合、それは簡単なことではないはずだが、それでもなお、自分の心と身体と対話しながら、最後の瞬間まで丁寧に自分を見つめることはできるはずだ。

1月15日（火）

人はみな馴れぬ齢を生きている

ずっと気になっていて、折に触れて思い出す短歌があります。

人はみな馴れぬ齢を生きているユリカモメ飛ぶまるき曇天

永田紅さんの作です。

いうまでもなく、永田和宏氏と河野裕子さんの娘さんです。

もう10年以上も前に、河野裕子さんに数回のエッセイの連載をお願いしたことがありました。

依頼状を発送した数日後にお電話をいただきました。

数分で読める、短く肩の凝らない文章を書いていただくために「通勤通学の帰路に、数駅分で読めるようなエッセイを」とお願いしたところ、「数駅分というのは面白いわ。東京で働いている若い人の発想かしら」とおっしゃっていたのを憶えています。

2010年に河野裕子さんは亡くなり、そのころに読まれた歌は、永田和宏さんのものも併せて、いつ読んでも涙が滲みます。

ともあれ、紅さんによるこの歌。

死を間近にした裕子さんと和宏さんの短歌も素晴らしいですが、この歌はいま生きている人の歌です。

僕はいま40歳で、そんなに歳をとったとも思っていませんが、しかし全面的に若いともいえない歳です。

20代の頃などは、40代といえばしっかりとできあがった大人だと思っていました。地に足がついて、人生に迷いもなく、決められた（できることなら自分で選んだ）人生の路線を着実に歩んでいるものと疑っていませんでした。自信があって、迷いのない人間になっていると思っていました。

しかし、実際にその年齢になってみると、そんな大人ではさらさらないのです。この感慨は、ほとんどすべての人が同じように思っているのではないでしょうか。

10代が20代を見るとき、20代が30代を仰ぐとき、30代が40代を憧れるとき、40代が50代を見上げるとき……そのときになれば、人生は完成されているように思います。もしかしたらある種の諦念とともに、その完成を期待もすると思います。

しかし――少なくともいまのところ、そしておそらくはいつまでも――僕の人生は完成されないようです。

良くも悪くも、かつて思っていたような人生には程遠いところにいるような気がします。

2　0　1　9

最近、同年代から少し下の世代のいろんな人と話をすることが多いのですが、僕だけに限らず、多くの人の人生は、かなりのところ不安定で不確定です。
何が起こるかわからないことに迷っている人も多くいますし、楽しんでいる人もたくさんいます。

迷うか楽しむか。このさいそういう二者択一に自分を落とし込んでしまう必要もないのでしょう。

人はみな馴れぬ齢を生きている

その居心地の悪さを感じながら、迷いつつ楽しみつつ、まるき曇天をどこまでもいつまでも飛ぶためのこころとことばを養うということでしょうか。
(そうそう。「こころとことば」というのは、河野裕子さんにお願いした連載エッセイのタイトルでした)

ここ1年半、一番気になっている文章のひとつを、少し長いが引用する。

河野裕子・永田和弘他著『家族の歌』が初出で、僕は『たとへば君――四十年の恋歌』に転載されているものを、前後の歌も含めて繰り返し読んでいる。

八月十一日。いよいよ裕子の状態が悪い。昨日から吐き気が強く、持続的に皮膚から染み込ませていたモルヒネのパッチをはずした。

その影響だろうか、朝から苦しさに胸を掻きむしる。息苦しくてたまらないと言う。姿勢を変えてやる。それでも苦しさは変わらない。汗をかき、「苦しい、どうにかして」から、「もう死なせて」に変わる。

酸素の細い管も鼻からはずしてくれと言う。寝巻きが苦しいというので、鋏で切り開く。「苦しい」と声を出すたびに酸素消費が高まり、さらに呼吸が苦しくなる。

手を握り、「大丈夫、だいじょうぶ」と繰り返すだけの自分の無力を呪わずにはいられない。「もうしゃべらないで。ゆっくり息を吸い込んで……」と、頭を撫でつづける。

このあとも感情を揺り動かす文章が続くが、ここで描かれる自宅療養をしているがん患者のディティールがいまではよくわかるだけに、いっそう胸が締め付けられる。吐き気の強さも、皮膚に貼る痛み止めの麻薬のシールも、酸素を吸入する細い管も、よくわかる。

正直に書くと、もっとも怖いのは、

「苦しい、どうにかして」から、「もう死なせて」に変わる

という一節だ。

あの河野裕子さんがここまで泣き叫ぶように訴える苦しさとはどのようなものなのか。それはいずれ僕も経験しなくてはならないことなのか。

病名で検索をしたり闘病記の類を読んだりしていない僕にとって、この一文はがん患者の最後を描いて印象的な唯一の文章と言っていい。この激しい文章と、諏訪敦さんが父親を描いた静謐な画のはざまに、僕の死もまたあるのだろうか。

この翌日、河野裕子さんは亡くなる。

病床で呟いた最後の歌は、

手をのべてあなたとあなたに触れたきに息が足りないこの世の息が

だったという。

2月3日（日）

週末のごはん

この週末は、わりときちんと昼ごはんと晩ごはんを作りました。

朝から散歩がてらスーパーに行って、開店したばかりのまだ静かな店で買い物をしたり、冷蔵庫の中にあるものを適当に組み合わせてご飯を作ったりするのが好きなんですね。

キッチンにいて、好きな音楽をかけて、ビールなどちびちび飲みながら料理をしていると、なかなか幸福な気分になります。

この週末のBGMはDave Matthews Bandでした。

考えてみれば料理中のキッチンは、好きな音・匂い・触感などがぜんぶ集まってい

2019

る場所かもしれません。

この週末に作ったのは以下。

〈土曜ランチ〉
ヒレカツ（香草とチーズを衣にまぜたイタリア風）
トマト・アスパラ・オリーブ・ベーコン・ゆで卵などのサラダ

〈土曜ディナー〉
牡蠣と春菊の煮物
烏賊《いか》の干物
鶏肉と茸の花椒炒め

〈日曜ランチ〉
親子丼
油揚げと若芽の味噌汁

〈日曜ディナー〉
湯豆腐（残りものの春菊と葱も投入）
金目鯛の干物
低温調理したヒレ肉

（この記事にはもともと写真があったが、この本では割愛している）

料理が好きだった。

僕が本当に身銭を切って習い覚えた趣味は、読書と音楽と料理というか食べて飲むことの3つであろう。ひとり暮らしの学生時代から料理をはじめ、病気になって食事をすることがほとんどできなくなるまで、ずっと料理を作ってきた。

平日の夜、仕事帰りにスーパーに寄って簡単な買い物をして、キッチンでビールを飲みながら料理をして妻の帰宅を待つのが好きだった。

ひとり出版社になってからは、打ち合わせの帰りに、平日昼間のスーパーが空いている時間――そんな時間帯に買い物をしていることに、最初は慣れない軽い罪悪感を感じたものだ――に買い物をするのが好きだった。

ここにも書いているとおり、キッチンで作業をしているのも好きだった。

スピーカーから好きな音楽を流して、ビールをグラスに注いで、ひとりで料理をするのは、なによりの気分転換であり、ストレス解消だった。

言っても詮無いことながら、この趣味を失ってしまったのは、やはり悲しい。もちろん今でもやろうと思えば料理はできるのだが、自分がごく少量しか食べられないとなると、いかに妻のためとはいえ、腰が重くなるのはしかたがない。まして体調が思わしくないときにキッチンに立つのはしんどく、なかなか思うに任せない。

2月19日(火)

去年の今日と、今日——マーシャルあるいはアーサーの物語

昨晩、食卓を囲みながら妻と話をした。僕のひとり暮らしの頃から、結婚したての頃、いまに至るまで。我々は2007年に結婚しているから、もう結婚16年になる。その前の交際期間も6年に及ぶから、相当な長さを一緒に過ごしたことになる。すごいね、いっぱしだね、なんて話をした。

その間に、どれだけの食事を一緒にして、どれだけの酒瓶を空にしたことか。

２０１８年２月18日。

ちょうど１年前の今日、僕はあるホテルでの会食に招かれていました。

招いてくださったのは、佐藤勉さん。

マーシャル諸島ウォッチェ環礁で日記を遺して餓死した佐藤冨五郎さんのご子息です。

この日、僕は元マーシャル大使の安細和彦さん、『タリナイ』に登場していた森山史子さんと末松洋介さんにもはじめてお目にかかりました。もちろん、監督の大川さんも一緒でした。

この日、僕はみなさんの前で、冨五郎さんの日記を中心にした本を出しますという簡単なスピーチをしました。

そのときはぼんやりとしか考えていなかったのですが、それから１週間後（早。苦笑）、僕はひとりで出版社を立ち上げて、独立することに決めました。

さらに５カ月ほど後に、その会食にいた方々をはじめたくさんの人たちが執筆した『マーシャル、父の戦場』という本が出来上がることになります。

あれから１年が経って、今日は終日、『いかアサ』という本の最終チェックを行っていました。

２０１９

この本は、独立することにした直後に、不思議な縁で僕の手元に渡された企画でした。

先週の金曜日からずっと、小宮真樹子先生と岡本広毅先生のふたりの編者とともに自主カンヅメになり、ちょうど1年がかりで準備した本が、いよいよ編集を終えました。

この本にもまた、山田南平先生をはじめ、多くの方々が参加くださっています。そしてみなさんがとても真剣に取り組み、面白がってくださっています。さらに特筆すべきことに、刊行前から多くの読者の方が楽しみにしてくれている気配を感じます。

今日の夕方、最後の作業が終わろうとするとき、僕は（そしておそらくは編者のふたりもまた）安堵とともに、喜ばしい時間を失う予感のようなものを感じていました。

あれ。この感覚は。と思い返してみたら、ちょうど半年前に、『マーシャル、父の戦場』を出した直後にもこのような喜び交じりの喪失感を感じていました。

ここまでは何としても走り抜けようと決めていた本を出し終わり、達成感とともに、方向性を見失うかもしれないという恐れもありました。

でもいまは、おそらく心配はないと経験的にわかります。

いまもなお、そのとき出会った人たちとの関係は続いていますから。

それはこれからも続くのでしょう。

These days continue.

マーシャル諸島とアーサー王伝説。

それぞれに方向性のまるで異なる魅力をもったこのふたつを結び付けている人は、僕以外にいないかもしれません。

僕にとっては――まもなく創業1周年を迎えます――とてもありがたく、やたらに楽しく、素敵な才能をもった人たちに囲まれていた1年を記念する、大切なお話になりました。


『マーシャル、父の戦場』と『いかにしてアーサー王は日本で受容されサブカルチャー界に君臨したか』は、みずき書林の青春時代を象徴する2冊と言っていい。方向性はまるで違えど、ともに作っているのがとても楽しかった。そしてここで培われた人間関係が、その後もずっと僕を温めてくれている。

実は『いかアサ』には続編の企画があった。『アーサー王、多言語・古典作品を遍歴す

2 0 1 9

ること』と『円卓の騎士たち、エンタメ・ビジュアル作品に進軍すること』の2冊で、それぞれ『たこアサ』『えび騎士』と略称していた（どうして魚介類にこだわったのかは誰にもわからない）。

しかし僕の病気で作業が遅れがちになり、次第にプレッシャーとして重くのしかかるようになってきてしまった。さらに２０２２年末に入院した際には、もうこれ以上仕事を続けることはできないと判断するに至り、途中まで進めていたこの企画も、編者・執筆者のみなさまの了解を得たうえで、他の版元に移籍することが決まった。

この間には、他の出版企画も移籍・中止したり、遺言状を制作したり、妻を代表取締役として僕の没後も当面はみずき書林を存続させることを決めるなど、会社をクローズさせることばかりを考えていた。

その後やや体調を持ち直し、少しであれば仕事を再開できるまでコンディションが回復した。それでも、いったん他の出版社に移籍をお願いした企画をもう一度取り戻すことはできない。諦めるしかないことだ。

そのようなわけで、『いかアサ』の続編はいささか後ろ髪を引かれる、やや苦い経験となった。『いかアサ』が実に楽しい経験であっただけになおのこと。

でもそれが病とともに生きるということの一側面なのだろう。

『たこアサ』『えび騎士』が好い本になることを願っている。

3月15日(金)

トロントでの多幸感

久しぶりに『いかアサ』とは関係のないことを書きます。

2年前、僕はAASという学会に参加するためにカナダはトロントに行っていました。

2017年のちょうど今頃。

出国前日までもろもろの仕事をして疲れ果てていて、シカゴだかどこだかで乗り継いで長時間のフライトの末にトロントに着きました。着いたらすぐにブースの設営などをしました。

午後は時間ができたので、疲れてはいましたが、せっかくなのでトロントの美術館に行ってみることにしました。

現代美術を中心に展示している、かなり大きな美術館でした。

数日前まで雪が降っていたらしいですが、その日はとてもよく晴れていました。

どんな作品があったのかはあまり憶えていません。鉄パイプを組み合わせた巨大なオブジェとか、チェーンソーでぶった切って彩色した木の根とか、くれると言われても断るような類の、例の現代美術です。

作品を観ながらいくつかの部屋を抜けて、休憩室のような部屋にたどり着きました。目の前は全面ガラス張りで、トロント郊外の住宅地がどこまでも広がっています。家々の色とりどりの屋根には、溶け残った雪がまぶしく輝いています。

ベンチがあったので座ってぼ~っとしていたときに、一瞬、曰く言いがたい強い多幸感に包まれたのを憶えています。

そのときのガラス窓を通した日差しの暖かさ、雲ひとつない透けるような青空、隣にいた黒人の子どものはしゃぎ声、目の前のまったく知らないおそらく二度と見ることのないであろう街並み、溶け残った雪に光があたってきらきら輝く明るさなどは、くっきりとした印象とともに僕のなかに残っています。

そのときに感じた圧倒的な多幸感は何だったのでしょう。

啓示的というとなんだか怪しい感じですが、ことばにするのが難しい感覚でした。もし詩を詠むことができるなら、ああいう感じをことばにできるのに、と今も思っています。

今年のAASはデンバーにて。

僕は行きませんが、小社で刊行中の『マーシャル、父の戦場』の編者大川さんが監督した映画『タリナイ』が上映されます。

異国の地で、さらに遠くの海の風景を見つめる体験は、もしかしたら不思議な多幸感をもたらすかもしれません。

ことばにできない思いが、ここにあると指さすのが、ことばだ（長田弘）

この日のトロントでの多幸感については、いまでもその感触をよく憶えている。あれは何だったんだろうとたまに考える。

おそらくは疲れていて、外国にいることでハイにもなっていて、日差しが温かくて眠くて、そんな要因が絡まり合って、一種の白昼夢のようなものを見せてくれたのだろう。

これを書いているのは2023年3月18日。

今年も大川さんは、AASのフィルムエキスポで自作『keememej』が上映されるため、

2019

ボストンに行っている。アメリカ時間では17日になるから、ちょうど今頃が上映時間帯になるはずだ。

3月のボストンは45年前に僕が生まれた場所でもある。僕にはまったく記憶がないし、もう行くこともないだろうけれど、どんな場所なのだろうか。

よい旅を。

独立して1年

3月22日(金)

前職を辞めてからちょうど1年が経ちました。

3月の初めから独立に向けた動きは開始していて、実際に登記簿的に新会社が設立されたのは4月の半ばです。

そういう意味では、区切りとか記念の日とかはあってないようなものなのですが、とはいえ昨年の今日のことはよく憶えています。

20日付で前職を辞めて、翌日から最後の仕事として、ワシントンDCに行ったのでした。

いわば、立場上は無所属ながら、前職の最後のお勤めと、新会社のご挨拶を兼ねて、さらにいえば卒業旅行のような気持ちすら抱いて、一週間足らずアメリカに滞在したのでした。


いちおう最後の仕事として行ったのですが、なんだかふわふわした気持ちで過ごしたのを憶えています。

多少の感傷もありました。なんといっても、この旅から戻ったら、16年務めた会社にはもう二度と行かないのですから。

そして同時に、とても解放的な気持ちでもありました。

DC滞在中に何度も「岡田さん、妙に明るいですね」といろんな人に言われました。

ちょっとした不安と、奇妙な高揚感がありました。


そのちょっとした不安と、奇妙に高揚した気持ちは、1年が経った今でも持続しています。

この1年間はとても楽しいものでした。周りにいてくれた人たちのおかげです。そしてその楽しさは2年目となる今年も、ほぼ間違いなく維持されるでしょう。

いうまでもなく、楽であることと楽しくあることは違います。今年も楽ではないのでしょうが。

しかし楽しく賑やかなのは、どうやら確かそうです。


独立創業して1年が経った。引き続きAASワシントンの話題に触れつつ、人に恵まれた1年であったと回想している。

この「人に恵まれた」という感覚はいまでもまったく同意できる。最初の1年目からいまに至るまで、僕とみずき書林は人に恵まれ続けた。お金も時間も営業力もなかったけれど、まわりに多くの、素晴らしい人たちがいてくれた。

それは今後も続くはずだった。できればみずき書林で仕事をしなければ出会うことがなかったであろう、そういう人たちをつなぎ合わせるような仕事もしてみたかった。

3月28日(木)　思考実験としてのメンバー募集（上）

いまはまだ、ひとりでやるのが楽しくてしかたがない時期です。

なんでも自分ひとりで決められて、対人関係のストレスがまったくなくて、目線を100％外に向けていられる今のかたちが、とても性に合っているし面白い。

また、資金的にもスペース的にも、人を雇う余裕はありません。


しかしいずれは、また誰かと一緒に働くのもいいのかなと思います。

本当に少ない人数でいいんです。

少ないながらもずっと一緒に働けるような関係を築こうとすることも、今後の面白さの一要素になるかもしれません。

一緒になって「この企画面白いヤバい」「お金ないヤバい」とあらゆるヤバさを、同じ興奮と同じ切迫感で共有できるような相手がいれば。


以下では、（今の段階では）純粋な〈もしもトーク〉として、つまり理想論として、新しいメンバーと一緒に働くということを考えてみようと思います。


一応前提を書いておくと、僕は前職で最後の6年間ほど、雇われ社長をやっていたことがあります。

入社して10年が経ったときに、大人の事情と子どもっぽい思惑が縒《よ》りあわさって、

2　0　1　9

ひとまず僕がその肩書を預かることになりました。

その6年間の社長業の最大の関心事は、やはり人事でした。先代の創業者が会長として健在で、先輩社員も何人かいて、僕がやるんだったら彼がやったっていいはずだと思える同期がいて、新しく採用した人たちも含めて20人くらいの社員がいて、そんな状況でいちおう社長の肩書をくっつけて、ベターな組織を築くにはどうすればいいか。

根底の部分でもっとも大事だと思っていて、それゆえにもっとも考えこんだのは、やはり人事でした。

いま思えば稀有な勉強をさせてもらったと思えますが、そのころはけっこうしんどいと感じることもありました。いろいろ悩んだ挙句、僕はひとり出版社になりました。

僕がそういう選択をすることになった要因はいくつかあって、前向きな理由もたくさんあって、簡単にはまとめられませんが、そのなかにいささかの「人事疲れ」があったのは否定できません。


そういうことを踏まえて。

もし、次に誰かと一緒に働くとすれば、どういうかたちで臨んでいくか。

先に理想のかたちを書いてしまうと、

・自分も含めて3〜4人
・肩書なし
・部署なし
・社屋なし

というシステムでやってみたいですね。

先述のように、いまはまだ実現可能なことではないし実現させるつもりもないのでナイーブなことを書きますが、僕が求めているのは、仕事をしている限りずっと続く関係です。

そして、雇う／雇われる、払う／払われるというかたちではない関係です。

それがみずき書林であるのなら、運営的なリーダーはどうしても僕にならざるをえないでしょう。

でも、もし僕がいま考えているようなことを共有できる人がいるなら、その人の作ったチームに僕が参加する、というかたちでも別にかまわないとすら思います。

いずれにせよ、何かのときに責任をとるポジションとしてのリーダーは必要ですが、僕は従来的な意味での上司ではありたくないし、誰かにとって雇用側やあまつさえ資本家などといった関係を結びたいとは思いません。

（資本家……書いていてバカバカしくなってきますが、会社を所有する＝資本家だと思っている人は、いまだにいます。一度ひとりで出版社を作ってみるといい。これはネクタイ締めて看板掲げて椅子に座って……という営為ではなく、どちらかというと、ベニヤ板とロープで樹の上に秘密基地を作るのに近い行いです）

これをメンバーの側から見るなら、自分が進めている企画については、誰もがリーダーとして動くことになるでしょう。そのときには他のメンバーはサポートにまわり、ひとつの企画ごとに役割を交換し合いながら進めていくことになるでしょう。

大雑把でありきたりな言い方になりますが、モノを作ってそれを売って、出来る限り楽しく暮らしていくことを、みんなが「自分ごと」として受け止めていくことになるでしょう。

（続く）

いまからどれくらい生きるのかわからないが、結局、僕は最後まで誰かと一緒に働くことはなかったし、誰かを雇うゆとりを生み出すこともなかった。

負け惜しみでもなんでもなく、それでよかったのだと思っている。

ひとには向き不向きがある。

僕にとっては、もっとも単純な意味合いにおけるひとり出版社というかたちが似合っていたのだと思う。

もしかしたら、就職活動を始めたときに、何の疑問もなく一般企業に就職しようとしたこと自体が間違いだったのかもしれない。間違いとは言わないまでも、自分には似つかわしくないことをやろうとしたのかもしれない。

もっとも、普通の会社で働くことも、決して苦手であったわけではないと思う。もし本当に苦手だったら、16年間も同じ会社で働き続けたりはしなかっただろう。僕はわりと協調性もあるほうだし、同僚たちと一緒にいることは決して苦ではなかった。

本当に苦しかったのは、16年間の最後の6年間、雇われ社長をやったときだ。これははっきりと、僕には合っていなかったのだと思う。僕には人の上に立って指示を出すようなポジションは向いていなかった。それよりも自分で手足を動かして行動しているほうが、いくらか性に合っていたということなんだろう。

ここにも少し書いているが、もともと単なる一社員の立場から社長になって、先代社長である会長、先輩たち、同期、後輩、そして僕が社長であることが当然のことである新入社員たちと、さまざまな立場の社員たちを束ねていくことは、心理的に骨の折れる仕事

2019

だった。

結果的に、僕は焼き切れたようなかっこうで会社を辞めたように見えたかもしれない。

3月29日（金）　思考実験としてのメンバー募集（下）

（前回の続き）

つまり、肩書も部署もなしです。

これは今の日本の労働環境を見ていると、なんだかすごく良いことのように聞こえてしまう恐れもあるのですが、人によっては逆に居心地が悪いことでもあるかもしれません。少なくとも、みんながみんな適応できるシステムではないでしょう。

企画ごとにプロジェクトリーダーになれて、同時にサポート役にもスイッチできること。

基本的にはすべての業務をひとりで進行させることができること。

だからこそ、自分の得意／不得意を把握していて、人に頼ることができること。あるいは人に頼られることができること。

不安や不満（とりわけ不満）は、自分のアクションによって解消していくしかない環境であると知ること。

営業しかしないとか、編集しかできないとか、そういうセクションは、できれば取り払いたいと思っています。

なぜなら、そのほうが楽しいと思うからです。この1年間、自分ひとりでひとまずすべてのことをやってみて、その楽しさに気づきました。できるかできないかはあまり関係ありません。ただ、やってみることが苦にならない人であってほしい。

そういうメンバーが3〜4人いればいいなと、夢想します。

わかりやすいイメージは、長篠の合戦でしょうか。

誰かが弾を撃っているときには、次の人は準備を終えて後ろで控えています。

その次の人は充填《じゅうてん》作業をしていて、最後の人はまさに撃ち終わって最後尾についたところです。

全員が一致協力して、そして前線に立つ役割を交換し合いながら、馬防柵を守ります。

合戦のイメージを持ち出しましたが、合戦と異なるのは、そこまで深刻な顔をしている必要はないということです。

むしろ笑って、楽しんでいきたいものです。

真剣ではあるけれど、深刻になる必要はありません。

社屋について

これももう、社屋レスでいいかなと思っています。

というのは、いまは自宅でひとりで働いているという事情があります。

人に来てもらうにはあまりに手狭だし、他人の自宅で働くというのは、メンバーにとっても落ち着きが悪いでしょう（なにより妻が嫌がります）。

そしてノートパソコンと携帯電話とWi-Fiさえあればどこでも仕事ができる。というのもこの1年で確信したことでした。

ときにはプリンターも必要ですし、広いスペースやいくつかの文房具や梱包資材も必要になります。そういうときは、この自宅兼事務所なり、どこかのスペースなりに集まればいいことで、出版の日常的な業務に関してはどこでも行えます。

そういう意味では、ほったらかしにされても、誰が見ていなくても、自動巻きで仕事ができる＝要するに仕事を楽しめるかどうかは、やはり大きいですね。

ある程度しっかりした自律心と良質なかたちの気負いは、極少人数で働くときには、とりわけ重要かなと思います。

そこから導かれるもうひとつの論点ですが、僕は〈永続する会社〉を作ろうとは思っていません。

これは先に書いた、「僕が求めているのは、仕事をしている限りずっと続く関係です」ということと矛盾しません。

みずき書林は僕と関わってくださる人たちが幸せになるため（だけ）の装置であって、もしメンバーを求めるなら、考えるべきことは自分とメンバーの幸福だけです。自分がいなくなった後も続く大きな企業に……などとは思っていません。

このかたちで働けなくなったら、働きたくなくなったら、そしてメンバー全員が同意するなら、解散しておしまいです。

組織はなくなっても、作った本はどこかで残り続けるでしょう。

とはいえ、だからこそ自分たちの年齢のことは考慮しなくてはいけません。

つまり、これは前職の経験から言えるのですが、「現状維持するためには、成長し続けないといけない」ということです。

人は例外なく、加齢とともに生産力が下がります。いま10できていることが、年齢とともに5までしかできなくなる。それを補うためには、10を行うことができるより優秀な人間を雇って、合計15の労力でその人数を養わないといけません。この10というのは、単純に仕事量・仕事時間の話でもあり、同時に時代感覚というかセンスの問題でもあります。

しかし、現実的にそういう新陳代謝を行い続けることは、難しい時代になっていくでしょう。あるいは仮にそれができたとしても、そのなかで自分の居場所や必要性は下がっていくでしょう。

となると、年齢とともに自分のなかで代謝を行っていくしかありません。

言い方を変えれば、自分が老害化するのをどう防ぐか。

まだこのことを考えるのは少し早いのですが、もしメンバーとともに歳をとることができるなら、そのこと自体を時代や状況にフィットさせることができないかと考えています。

少子高齢化のなかで、本の作り手と同時に、主要消費者も高齢化します。それをデメリットととらえるのではなく、自分たちに見合った環境として捉え直すことはできないか。

近しい年齢の3〜4人のメンバーであれば、そういうことも可能なのではないかと、いまは楽観的に考えています。

このテキストは、この一月ほどの間になんとなく書き続けたものです。「いまのところ」という留保を強調しつつ、「もしもトーク」であることに念を押しつつ、今の感情のメモということでアップしておきます。

もちろん、僕が会社を辞めてひとり出版社になった理由は、人事に疲れて焼き切れただけではなかった。もっと前向きな理由もあったし、年齢的にチャレンジしてみようという要因もあった。いくつかの理由が重なり合って、そのとき僕を退職から創業へと導いていくことになった。

結果的に、それは大正解だった。こうなってみると、むしろもっと早くひとり出版社になるべく決断しておければよかったと思うくらいに。

言うまでもなく、何の経験値もないままにひとり出版社になるのは無謀すぎる。たとえば編集の方法も書店流通の仕組みも取次の何たるかもなにも知らないでいきなりひとりで版元をやるのは相当に難しいだろう。

そういう意味では、この先ひとり出版社になってみたいという人も、少なくとも何年間かは普通の会社で基礎的な知識や技術を学ぶのがいいと思う。その面で、前職の16年間は非常に貴重な学びの場であったし、とりわけ社長経験は誰にでもできるわけではないうえに、会社経営のノウハウを知ることができたという意味で、いっそう有意義な時間であったとも考えられる。

僕は憶えている。退職を決めた日に、社員全員に一斉送信したメールのことを。

そこにこんな一節があった。

僕自身は、この会社を離れることに決めました。

突発的に決めたことではなく、この数か月間、色々と考えて惑って悩んだ挙句、多少の勇気をふり絞って出した結論です。

危険で自由な広がりのなかに乗り出してみる、という意味では、前向きで胸躍る心境にもなっています。

ここでも保苅実のことばは活きている。

このようにして、僕は16年間付き合った仲間たちと別れて、ずっと所属していた組織を離れて、たったひとりで出版社になった。

不安と期待とがないまぜになった気持ちを抱えて。

4月3日（水）

本当はこうあるべきだったスピーチ

人前で喋るのが苦手です。

とくに即興で何か喋ることになると——そのことについては日常的に考えて、言いたいことがたくさんある事柄であったとしても——なかなかうまく伝えることができません。

しどろもどろになって、もっとこういうふうに言えばよかった、言いたかったと後悔することもしばしばです。

＊

『マーシャル、父の戦場』は僕にとって特別な本です。

おそらくこれからずっと、この本を作っていた頃のことを、楽しく充実していた日々としてずっと憶えていることでしょう。

なぜ特別なのでしょうか。

2019

4月に創業して7月に刊行したので、編集期間の後半が異様に圧縮された時間だったということも理由として挙げられます。

映画『タリナイ』と伴走できたことで、刊行後も話題や販売機会が長く続いているという楽しさもあります。

その結果、はじめて増刷できたという点も大きいです。

でも、この本が特別である最大の理由は、多くの魅力的で優れた人たちと出会えたことです。そしてその関係が、これからも続いていくと期待できることです。

佐藤冨五郎さんという誰も知らない方——息子の勉さんですら、ご記憶はありません——が遺した日記が、我々を結び付けました。冨五郎さんの世代、勉さんや大林監督の第2世代、三上喜孝先生に代表される第3世代、大川さんたちの一番若い世代と、さまざまな人々が等しくこの日記に関わりました——冨五郎さんと一番若い執筆者の間には、85年もの年齢差があります。

冨五郎さんの日記にとって、そして歴史を身近に感じてみようという試みにとって、こんなふうに各世代の方が一緒になったのは〈正しい〉ことであったと感じています。

そこに加わることができて、とても光栄です。

これからもそういう本作りがしたいものだと思っています。

多くの人に出会っていきたいと願っています。

この本は、みずき書林がどういうふうに本を作っていけばいいのかについて、最初のモデルになってくれました。

最後になりましたが、勉さん、お身体にお気をつけて、いつまでもお元気でお過ごしください。

映画と本の暖かなトーンを決め、そこに集まった人たちの好ましい雰囲気を作ったのは、まず何より勉さんのお人柄の賜物だと思います。

勉さんを中心に、こんなふうに集まる機会がこれからも続くことを願っています。


3月30日、『マーシャル、父の戦場』の増刷祝いの会を行った。

増刷したからといって祝賀会をしたのは初めてのことで、このことをとってみても、この本を囲んでいた温かく高いテンションがわかる。

夜はガールズバーとして営業しているという神楽坂のいささか怪しげなバースペースを貸し切り、料理は参加者有志がそれぞれに持ち寄った。お酒や飲み物は隣のスーパーから調達できた。僕は早くに現地入りして、料理の仕込みや準備を行った。

そこでスピーチをしたのを憶えている。その反省からこのブログ記事が書かれた。

この本〔『憶えている』〕の準備をしていると大川さんに伝えたら、過去のことを思い出すよすがになればと、なんとこれまでの写真を整理して大量にシェアしてくださった。そのなかに「20190330『マーシャル、父の戦場』増刷祝い」というフォルダがあり、そこには僕のスピーチの一部始終が動画で記録されていた。以下は実際に行われたスピーチを文字起こししたものである。

いかにしどろもどろなスピーチをしたかがよくわかる。

あの、本当にあの、ちょうど（独立して）1年が経ちました。こんな格好で言ってもなんなんですけど（パーティグッズの三角帽子をかぶっている）、たいへん感謝をしております。先ほども言いましたけれど、この本がなければ、僕は独立はしていません。あ、転職はしていると思います。前の会社を変わってどこか違うところに行ってるかもしれないですけど、この本『マーシャル、父の戦場』がなければ、間違いなく独立はしていないです。みずき書林はないです。だから本当に大川さん、勉さん、冨五郎さん、本当にみんなに感謝しかなくて、僕の人生を本当にうまい具合に変えてくれたと思ってます。こういうことがあるんだなと思います。僕の人生にはじめてこういうことがあって、ありがたいなと思っています。ねえ、プレゼンターにこっちゃん（本の編集メンバーのまだ幼く愛らしい娘さん）を起用してくださって、いろんな方がかかわってくださって、本もできて、映画も公開……おおっと（突然マイクのエコーがかかって声質がいい感じになる）。マイクパフォーマンスできちゃいますね……いや、真面目な話、ほんといいから、美川憲一とかほんといいから（マイクエコーがかかったことで、メンバーが悪乗りしてカラオケを入れそうになる）。あの、真面目な話をしようと思ってたんだけど……いいですか？　とても二度と忘れないであろう1年目でしたし、本当に僕は順風満帆な1年を過ごしたのだろうと思います。それはみなさんのおかげですし、映画と本のおかげであったと繰り返し言いたいなと思います。今日はこのすこ〜し不真面目な環境ではありますが、みなさんとお目にかかれて本当によかったなと思っています。本当にありがとうございました。

223件目

4月11日（木）

まもなく、創業して1年が経とうとしています。

2019

実質的には、昨年の3月頭頃から設立の準備を始めたのですが、実際に登記などが完了して会社がかたちを持ったのは、2018年4月13日です。明後日ですね。

僕自身の誕生日が3月13日なので、ちょうど1カ月後で憶えやすかったので、この日にしました。

過去のブログを見ると、このサイトを開設したのが5月22日。

そして思い立って、毎日（に近い感じで）ブログの更新を始めたのが8月23日。

この最初期の3カ月間でアップした記事は、たったの11本（笑）。

いま思えば、この3カ月もブログを書いておけばよかったと思います。

なんといっても設立直後で、毎日やることがたくさんありましたから。書いておけば、後になってきっと楽しかっただろうなと思います。

しかしあの頃は、余裕がありませんでした。

時間的な余裕もそうですが、もっと大きかったのは精神的なゆとりのなさでした。

人前に出ることが苦手で、これまで自分が前面に出て発信するような仕事の仕方をしてきていなかったので、こういうテキストを書いて晒すことに気持ちの上で抵抗感が強かったんですね。

最初のころの文章を読むと、かなりおっかなびっくり書いているのがよくわかります。

いまはまあ、あの頃に比べれば多少は慣れました。

多少突っ込んだことを書いても誰も別に気にしないことがわかりました（このブログの唯一のルールは「誰も・何も否定しない」という一点だけです）。

なにより、誰かが読んでくれて話題にしてくれる時の、喜びや楽しさも知りました。

ちょっと照れるし恥ずかしいのですが、しかし内心はやはり嬉しい。


いつのまにか記事も200本を超えました（ちなみに、この記事が223件目）。

2年目も、楽しい予定や新しいことがいっぱい。

毎日書くことも、せっかく身につけた習慣なので、これからもよちよち続けていきましょう。


いまではエントリー数は1200件に迫ろうとしている。

思えば我ながらよく続けてきたと思う。

自分のなかで習慣化したということもあるし、生存確認という意味も強い。

2019

ブログを続けてきたこの5年くらいの間で、一番更新が滞ったのは、おそらく昨年（2022年）の11月だろう。後に本書にもその頃の記事が登場するはずだが、その頃、僕は入院していた。状態はかつてなく悪く、意識が朦朧としていて、ひどいときには自分がどこにいるのか、いまが何月何日なのか、朝か夜かもわかっていなかった。ブログを書くことは不可能で、20日間ほど空いたことがあった。

このときは実際に死にかけていたのだが、入院しているという記事を最後にブログ更新が滞ったことで、けっこうな人に心配をかけたようだ。

そういう意味では、今後僕が大きく体調を崩すとき、あるいはいよいよ最期を迎える日々において、このブログは予想以上の意味を持つことになるかもしれない。

可能な限り長く、ギリギリまで、数行でもひとことでもいいから更新したいと思っている。

マーシャルで餓死した日本兵、佐藤冨五郎さんは、死の前日まで日記を綴った。日付だけの日もあったし、天気だけの日もあったが、とにかく書ける限り書き続けた。そのようにして自らが生きていることを伝えようとしたのかもしれない。

見習いたいものだと思っている。

6月24日(月)

いい人に出会う方法

ここ最近、この秋に独立創業してひとり出版社を作ろうという人と会っています(まだ本人がオープンにしていないので、名は秘す)。
共通の知り合いのデザイナーさんの紹介で会って、ひとり出版社を作る際のノウハウについて、わかる範囲でいろいろ話をしています。

僕も1年ほど前に立ち上げたばかりなので、記憶は比較的新しい。
ただし、僕のやり方が正解かどうかはまるでわかりません。
もっといい方法があったかもしれません。
また、すべてについて知識を持っているわけではありません。
むしろ、知らないことのほうが多いと言ってもいいでしょう。
自信をもって人に教えられるようなことはほとんどありません。

でもただひとつ自信をもって自慢できるのは、いい人に出会ったということです。
なんだか綺麗ごとを言うようですが、この一点だけは確かです。

2　0　1　9

どうやったらいい人たちと出会って仕事ができるのか。出会いは運なので、こればっかりは教えられるようなことではありませんが。


前職の上司に言われたことで、今でも憶えている言葉があります。

曰く「世間を広く持ちなさい」

ひとりで仕事をしようというときには、いっそう大切なことだと思います。

独立する前後にかみしめていた言葉がもうひとつ。

「幸運は思いの強さが引き寄せる」


出会いの幸運を引き寄せるものがなにかあるとすれば、たぶんそういった気持ちの持ちようしかありません。

お金と時間は有限ですが、人との関係はもっと気楽で自由でありえます。

これから独立しようというその人と話をしていると、自分が恵まれていることをしみじみと感じます。


ちょっと待って。

言ってることが間違っているとは思わないけど、なんだか説教臭くないか（笑）。

こういう朝礼みたいな話はそれこそ前職で懲りたはずなのに、ちょっと人に創業ノウハウを伝えただけで、また悪い癖が出て（笑）。


ここで会っている「この秋に独立創業してひとり出版社を作ろうという人」こそが、何を隠そう、この本の出版元であるコトニ社の後藤亨真《きょうただ》さんである。

このとき、共通の知り合いである装丁家の宗利淳一さんに紹介されて会って以来、付き合いはずっと続き、不思議なご縁で自著を刊行していただけることにまでなった。

後藤さんもまた、僕が出会った多くの「いい人」のひとりだった。


「幸運は思いの強さが引き寄せる」ということばの出典は何だっただろうか。憶えていない。

ただこのことばを聞くと思い出す景色がある。

詳しい日時は憶えていない。おそらく２０１７年冬から２０１８年春にかけて、吉祥寺の喫茶店。僕は大川史織さんに同行いただいて、国立歴史民俗博物館の三上喜孝先生とははじめてお目にかかった。

三上先生は冨五郎日記の赤外線観察を行い、日記解読の最後の扉を開けた方だった。本来古代の竹簡や木簡に用いられる技法である赤外線観察を近現代資料である戦没者日記に応用できたのは、三上先生が柔軟な姿勢をとってくださったからだった。

この日吉祥寺で会ったことが、後に3人で大林宣彦監督の取材を行うことに繋がっていく（三上先生は大林監督の筋金入りの大ファンだった）。このときに、「幸運は思いの強さが引き寄せる」という話題が出たのを憶えている。その痕跡は、『マーシャル、父の戦場』の大川さんと三上先生との対談に現れている。394ページの見出しに「想いの強さが偶然を引き寄せる」ということばが使われているのだ。

もうひとつ「世間を広く持ちなさい」は、前職で上司からかけてもらったことばだ。僕はその会社に16年間務め、後半の6年間は社長を務めた。それからひとり出版社として独立したので、僕にとってこの人は、人生で唯一の上司ということになる。この人は昔ながらの職人気質の仕事師で、実に個性的な人物だった。個性的、といえば聞こえはいいが、さまざまな偏見と思い込みと独断に満ちた人柄だった。

何事も自分ひとりで決めてきて、人に命令することに慣れている、いっぽうで誰かと意見を交換したり誰かの提案を聞いたりすることには慣れていない、昭和のワンマン社長。そんな人物だったから、迷言・珍言が多かった。その多くは、自分にとって都合の良いことばだった。そのなかでも、このことばは珍しく含蓄があって、普通に名言として通用するだろう。

世間を広く持ちなさい。

自分を狭い範囲に限定せず、可能な限り世界に対して開いておくこと。もしまだやったことのない選択肢と、すでに経験済みの選択肢が目の前に現れたら、ひとまず前者を選んでみること。会ったことのない人に会い、行ったことのない場所に行ってみること。そのようにして、できる限り自分を広い社会にさらし続けておくこと。

彼は僕の唯一の上司であり、教師だった。年齢的なこともあり、まるで考え方が違って衝突することも多かったが、良くも悪くも、彼から学んだことは多い。

7月9日(火)　平和祈念展示資料館

早坂暁先生のエッセイ集の打ち合わせを終えて、新宿にいたので平和祈念展示資料館へ。

「南洋からの引揚げ展」をしていたので、見に行きました。

出征した兵士、強制抑留、引き揚げの3つの視点から、戦中～戦後の海外・日本間の人の移動を描いています。

企画展では、サイパンの写真を多く展示しています。南洋群島協会というものがあったことを知りました（会員の減少と高齢化から、2005年に活動終了）。

先日お目にかかった沖縄の実業家は、満洲からの引揚げ体験者でした。

ここに来る前の打ち合わせでは、早坂暁はもちろん、岡本喜八、高畑勲といった、戦争を描いた映画・テレビ関係の人たちの話題がたくさん出ました。

そして同館では、7月20日（土）と8月7日（水）に大川史織さんの映画『タリナイ』の上映イベントがあります。7月20日14時には大川さんのトークイベントもあります。

展示とあわせてぜひご覧ください！

僕のなかで、いろんなことが、ゆるやかに少しずつ、つながっています。

早坂先生の奥様との打ち合わせの結果は、早坂暁『この世の景色』になる。

満洲引揚げ体験を持つ沖縄の実業家との企画は、野入直美著『沖縄 - 奄美の境界変動と人の移動――実業家・重田辰弥の生活史』になる。

話題に上がった3人のうち、岡本喜八を取り上げた本は、山本昭宏編『近頃なぜか岡本喜八――反戦の技法、娯楽の思想』として結実する。

思えば、みずき書林がもっとも落ち着きと狂奔のバランスをとって、出版社らしく活動していたかもしれない頃。

『マーシャル、父の戦場』『いかアサ』の余韻はまだ続きつつ、次の企画が次々と生まれていた頃。


新宿の駅のなかの喫茶店で打ち合わせをした後、デパ地下で買い物をするという早坂先生の奥様と別れて、平和祈念展示資料館へ向かったこと。

著者の野入先生から突然連絡をいただき、いまならいいタイミングだからと神田にある実業家の事務所にお邪魔したこと。その重田辰弥さんが大腸がんで永久ストーマであることを、当時は切実な気持ちでは聞けていなかった。

何度か通って掲載する写真の選定などをさせていただいた、向ヶ丘遊園の岡本喜八事務所。喜八事務所を管理している娘さんに案内いただいて、編者の山本先生、野上元先生、塚田修一先生と、岡本喜八の墓参りをしたこと。

さまざまな情景を断片的に思い出す。

7月29日（月）

先の企画のためのノート——諏訪敦さんへの取材

この企画はまだ情報を公開できるほど固まりきっていないので、詳細はおいおいということにしますが、昨日はさる画家にインタビューしてきました。（とはいえすでに画家本人がtweetしているので書いちゃいますが、大川史織さんをインタビュアーとして、諏訪敦さんへの取材でした）

今日は他の要件も済ませながら、録音を聞きながら文字起こしに集中しています。（今回は文字起こしの業者に出すことはしないで、ぜんぶ自分でデータ化しています。手間はかかりますが、どういうふうにまとめるか考えながら自分で起こしたほうが、原稿化するときの確度が違うと思うので。それに業者に出しても納期までに1週間くらいはかかるので、結局時間も短縮できます）

以下、文字起こししながら考えたことなど。

今後の編集用の個人的なメモ・ノートに近いものとして。


諏訪敦さんの画業については、著名な方ですし、本人のサイトや画集をご覧いただければと思います。

異様なまでに写実的な画ですが、単なる〈そっくり〉〈写真みたい〉というだけのレベルではなく、〈みる〉ということに極めて意識的な、写実でありながらコンセプチュアルな画です。

クラシックな技術をおそろしい精度で極めながら、さらに現代アートの思索や実験性までもが畳み込まれています。

技術の高さに驚嘆するというきわめてわかりやすい鑑賞法の裏に、コンテキストを想像するという――誤解を恐れながらいえば、かなりわかりにくいレイヤーがあります。

画には描かれていない情報や背景が――素人の僕にはほとんど「もったいない」と思えるほどに――多量に潜まれています。

たとえば満洲からの引揚げの途中で亡くなった祖母を描いた『HARBIN 1945 WINTER』は、一度健康な状態の祖母を描ききってから、そこに飢えによる衰えを加え、発疹チフスの症状を加え、ソ連兵から逃れるために髪を切り、つまり、画のなかで祖母を〈殺す〉というプロセスで描かれていきます。

そういったプロセスは完成した画には現れませんが、画を描くことそのものがドキュメンタリーの手法で描かれているとも言えます。

画を描くというのは、そういうふうにして時間や歴史を畳み込む行為でありうるのだと驚くとともに、そこに、健康な兵士であった佐藤冨五郎が2年間かけて衰弱して餓死していくプロセスを判読していった『マーシャル、父の戦場』の大川さんたちの作業過程とも重なるものを感じました。

なお諏訪さんのお祖母様は31歳で、冨五郎さんは39歳で亡くなっています。世代ではなく年齢で考えると、ものすごく近い話なのだと実感されます。

昨日うかがった話の内容はまだ詳しくは書きませんが、そのようなかたちで歴史や人の死（不在）を描こうとするときに、諏訪さんが「自信を持ってはいけない」と考えている理由が語られました。

その部分は、このテキストの肝のひとつになると思います。

そしてこの企画の帰着が文字による本であることから、いくつかの重要なサブテーマが浮かび上がりつつあるようです。

企画の骨子も公開していない現状なのでわかりにくいと思いますし、こういうことを書くのはいささか気が早いかもしれませんが、それは非体験者である我々（＝この本への参加者全員と、大半の読者）にとって、

「えがきえないものを、えがく」

という言葉のまわりを旋回することになりそうです。

準備段階で本や記事を読んでいた時にも感じていたことですが、３時間近い取材のなかで、諏訪さんはいわゆる〈芸術家〉からイメージされる、ある種の臭みや衒《てら》いがまるでない方だと感じました。

感覚的・情緒的な発言はほぼまったくなく、ひとつの質問に長い時間をかけながら、丹念にお話しくださいました。

「〈ことばにできないことがある〉と簡単に言わない」

ことに強い意識を持った（この部分ももうひとつの肝になります）、優秀な分析官・

報道者・編集者のような語り口が印象的でした。

この企画のスタートに近い段階で、非常に高い自己分析力と言語化能力をもつ諏訪敦さんに取材できたことは、僥倖でした。

そして、まずすべての会話を起こしてしまってから、それを削り込んで一定の文字数に落としていく作業も、もしかしたら諏訪さんの絵画制作のプロセスに似通うところが、部分的にせよあるのかもしれないと感じています。

（実際、文字数ベースでいえば、本に載るのはおそらく全体の30〜40％程度だと思われます）

さて。息抜き終わり。

文字起こしに戻ります。

このとき、はじめて本格的に話を聞いた諏訪敦という画家とはその後、予想以上に長く付き合いが続くことになる。

この日のことを思い出す。僕と大川さんは緊張しながら、約束の時間通りに諏訪さんのアトリエを訪ねた。すると何か疲れた様子の――恐ろしく不機嫌そうな諏訪さんが現れて、あと30分後にもう一度来てくれないかとおっしゃった。僕たちはいったん近くの喫茶店で時間を潰してから30分後に再訪した。諏訪さんは最初の印象とは異なり、気さくでサービス精神旺盛でよく喋り、笑う人だった。

後になってこのときのことを、「取材のことを忘れて寝てたんだと思うよ」とはぐらかした諏訪さんだったが、実際には直前まで集中して仕事をしていたのか、真相はわからないままだ。

諏訪さんは、その画風からも、いかにも天才的で神経質そうな神秘的な芸術家というイメージが付きまとう。実際ご本人もあるときに「僕は外見がこんなだからなのか、相手にある種の緊張を強いてしまう雰囲気があるらしい」とおっしゃっていたことがある。しかし実際は、実に優しく、心配りのできる配慮の方である。

森岡書店や今野書店でブックイベントを開催したときに、トークに登壇くださり、たびたびtweetなどで援護射撃をしてくださった。

あるいはまた、僕の病気がわかったときに、荻田泰永さんを紹介して下さり、荻田さんとの対談をセッティングしてくれたのも諏訪さんだった。

府中市美術館での展覧会に伺った際には、最初から最後までずっと付きっきりで、作品の解説をしてくださった。画家本人の解説付きで展覧会をめぐるなどという贅沢な体験は、前代未聞であろう（このことには本書の後半で触れる）。

「相手に緊張を強いてしまう」という本人の自己規定とは対照的に、諏訪さんはそのような方である。昨今、評価され世間で取り沙汰されている人は、ほぼ例外なく人格的にも優れている、というのは『なぜ戦争をえがくのか』という本を作ってみての、僕の感想ない し実感だ。

8月14日（水）

牛肉のビール煮込み

銀行に行く用事があって外出したら、ものすごい豪雨。

傘もほとんど役に立たない。

びしょ濡れになりながら用事を済ませて帰宅。

午後からは、仕事場にしている部屋ではなく、リビングで仕事。

ダイニングテーブルにパソコンを持ってきて、諸々の要件を済ませていきます。

仕事をしながら、キッチンで牛肉のビール煮込みを作ります。

じわじわと時間をかけて飴色に炒めた玉ねぎ（早坂先生の奥様にいただいた淡路島産）にビール（組版の江尻さんにいただいたハートランド）を一気に注ぎ、塩コショウをして焼色をつけた牛肉1キロ近くを投入。にんにくと、コンソメスープも投入。砂糖と酢を焦げ茶色になるまで煮詰めたカラメルソースも注ぎ入れます。あとはひたすら弱火で煮込む。煮込む。

急ぎで済ませるべき仕事を片付ける視界の端には、ぽこぽこと煮立っている鍋があります。

4時間くらい煮込んで、ひとまず完成。

僕が仕事をして、そのわきで時間が料理をする。よいものですね。

なんでもない日常の風景。この日のことはもう憶えていない。でも、こんな日がたくさんあったことは憶えている。仕事と煮込み料理は相性がいい。

この本を読んでくれる読者が面白がってくれるかどうかはまったくわからない。ただ、

2019

僕にとってはこんな日常の景色を描いた記事が面白い。

こんな日々がほぼ毎日、ずっと続いていた。仕事をして、ごはんを作って妻と食べる。食事を作るのはまったく苦にならなかったし、むしろごはんを作るのは好きだった。そんな日をずっと続けてきたし、これからも続くと思っていた。

今の僕はもう、料理をしながら仕事をすることもなくなった。

こんなふうな日常風景を読むと、涙がこぼれそうになる。

9月12日（木）『ラディカル』『100s』『この世の景色』エトセトラ

昨夜12時に寝たのに、3時に目が覚める。

こうなったら無理して寝ようとしないで、起きてしまうに限る。

本を読んで、取材のための調べものをして、FAXをチェックしたりこういうテキストを書いたり。

そうこうしているうちに、保苅実さんのお姉さま・由紀さんから、

『一枚の花弁〜爆発の行方　保苅実『ラディカル・オーラル・ヒストリー』の実践』のｐｄｆデータが届く（これについては熟読して、いずれ詳述）。

夜が明けたので洗濯。

必要なメールの返信をして、ようやく9時。


中村一義『100s』をかけながら、ガシガシと資料制作。

このアルバム、社会人なりたてくらいの頃によく聴いてた。

あのころは清澄白河で友達とルームシェアしてたんだった。

「キャノンボール」「ＹＥＳ」「セブンスター」「新世界」「ひとつだけ」など、名品。

午前中かけて1万字ほど書き、スライドのｐｄｆも準備。

うすうす気づきはじめているが、こりゃ大変だ。まだ全行程の3／15というところ。


郵便物3件。

田中さんからシンポジウムのポスター。沖田先生から資料の図録。印刷所から『この世の景色』の一部抜き。

『この世の景色』はいよいよ来週水曜に見本出来。早坂先生らしい、凪いだ海のような白と青を基調とした仕上がり。本文用紙も白。早坂先生ご自身はかなり波乱万丈でぶっ飛んだ生涯を送ったはずなのだが、お人柄と作風のなせる技か、ちょっと切なくも悠然としたイメージが似合う。

午後も引き続きテキストを書きつつ、各所へメールなど。

息抜きにこれをアップ。

明日は取材。週末は上映会イベント。週明け月曜は講義初日。火曜は業界の説明会。水曜は見本出来。金曜は楽しみにしている原稿の締切。いろいろグルーヴィになってきた。

ちゃんと寝ないと。

これもまた日常の風景。

眠れなくて夜中に起きてしまうこともよくあった。

この日の夜から朝にかけては、とくにいろいろとすべきことがあったらしい。

保苅実のお姉さま・由紀さんとは、いまだにお付き合いがある。

それどころか、いまは保苅実の遺稿をまとめるべく企画の相談中である。

この仕事は、きわめて重要で思い入れの深い仕事になるだろう。

中村一義を聴きながらやっているのは、間もなく始まる大学の講義の準備だ。これも縁があって、この秋から二松学舎大学の非常勤講師を務めることになった。それはこの後病気になって辞退するまで3年間続くことになる。この話題はこの後もちょくちょく出てくると思うが、とても面白く興味深い体験だった。2年目からはコロナ禍でオンラインやハイブリッド授業になってオペレーションが大変だったが、そういう点も含めて、非常に勉強になった。人前で喋ることも、多少慣れたというか、上達したかもしれない。

『この世の景色』の作業も大詰めを迎えている。この本もたちまち増刷して、早坂先生のエッセイの質の高さを証明することになった。

こんな夜と夜明けも、たくさんあった。サラリーマンだった頃は定時に出勤しなくてはならなかったので、夜に眠れないと焦ったものだ。ひとりになってからは、定時はあってないようなものなので、眠れなければ無理して寝ようとしないで起きて仕事を始めることが多かった。眠くなれば、昼寝でもすればいいのだから。

深夜に仕事をするのは、集中できるし嫌いではなかった。

いまはそんなことをすることはなくなったけれど。

9月17日(火)

はじめての講義

9月16日。

人生初の学校の先生体験、初日です。

15時頃より、秋葉原のラボで4限の演習。

20人くらい、と聞いていたのだがフタを開けてみると8名。

(まだ履修期間中みたいで、これから変動はあるみたいですが)

この人数であれば、ほんとにゼミ形式で密にコミュニケーションがとれそう。

講義のシステムを一部考え直さないといけないけれど、よりコアな対話形式で進められそうです。

みんな活発で、よくしゃべるのも素晴らしい。

自己紹介がてら好きな本を挙げてもらいましたが、貴志祐介、上橋菜穂子、有川浩、ヘタリア、WiNK UP、「日本の歴史」まで、なかなか多彩（ちなみに僕は『夜と霧』を推す）。

そして、『いかアサ』を出しといてよかった……。学生さんの食いつきがよく、初日からいきなりアロンダイトの話など。


その後、九段に移動して、18時20分から6限。

こちらは100人くらいと聞いていて、それでも多いと思っていたのに、教室に入ってみればなんと140名くらい。

しかし前の講義でほどよくリラックスできていたからか、不思議と緊張しませんでした。

それでもまあ、100人以上を前に90分喋るのは大変だな……と思っていたらあっという間に時間が過ぎたので、それなりに気を張ってはいたのでしょう。

わかったことは――

1．準備しすぎ。
いちおうの原稿を作ってのぞんだのですが、
4限↓ぜんぜん時間が足りない
6限↓時間が無くなりそうで後半は駆け足に
ということになりました。
一回やってみて、どれくらいの量を準備しておけばいいのか、かなりつかめたような気がします。

2．学生の反応がいい。
4限は少人数なので、みんな活発に意見を言ってくれます。

6限は大人数なので、学生ががんがん発言する形式ではありませんが、それでも個人的に質問したことにも答えてくれますし、もじもじしない。僕が学生だったころはもっと斜に構えていたものですが、ありがたいことです。

3．字がきたない。
板書はなるべく避ける方向で。

しかしまあ、90分×2コマ、立ちっぱなしで喋りっぱなしは疲れる……。学校の先生ってたいへんな仕事なんだな。学生だった頃の自分のナメた授業態度を謝りたい……。

昨日の授業中にも何度か言いましたが、僕ははじめての先生体験です。あなたたちが学ぶよりも多く、きっと僕が学ぶ時間になるでしょう。半年間、よろしく〜。

この日から3年間、大学の非常勤講師を務めることになった。「編集デザイン論」と「人文学とコミュニケーション」というふたつのコマで、「編集デザイン論」では、架空の出版社を作って、企業名と企業理念を作ってから、出版の企画をひとつ立てる、というグループワークをした。「人文学とコミュニケーション」は150人くらいの大人数だったので講義形式。後半からは、著者・デザイナー・新聞社・出版倉庫・ひとり出版社などのゲスト講師に登壇してもらい、インタビュー形式で進めたのが好評だった。

3年間で登壇いただいたゲスト講師は、大川さん、宗利さん、週刊読書人の宮野さん、お世話になっている出版倉庫の朋栄ロジスティックの鴫原社長、この当時は春陽堂にいた堀くん、この本の版元であるコトニ社の後藤さん、フリーに多彩な仕事を繰り広げるアーヤ藍さん、『旅をひとさじ』の著者である智秋さんなどなど。みんなの話が面白くて、学生の反応もよかった。

僕が学生の頃は、出版に興味があるとはいっても、実際に職業として考えたときには、出版社の編集部くらいしか想像が及んでいなかった。でも実際には書店もあれば取次もあるし、出版流通倉庫もあれば専門業界紙もある。装丁やデザイン、組版の仕事もある。出版の世界だけでも様々な仕事があることを学生時代に知っていれば、その後の就職活動も違ったものになったかもしれない。そんな世界に少しでも触れてほしくて、ゲスト講師を招いての講義を企画した。結果的には、やってよかったと思う。

ここにも書いているとおり、学生たち以上に僕が学ぶことの多い3年間だった。

最後の1年間はがんであることを公表しての講義だった。

その年にある学生と交わした会話を憶えている。

その学生とは授業の後にたまに教壇で立ち話をするようになった。

彼は民俗学をやりたくて大学院に進むかどうか迷っていると言っていた。彼自身はその進路をとりたいのだが、周りの反対にあい、また就職できるかどうかも不安で踏ん切りが付けられないという雰囲気だった。

そのとき僕は、「学ぶことは人生をかけるに値する尊いこと。ずっと応援する」というふうなことを言った。非常勤講師風情が無責任なことを言ったかもしれないが、本心ではあった。

その後1年程が経って、つい先ごろ、彼からメールが届いた。

いまはアイヌの民俗学を学ぶためにもがいていること、来年には北海道の大学の院試を受けるつもりであることが書かれていた。

そう決心するに際しては、僕の——いささか勢い任せの——発言が大きく影響を与えたとも書かれていた。

彼がこの本を読むことがあるのかどうかわからない。

もし読んだときのために書いておく。

一生かけて何かを学ぶことは、尊くかけがえのない生きる目標になりえる。

いまでもずっと応援している。

10月3日(木)

オンラインショップ開設！

このサイトから書籍を購入できる仕組みを作りました。

こちらのショップページを覗いてみて下さい。
従来の個別の書籍紹介ページからもカートに入れられます。

ひとまず、クレジットカード・デビットカードでの決済と、郵便支払い用紙同封のオフライン決済と選べます（それ以外の方法も目下検証中です）。
送料は1000円以上のお買い上げで、サービスとなります。

また、ネットでぽちぽちやるのが面倒くさいという方は、今までどおり、メール・FAX・電話でも承ります。
（でもひとりなので、電話には出られないことがあります。メールかFAXのほうが確実かもしれません）

発送は契約している倉庫からも発送しますが、ひとまず自分でやってみることにしました。

ある程度の在庫を社内（自宅）に取り寄せて、準備OKです。


今後は、近刊の予約も受け付けていきたいなと思います。

ここでご予約いただければ、出来次第発送いたします。

もうお待たせいたしません！

早ければ当日発送するつもりなので、ご注文いただいてから3〜5営業日中にはお手元に到着するかと思います。

送料も原則ないので、価格もスピード感もマアンソにも劣らないはず。ぐぬぬ（コブシを固める）。


決めてから3日。我ながらなかなかスピーディでした。

なんだかいまさら妙な感想ですが、お店を開いたみたいでちょっとわくわくします。


このとき、ようやくオンラインショップを立ち上げた。

早坂先生の『この世の景色』の発売を控えて、いつだって発売が遅れ、在庫がすぐに少

２０１９

なくなり、メンテナンスが行き届かない某巨大オンライン書店にほとほと参っていたからだ（ここでは「マアンソ」という仮名で言及されているが、どこの書店を指しているかは一目瞭然だろう）。

詳しくは書かないが、その巨大オンライン書店とどう付き合うかというのは、我々中小零細出版社のひとつひとつが態度決定をしなくてはならない。僕はかなりの距離を取って付き合う、という態度を維持し続けているが、向こうは歯牙にもかけていないだろう。

もともとウェブサイトを作ったり、オンラインショップを立ち上げたりといったPC作業が苦手だった。自分ひとりでやれるとも思えなくて、つい敬遠してしまう作業のひとつだった。

でもいまは体感的に操作できる便利な構築アプリがあるおかげで（僕はWiXを使用している）、ウェブサイトはなんとかできた。お金を扱うオンラインショップはもっとややこしいかと思っていたが、これもやりはじめて3日間で実装することができた。

案ずるより産むがやすしというか、なんでもまずはやってみるのが大事だと学んだ。

10月16日（水）

『この世の景色』記事掲載！

本日の愛媛新聞の「地軸」欄、早坂暁先生『この世の景色』のことを書いてくださいました！

冒頭の「花へんろ」というドラマのこと。

照一さんというのは主人公の嫁ぎ先の商家の長男だけど、超ちゃらんぽらんで遊び人。

どこの親戚にもひとりはいそうな、飄々とした道楽者。

奥さんがいるのに、芸者さんとの間に子どもを作っちゃって、のらくらと家族の批判をかわしながら、出産のためにその芸者さんを同居させちゃったりする、困った大人です。

時が経って、妻との間の次男は南方で戦死します。そのくだりが、記事の冒頭。

そして芸者さんとの間にできた子どもは広島に行きます……。

このあたり、早坂暁という人の真骨頂というべきドラマ作りです。

そしてその根底には、四国の遍路みちがある、という記事です。

ご一読ください。


なお。

記事の長さ的に入りきらなかったかと思いますので、まことに不躾なことですが、奥様の富田さんの思いについて。

「何かの『答え』が見つかるような本になれば」

というのは、病と死について書かれている「生のレッスン・死のレッスン」という章を念頭においての言葉かもしれません。

早坂先生にとって空海やタカアシガニがそうであったように、読者にとってはこの文章が、導きになる時があるかもしれないと、奥様は願っているのだと思います。


あるいは他の章でも、猫のアマテラスが毅然として死に、親友・渥美清がさりげなくあっけらかんと死んでいきます。父親も俳句を残して亡くなり、先生は「吊革のないバスにゆられているような」気持ちになります。

妹と大工のゴロやんは広島で死に、雪錦は満洲で死にます。

こう書くとなんだか暗い本のようですが、早坂暁の筆致はあくまでユーモラスで飄々としています。哀しみは読者の胸に、自然とにじんでくるだけです。

そして遍路はずっと歩き続けています。

そのような先生の「平気で生きる」姿勢が、読者にとって何かの『答え』になるときが来るかもしれない。そんな本であってほしい。

と奥様はおっしゃりたかったのかもしれません。

自分で書いたこのテキストを読み直し、あらためて『この世の景色』という本のことを考える。

いま、この本を読み直してみるべき時期に来ているのかもしれない。

早坂暁という人の生きざまが、いまの僕になんらかの「答え」を導いてくれるかもしれない。

＊著者による推敲時のメモ〈『この世の景色』を再読してもっと描き込むこと。死について「それでも平気で生きる」について。〉

11月13日(水)

ちょっと気が早いですが、今年の振り返りを少々。

【刊行書籍】
単行本3点（『いかアサ』は1点と数えますw）
ZINE2点（そのうち1点はこれから作るのですが）

来年はもっとペースアップする予定です。

【増刷】
3点。
1月に『マーシャル、父の戦場』
3月に『いかアサ』
11月に『この世の景色』

これらの本が増刷できたことは、ちょっと筆舌に尽くしがたいほど感慨があります。

【はじめてのこと】
・はじめての学校の先生
・はじめてのZINE制作（＝オンデマンド印刷）
・はじめてのオンラインショップ構築

挙げればほかにもいろいろありますが（はじめての写真家の手伝いとか、海外取材とか、コミケ参加とかw）、今年もいくつかはじめてのことにトライできて、それはすべてとても良い経験でした。

ちなみにこの記事がブログを始めて415件目。
これもぼちぼち続けていきます。

いくつものトピックがあるが、「はじめての海外取材」に行ったのは、この年の10月だった。『なぜ戦争をえがくのか』の取材で、遠藤薫さんに会いにベトナムまで行った。

2019

その後コロナ禍に突入し、さらに僕は病気になり、海外はぐっと遠のいた。そのときは考えすらしなかったが、このとき大川史織さんと行ったハノイ取材は結果的に、最初で最後の海外取材になったばかりでなく、僕のおそらくは最後の海外旅行になるのだろう。

ハノイ滞在中の昼食に、道端の屋台に寄ったのを憶えている。プラスチック製の低いテーブルと椅子を路上に並べて、そのうえで鍋を食べさせてくれる、きわめて安直な、でもいかにも東南アジア風で美味しそうな店だった。座って、鍋と美味しそうなチャーハン、ビールを頼んだら、運んできてくれたお店のお婆さんの格好を見て大川さんが驚いている。

なんと、マーシャルで大川さんが買った服（ヌクヌクグアムという通気性のよい普段着）とまったく同じ服を着ているという。素材も柄もマーシャルのものとまったく同じ服を着ているハノイのお婆さんに身振り手振りと携帯の画像でなんとかこの不思議さを伝え、一緒に写真を撮った。ハノイとマーシャルが繋がった瞬間だった。

この話題は、藤岡みなみさんたちのＺＩＮＥ『タイムトラベラーの教科書』でも取り上げられた。大川さんと一緒にいると、こんな感じの偶然がしょっちゅう起こる。

そのZINEを作ったのも、この年がはじめてだった。

藤岡みなみさんが店長を務めるタイムトラベル専門書店utouto。その特徴は、まずタイムトラベル・時間にまつわる本に特化していること。そして実店舗を持たずにギャラリーをレンタルするなどして〈時空の裂け目から突然現れる〉こと。

スタッフは藤岡さんのほか、イラスト・ビジュアル担当のなかいかおりさん、文房具担当の比留川香さん。3人は高校時代にチアリーディング部で一緒だったときからの仲良しだ。

ZINEは各号ごとに趣向を変えて、いまのところ5冊を刊行している。

1号guruguruの最大のしかけは、エッセイとショートショートを交互に配置したことだ。本文中ではそのことはいっさい説明せず、フォントや段組みを変えてはいるものの、エッセイからショートショートへとシームレスに移り変わる。はじめて読んだ人の脳をいい感じに揺らしたい、と想像しながら作った。

僕はいままで、いわゆる「本」はたくさん作ってきたが、こういうリトルプレスを作るのははじめてだった。でも現実とフィクションを行き来する藤岡さんの原稿と、それを彩るなかいさんのイラストが届いたときに、ZINEの具体的なかたちが見えた気がした。

ノンブルはぐるぐると回転している。デザイナー宗利さんのしかけ。これ以降、タイトルにあわせてノンブルがどういう表情を見せるかも、ゲラを見る楽しみのひとつになっていった。

2号fuwafuwaのコンセプトは、〈逆再生〉。季節は2019年の冬から春へ、逆向きに流れていく。

そして〈場所の往復〉もコンセプトのひとつ。この年のutoutoは吉祥寺と札幌を行き来していた。

このZINEを作っていた時点では、冬の札幌店はまだこれから開催する予定だった。そこで、お客さん目線の二人称で未来のことを書こうと試みたのが、冒頭の「ある日どこかで」の章だった。ここだけ二人称の現在形で書くことで、実際に札幌店で2号を買ってくれた人が、自分が本の中にいる感じやデジャヴ感を抱いてもらえれば、と。

デジャヴを表現するために、札幌でZINEを買ってくれた人だけがわかる合言葉も決めた。札幌店で実際に「どこかでお会いしたことがありますか？」と声をかけられた人もたくさんいたと思う。

この部分は、比留川香さんの手書き文字にした。本文中に手書きの文字が入る、というのも前からやってみたかったことのひとつだった。

3号dondon。内容的なコンセプトは〈音楽〉。utoutoプレゼンツの2回のライブでのエピソードが描かれる。本文中にはQRコードを潜り込ませ、読みながら音源が聴けるようにした。

構造的なコンセプトは〈入れ子構造〉。思い出が思い出を、連想が連想を呼んでいく。このときの青山でのライブは僕も行った。藤岡さんはいうまでもなく、絵本の読み聞かせをしたなかいさんも、文房具のプレゼンをした比留川さんもすごく落ち着いていて、舞台慣れしていたことを憶えている。

ノンブルはエレベーターのようにどんどん増えていく見た目にした。

4号mukimuki。本書の仕掛けは、紙面上で実際にタイムトラベルを描いたことと、分岐するラストシーンだ。コロナの影響でなかなか開催が思うようにいかなくなっていくタイミングだった。その直前、utoutoはクラウドファンディングを行い、地方での出店やタイムトラベラーのパーティなどのイベントを決めたところだった。そういったイベントがコロナでぜんぶ白紙になってしまうなかで、4号は作られた。

途中にリモートミーティングの模様を再現するなど、前半はノンフィクションぽさが強い。しかし後半はがらっと変わってフィクションの仕掛けがたくさん出てくる。藤岡さんたちは高校時代にタイムスリップして、チアリーディング部だった高校時代の自分たちと交流する。そしてその交流が未来を変え、タイムトラベル専門書店utoutoを運営する未来のほか、筋トレ専門ジムmukimukiを経営する未来が生まれる……というストーリー。

5号は特別編『タイムトラベラーの教科書』。

いままでのZINEから大幅ページ増で100ページを超え、しかもフルカラー印刷。

1時間目　大川史織さん「歴史実践をしよう」
2時間目　黒田有彩さん「宇宙のじかん」
3時間目　音食紀行・遠藤雅司さん「料理はタイムマシン」
4時間目　望月昭秀さん「未来考古学」
5時間目　本田創さん「タイムトラベル散歩　暗渠《あんきょ》学」

と、5人の講師を招いて、過去と未来を自由に行き来するタイムトラベルのコツを教わろうというコンセプト。

通読して感じるのは、タイムトラベルはサイエンスやテクノロジーの領分ではないのかもしれないということ。

タイムトラベルを現実のものにするのは、5人の講師が身に着けている、歴史や人間や社会を捉え直す目線のように思える。今ではない時間、ここではない場所に思いを馳せるために、自分独自の視点を養うこと。そのようにして自分で開発したアイデアがあれば、時間旅行は実際に可能なのだと思える。

藤岡さんたちとZINEを作るのは、いつだってとても楽しい時間だった。ZINEはISBNを付けて、流通のことなどルーチンワークをこなして、といったいわゆる普通の本ではない。みんなでいろんなアイデアを出しあい、コンパクトながらも自分たちにしか作れない内容に仕上げていく。そんな本作りは、仕事というよりはどちらかというと学園祭の準備に近かったかもしれない。

高校時代からの友人同士である藤岡さん、なかいさん、比留川さんの活動に混ぜてもらえて、とても幸福な時間だった。

実は、これらのZINEを集めてさらに大幅に編集をして、いずれは単行本として刊行する計画もあった。それがみずき書林で実現できるかどうかはわからない。でもいつか、たとえ僕が関われなかったとしても、彼女たちならきっと実現するはずだ。

2019

2020

2020年

憶　えて　い　る

今年の目標（走る）

1月31日（金）

今日で1月も終わり。

このままあれよあれよという間に5月くらいまで行っちゃうことはわかっています。

そして5月にもなれば、仕事量的に今年の山である夏の仕事が本格化しているのは間違いありません。

そんなこんなで、秋くらいはすぐ来ちゃいそうな予感です。

ちなみに今年の仕事以外の目標は、
500キロ走ろう。
ということにしています。

ここ数年何やかやで運動をサボりがちだったので、今年はきちんとしようと。

500キロということは、1月に42キロ。

1回で12キロ程度走るとして、1週間に1度走ればじゅうぶん目標達成。

なんとかなるような気はするが、しかし1月は2回しか走っていない。

すでに危うい。

ちゃんとしよう。

そもそも走り始めたのは、体調管理とか適度な運動とかいろんなそれっぽい理由がありましたが、ある程度続いたのは、「ひとりになれるから」でした。

走っている間はひとりだし、その間頭の中は、何か考えているような何も考えていないような、ふわふわした思考が浮かんでは消えていくような状態です（この感じは、走る人ならわかってくれると思います。何か考えてはいるのですが、まとまった思考はしていません）。

会社にいたころは人間関係の調整やら何やらのストレスがあって、このよしなしごとを思いながらひとりで走っている時間が、たまらなく心地よかったものでした。

しかしいまは、基本ひとりだから。

その気になれば、いくらでもぼんやりと物思いにふけることができるから。

「ひとりになりたい！！！」という欲求が昔ほど強くなく、いきおい走るモチベーションが上がらない（苦笑）。

しかし、いったん外に出て走り始めてしまえば、楽しいのは間違いない。

さっさと着替えて、テキトーに準備運動して、えいやっと外に出てしまえばいい。

走れ。

前職の末期頃からこの頃まで、走るのがとても楽しかった。

広尾の我が家からスタートして、コースはいくつもあった。

駒沢通りを走って根津美術館の前から青山墓地を抜けて、神宮外苑をめぐってから赤坂御所前を走り、皇居ランにいたるコース。

ウェスティンホテルから目黒川に出て、東京湾にいたるまで延々と目黒川沿いを走るコース。

逆に目黒川をさかのぼり、中目黒の商店街を抜けて池尻大橋から世田谷の住宅地のなかの緑道を走っていくコース。

そんな道がお気に入りだった。

休日の朝に早起きして、あるいは日が落ちて暗いなかを、イヤホンから好きな音楽を流しながら、文字通りマイペースに走るのが楽しかった。

走っているときは、行ったことのない路地があればあえてそっちに入ってみる。迷いそうな道があれば、あえて迷うほうに行ってみる。そんなふうにしても完全に道に迷うことはなく、いずれは知っている通りに通じていることは経験的にわかっていた。

そんなふうにして、それまでは知らなかった東京の地理に少しずつ詳しくなっていった。

そんなことも面白かった。


子どもの頃は、運動が苦手だった。

小学校や中高の体育の時間は苦痛でしかなく、当然のように成績も悪かった。

大人になって、自分のペースで走ったり泳いだりするようになって、はじめて自分が身体を動かすのが好きだったのだと気づいた。決して上手ではないが、子どもの頃思いこんでいた（思いこまされていた）ほどには嫌いではなかった。

そんな時期は長くは続かなかったが、でも気づけて良かったと思っている。

ほんとに元気で、走ることが楽しくてしかたがなかったころを憶えている。

2月7日(金)

明日

諸々の仕事を済ませながら、明日の取材の準備。
書きたいことはいろいろあるけれど、もうこんな時間だし、明日は早起きしないといけないので、もう寝ます。

明日会う人は、作家でもあり、自分と同じように小さな版元を営んでいる方でもあります。
その方々の創業時のブログを読んでいて、(出版社としては1年後輩になる僕が言うのもおこがましい限りですが)健気で一途で、少し涙ぐみそうになりました。

僕も会社を作ってから、あと少しで2年が満了します。
もう2年。とはいえまだ2年。

独立した頃、僕はバタバタしすぎていて、アウトプットする余裕もなければ、そういう発想すらなくて、なにも書き残していません。

書いておけばよかったなと、ちょっとばかり後悔があります。

明日会う人は、創業時のことをいろいろとエントリーしていました。その記事を読んでいて、何か新しいことを始めるドキドキ感と、これでいいのかな？　という一抹の不安と、それでもやることがあるという喜びと緊張感と。そういう感じを思い出しました。

僕はきちんと書き残せていませんが、そのドキドキ感と不安と喜びと緊張は、いまなお感じ続けています。

その感情をそのままに、明日会える人がいます。

このとき取材したのは、作家の土門蘭さんと編集者の柳下恭平さん。

ふたりは京都文鳥社という出版社を運営してもいる。やはり『なぜ戦争をえがくのか』のための取材で、京都まで行ったのだった。すでに新幹線になかなかはマスク姿もちらほら見かけ、このあとやってくるコロナ禍の予感のようなものを感じながらの移動だった。

土門さんと柳下さんのコンビは、僕には理想的な小出版社のありかたのように見えていた。互いに信頼関係のある大人が、それぞれの本業もありつつ背中を守り合っているような関係性、とでも言おうか。

だから僕はこの日、ふたりに会うのがちょっとだけ怖かった。理想的な関係にあるふたりにとって、僕の作ったみずき書林はどんなふうに見えるのだろうか、などとあらぬことに気を回してひとりで緊張していたのだ。

取材場所は西尾八ッ橋の里という和食屋さん兼甘味処にした。

土門さんは時間通りに、柳下さんは少し遅れてやってきた。取材が始まる前、土門さんと雑談を交わしながら僕はまだいささか緊張気味だったのだが、遅れてやってきた柳下さんがやおらお汁粉を頼んだから、一気に力が抜けてリラックスすることができたのだった。

2月18日（火） ファンタジーとしての戦争映画――『近頃なぜか岡本喜八』

17日、月曜日。

立命館大学東京サテライトキャンパスにて、原稿の読み合わせ。

〈戦争〉を視座として、岡本喜八の映画作品を論じる企画。

その名も、

『近頃なぜか岡本喜八――戦後日本映画における戦争と娯楽（仮）』

タイトルはいうまでもなく、喜八作品『近頃なぜかチャールストン』へのオマージュ。

同時に「近頃なぜか」には、昨今の国内外の状況を見るにつけ、喜八が描いた戦争および戦後がいまこそ気になる、という含意があります。

この企画が動き始めてから、喜八作品を集中的に観てきました。

僕のベストは『肉弾』です。

『沖縄決戦』『日本でいちばん長い日』などの大作もいいですが、『肉弾』のコミカルでシニカルかつシリアスな描き方に、より深く惹かれます。

ナレーションの入れ方、途中で挿入されるイラスト、砂丘での女学生たちの演劇的なカット、ラストの現代へのジャンプと衝撃的なエンドロールなど、一種のファンタジーとして戦争をえがく演出に目を奪われます。

最近別件で取材したある作家は、自身の小説の執筆動機として「ファンタジーとしての従軍慰安婦」ということばを用いました。

喜八と5歳差の早坂暁は、自らを「身体の真ん中で、軍国主義に民主主義が接ぎ木されているようだ」と表現し、『天下御免』『必殺シリーズ』などで社会批判の装置として、時代劇を一種のファンタジーとして描きます。

そして戦争をえがく際の幻想的な演出という点で、『肉弾』は大林宣彦監督の一連の作品にも強く影響を与えていることがわかります。

実際、2018年に大林監督に取材した際には、岡本喜八への言及がしばしばありました。

取材の主旨とはややずれていたので、紙幅の関係で書籍には収録できませんでしたが、大林監督も『肉弾』を評して、「あれ、大傑作ですよ」とおっしゃっています。「『江分利満氏〜』と『肉弾』、この2本をもって喜八さんの代表作だと思います」とも。

『近頃なぜか岡本喜八』の詳細は近々またアップしますが、気鋭の社会学者の方々が、寄ってたかって面白がって作っている本です。

キーワードは〈カッコイイ戦争〉〈フマジメ〉〈余計者〉〈内戦〉〈キハチの遺伝子〉。

最終的には『近頃なぜか岡本喜八――反戦の技法、娯楽の思想』という書名になるこの本には、5人の社会学者が参加している。

巻末の執筆者プロフィールでは、現職・生年・最終学歴・主著といったいつもどおりの事項に加えて、

「好きな戦争映画（岡本喜八作品以外で）」

という項目を設けた。

佐藤彰宣先生：前田陽一『喜劇あゝ軍歌』
塚田修一先生：大島渚『戦場のメリークリスマス』
野上元先生：S・スピルバーグ『太陽の帝国』
福間良明先生：深作欣二『軍旗はためく下に』
山本昭宏先生：新藤兼人『原爆の子』

という作品が並んだ。

僕は何を選ぶだろうか。

邦画であれば大林宣彦『この空の花――長岡花火物語』
洋画であればS・キューブリック『フルメタル・ジャケット』
となるだろうか。

『フルメタル・ジャケット』は、からからに乾いていてシニカルという意味で『肉弾』に通じるものがあるかもしれない。

戦争映画と音楽といえば、『地獄の黙示録』の「ワルキューレの騎行」のシーンがあまりにも有名だが、キューブリックのこの戦争映画も、同じくらい有名な「ミリタリーケイデンス」の歌を筆頭に、さまざまなポップソングが取り上げられ、シニカルな効果を生んでいる（ラストシーンの「ミッキーマウス・マーチ」も有名。そもそも『時計仕掛けのオレンジ』の「雨に唄えば」もそうだが、キューブリックは音楽によって映像を異化するのがうまい）。

厭戦《えんせん》や反戦といった感情や思想を真っ直ぐ生真面目に描くのではなく、音楽や滑稽なやりとりを駆使して、ほとんど軽率なまでにエンターテインメントを狙うのは、喜八とキューブリックの共通点かもしれない。

ジョーカー、ゴーマー・パイル、カウボーイなど、『フルメタル・ジャケット』の登場人物たちは本名よりもあだ名で呼ばれる。これもまた、登場人物をキャラ化するエンタメ的な演出と言っていいと思う（余談だが、日本文学でそれを巧みにやっているのが、漱石の『坊っちゃん』だろう。坊っちゃん、山嵐、野だいこ、赤シャツというあだ名によって、彼らは見事に印象的にキャラ化されている）。

いっぽうの『肉弾』の主人公にも名前がなく、ただ「あいつ」と呼ばれる。

ただ、喜八の「あいつ」はポップなキャラ化を狙ったというよりは、もう少し別の意図がありそうだ。

つまり、『フルメタル～』の人物も『肉弾』の「あいつ」も、軍隊という暴力的生物のなかの細胞でしかない。しかし、屈強な兵士をアニマルマザーとネーミングする『フルメタル～』がキャラを立たせようとするのに対して、「あいつ」という名づけは、無名性・匿名性を目指している。しかし、だから『フルメタル～』のほうが個々の人物に焦点化しているかというと、実際はまったくもって逆だ。

『フルメタル・ジャケット』が軍隊という暴力システムそのものを生き物のように描くのに対して、『肉弾』はその暴力システムにとりこまれた細胞のうごめきに視点を合わせる。

つまり、「あいつ」は「おまえ」でも「あなた」でもありうるということだ。

ジョーカーたち数多くの米軍兵が「ミッキーマウス・マーチ」を歌いながら陸続《りくぞく》と歩いていく『フルメタル～』のラストシーンと、白骨化した「あいつ」がドラム缶の中でたったひとり叫び声を上げる『肉弾』のラストが、その違いを象徴している。前者は個人を圧

2020

殺しながら狂騒的に活動を続ける軍隊という生物を描き、後者はその生き物から剥離して死滅した細胞のひとつを描く。

もうひとつの好きな戦争映画は、大林宣彦の『この空の花』。最新作であり遺作である『海辺の映画館――キネマの玉手箱』を挙げてもよいが、たとえば大林宣彦作品を、あるいは日本で作られた戦争映画というものをはじめて観る人に勧めるとすれば、『この空の花』がふさわしいと思う。

大林宣彦には、キューブリックや喜八がもっているシニカルさはない。むしろその対極にある温もりや真摯さが大林映画の味わいだといえるだろう。

『近頃なぜか岡本喜八』の編者である山本昭宏先生が、大林監督没後に刊行された『ユリイカ　総特集　大林宣彦』(青土社、2020年)に論考を寄せている。その論考では『この空の花』をとりあげながら、①「映画で遊ぶ」という姿勢、②めまぐるしいカット割りによる独特のリズム、③幽霊の登場という3点を挙げて、岡本喜八と大林宣彦の資質の共通点を指摘している。

また大林の戦争映画の特徴として、「記憶空間を演出する」、つまり「再現とも記憶語りとも異なる歴史叙述の構築性そのものを描きながら、物語を展開させる」ことを挙げている。

つまり、大林宣彦と岡本喜八の戦争映画とは、過去をリアルに描くことではなく、また記憶を再現することでもないということだろう。リアルな史劇としてではなく、また記憶のなかの風景としてでもなく、「物語／幻想」として戦争を描くのが、『この空の花』に代表される大林の戦争映画と、『肉弾』との共通点だろう（ゆえに、リアルな史劇である『日本のいちばん長い日』や『激動の昭和史　沖縄決戦』は大林宣彦にとっては仰ぎ見る作品ではなく、あくまで『肉弾』の豊潤な構築性こそが琴線に触れたのだと思われる）。

『近頃なぜか岡本喜八』の中にも、岡本喜八を評した大林宣彦のことばが引用されている。

「喜八さんの中には映画人として二人の人格がいたのだともいえます。一人は『駅馬車』に純粋に憧れている岡本喜八。もう一人は自分のアイデンティティをしっかり映画で伝えようとしている岡本喜八です」

このことばも、大林宣彦が喜八のどこに共鳴していたのかを示すものだ。

アメリカの西部劇に憧れた喜八が『独立愚連隊』を作ったのだとすれば（そして東宝の看板監督という立場が『日本のいちばん長い日』と『沖縄決戦』を作らせたのだとすれば）、『肉弾』を撮ったのは、「自分のアイデンティティをしっかり映画で伝えようとしている岡本喜八」だろう。

2020

大林宣彦はまちがいなく、『肉弾』を撮った喜八こそを、作家として尊敬していた。

ここにも書いた通り、この本とは別の取材で、僕は「岡本喜八の『肉弾』と『江分利満氏の優雅な生活』は、戦後日本映画の大傑作である」ということばを、大林監督自身の口から聞いたことがあった。

たしかに、「戦争三部作」と呼ばれる最晩年の大林作品（後世には遺作の『海辺の映画館』を加えて四部作と称されることになるだろう）からは、『肉弾』との共通点を抽出することができるだろう。

繰り返しになるが、その共通点とは、自らの幻視した戦争を物語化する、その作家性だ。そして喜八がその作家性を賭けた『肉弾』で描いたのが、「軍隊ではなく兵士（死者）」であり、「歴史のなかに埋もれた個人」であったことが、シニカルであるか温もりがあるかという個性の違いを超えて、大林宣彦に強い影響を与えたのはほぼ間違いないだろう。

2月22日（土）

前日の金曜日。

写真家の宇佐美さんと、東京大空襲で戦争孤児となった方に会いに行きました。

調布市に住む、85歳の女性。

戦前にアメリカの大学を出て、弁護士でクリスチャンで、自宅の裏に別棟を建てて仕事の傍ら福祉事業をしていた父親。37年には反戦的な演説を行ったことで、4カ月間の弁護士資格のはく奪も受けています。

平塚らいてうのところに出入りしていた母親。

一番下の当時6歳だった弟。

そんな家族を3月10日に失い、兄とともに戦災孤児になります。

この方との交流は始まったばかりですが、実に矍鑠《かくしゃく》としていて明晰な話しぶりです。

昨日は3時間ほどの対話でしたが、両親を失い、孤児として本当に辛い時期もあったとおっしゃっていました。

でも最後に、

「私は自分のことが好きよ」

とおっしゃっていたのが、強く清々しく印象に残りました。


もうひとつ。

お父様の影響で信仰はありますかと訊いたときに。

これはいままで誰にも言っていないけれど、と前置きして、

「私はあの日、菊川橋で天井ほどの高さまで積み上がった真っ黒い死体の山を見た。そのときに、気づいたの。神様はいないって」

とおっしゃいました。

信じられる神様がいたらずいぶん楽だったと思うけど、というため息交じりの言葉が続きました。


なぜ宇佐美雅浩さんと一緒に戦争孤児になったおばあさんに会うことになったのかは詳述しない。宇佐美さんがやろうとしている、あるアートプロジェクトのためだ。

そして残念ながらコロナの影響、その他の複雑な要因が絡み合って、その企画は2023年の春段階でなかなか進展を見せることができず、停滞を余儀なくさせられている。

おばあさんとの対話は非常によい感触で、宇佐美さんのプロジェクトにも好意的だったのだが、やはりコロナ禍ということが最大のネックになり、この戦争孤児の方に会うのも、これが最初で最後になった。

信仰はありますかという問いに答えてくださったときの、毅然とした、でも柔らかな口調はいまでもよく憶えている。

尊敬する父親の持っていた信仰を、自分は持つことができなかった。他でもないその父親を奪うことになった東京大空襲のせいで。

それから今に至るまで、どんな思いで生きてきたのだろうか。それを知るすべはもうないが、「私は自分のことが好きよ」という一言が胸に残る。どんな境遇にいても、自分を肯定し、好きになることはできる。

2月26日(水)

家にこもって仕事

先週までいろいろ外出していたのが嘘みたいに、コロナの影響で今週の予定がきれいさっぱりなくなりました。

いい機会なので、朝から晩まで部屋にこもって、懸案だった時間のかかる仕事を一気に片付けました。

かつて先輩が言っていましたが、「やれば終わる」。

やらないと絶対に終らないけれど、どんな面倒臭い仕事でも、やればいつか必ず終わります。

集中して、鑿《のみ》で彫り出すように、少しずつ進めていくしかないですね。

いつか仏の像が顔を覗かせます。

やれやれ。

終わった終わった。

一仕事終えたので、すごく肌理《きめ》の細かいポテサラを作る。仕上げにワサビと醤油を少々加えて、居酒屋のメニュー風に。

これもまた、なんでもない一日の描写。

外出して人と会ったり取材をしたりするのも好きだったが、こんなふうに部屋にこもって黙々と自分だけの作業を進めるのも好きだった。もともと性に合っているのだろう、ひとりで家にいて地道な事務作業やデスクワークを黙々とこなすことがそれほど苦にならない。

そんなふうに集中して一仕事したあと、キッチンに移動して料理を作るのも好きだった。本の編集と料理にはやや似ているところがある。様々な素材を集めて、それを組み合わせて、ひとつの皿に盛られた首尾一貫したまとまりに変えていく。


料理のことを考えると泣けてくる。それは本当に楽しい作業だった。ひとりでキッチンに立って、好きな音楽を流してビールを飲みながらのんびりと料理をして妻の帰宅を待つ。その時間は一番のストレス解消であり、一日のなかで一番落ち着く時間だった。

今日、僕は朝からなにも口にしていない。食べるとすぐに吐くからだ。点滴だけの味気ない栄養補給。失われてしまった楽しかった習慣。

何日も何日も繰り返した、仕事をして、ごはんを作る日々のことを憶えている。

一日デスクワークをして、終わった終わったと言いながらキッチンでポテトサラダを作るような生活が戻ってくるなら。

2020

贅沢は言わない。僕が求めていたのは、そのような暮らしだ。

3月13日（金）

東京さ行ぐだ

東京に出てきたのは、もはや前の世紀である1997年。19歳の時でした。

学びたいことがあったとか、ぜひ教えを乞いたい先生がいたとかそんな立派な理由はなくて、ただただ親元を離れて一人暮らしというものをしてみたかったのです。

それからずっと、東京にいます。

出版業は圧倒的に東京が多いという事情はあるにせよ、就職するときも、転職・創業するときも、ここを離れるということは考えませんでした。

阪神大震災と地下鉄サリンの時は実家にいましたが、311も911もコロナ騒ぎも、ぜんぶこの街で迎えました。

オリンピックのあいだもきっとこの街で過ごすのでしょう（やるのかわかりません

が）。

この間、

杉並区下井草↓江東区清澄白河↓世田谷区二子玉川↓渋谷区広尾↓世田谷区九品仏↓渋谷区広尾

と移動してきました。

はじめてひとりで住んだ下井草は、大学でできた友人たちの溜まり場みたいな場所でした。

ふたつめの清澄は、友だちとルームシェアしました。
二子玉川で結婚し、最初の広尾がはじめての持ち家。
一度住み替えて、今に至ります。

東京で暮らして23年が経ちました。
今日、42歳になりましたよ、おっかさん。

誕生日に書いた記事。

2 0 2 0

大学では映画サークルに入った。8ミリフィルムの編集作業には、基本的に場所が必要になる。PC1台あればだいたいのことはできてしまういまのデジタルとは違い、物理的にフィルムが大量発生するからだ。

編集は絡み合ったスパゲティのような大量のフィルムをうまく整理整頓し、文字通り切ったり貼ったりしながら進めなければならない。我々は3人のチームでそれを行っていた。

まずフィルムをカットする工程では、監督がどのコマでカットするかを指定し、スタッフ1がそれに合わせてフィルムを切る。スタッフ2はそのカット済みのフィルムをあとでつなぎ合わせやすいように台紙にクリップで留めて、それを壁に吊るしていく。

つなぎ合わせていく工程では、監督のディレクションに合わせてスタッフ2が壁から指定のフィルムを取り出し、スタッフ1に渡す。スタッフ1は専用のテープを使ってそれをつないでいく。

他にも8ミリフィルムはアフレコだから、そうやって完成したフィルムを前に役者全員が集まってアフレコをする作業も必要だった。アフレコは周りの音が入らないように、深夜に徹夜で行う。こちらは静かでよかったけど、両隣の部屋に住んでいる人にとっては迷惑だっただろう。

ともあれ、8ミリフィルムでの映画作りは、けっこう場所を必要とする。

そんなときに、借りていた下井草の古いアパートは、三畳ほどのキッチンに加えて四畳半と六畳の部屋があって学生のひとり暮らしにしてはわりと広く、作業場所として最適だった。当然、仲間たちの作業場兼溜まり場みたいになった。

いったい幾つの夜を徹夜して過ごしただろうか。僕はこのアパートを提供することで、基本的な社交性のようなものを学んだ。そして親友である尚史をはじめ、今なお付き合っている友人たちを得た。妻のはじめての誕生日祝いをしたのもこの部屋だ。

古くてボロいアパートだったけれど、この部屋がある程度広かったことが、その後の僕の人生にいろいろと小さからざる影響を与えている。

もう何年も前にふらりと再訪してみたら、アパートは取り壊されて駐車場になっていた。

3月17日(火)

毎日、ひとの日記を読むこと(上)

誰かが、過去のいつかの今日、日記を書いていた。

それを一日ずつ、その人が綴ったのと同じ速度で読むという経験は、そんなにする機会がないのではないだろうか。

誰かの日記を読むとき（それは多くの場合、文士とか政治家とか有名人の場合が多いだろう）、我々はおそらく、ある程度の分量をまとめて、数日分や数カ月分を、通読するだろう。


ここしばらく、僕はある人物の日記を、75年前の今日綴られた分だけを、毎日少しずつ読んでいくという経験をしている。

それはtweetのかたちで流れてくるので、何人かのフォロワーも同じ経験をしているはずだ。

僕はいいねを押す。

SNSであなたの日記をtweetしている方がいて、僕は読んだら「いいね」を押すんです。と言っても、75年前の人である彼には絶対に意味が解らないだろう。


その人は佐藤冨五郎という名前だった。

その人はもう間もなく40歳になろうという日本人男性だ（そして結局、彼が40歳になることはなかった）。

彼は日本軍の一兵士であり、父であり夫であり、つまりは無名のごく普通の人だった。

彼は故郷を遠く離れた遠い南洋の地で、餓死した。

75年前の4月25日が、彼が絶筆を綴った日になる。翌日、その人は死ぬ。

もうすぐ、その日が来る。その日まで、日記は続く。


その日記は、消えてしまい、どこにも届かなかった可能性が高いものだ。

日本からはるかに離れた島で書かれ、本人も死んだ。

日記は生き残った戦友に託されたが、引き揚げの混乱の中でいつ失われてもおかしくなかっただろう。

たとえ日本に戻ってきたとしても、70年以上保存され、解読され、日の目を見る確率はきわめて低い。

実際、この日記と同じように戦地で書かれながら、焼かれ、吹き飛ばされ、廃棄され、朽ち果てた日記は膨大な数にのぼるだろう。

いまでもどこかの納戸や押し入れの奥に仕舞いこまれたままの日記も、たくさんあるに違いない。


誰にも知られずに消えていくはずだったものが、いまここにある。

そのことが、不思議だ。

もしこの日記が誰にも知られずに消えてしまい、一握りの家族のほかは佐藤冨五郎という人物のことを誰も知らなかったとしても、世界はいまとさほど変わりはしなかっただろう。

たしかに僕はこの日記を本にして刊行したけれど、もし日記がなかったとしたら、僕はそんな本のことなど夢想だにせず、それはそれで普通に暮らしていただろう。

この日記を通じて知り合うことになった多くの人と出会うこともなく、でも当然ながらそんなことはお互い気にも留めないで、いまとちょっと違った、でも大筋においては大差ない暮らしをしていただろう。

実際、このような日記は――消え去った数も膨大だろうが――残っている数だってそれなりに多い。

当たり前のことだが、世界は、この日記なしでも普通に流れていたに違いない。

僕は日々、佐藤冨五郎という赤の他人の書いた日記を読む。

tweetがなかった日は、ああ今日は冨五郎さんは日記を書かなかったんだなと思う。僕もブログを更新しない日があるから、その気持ちはわかるような気がする。

彼はそのことを知らない。自分の日記がその後どうなったか知らず、永遠に知ることはない。

戦争の現実が綴られているだとか、家族への強い想いとか、餓死に向かう哀しみとか、この日記からはさまざまなことを読み取ることができる。

歴史学的に貴重な資料だという言い方は、おそらく正しい。本も、そのようなものとして編んだ。


でもここ最近、毎日その人の日記を眺めながら僕が感じているのは、もっと茫漠として曰く言いがたい感情だ。

なんとかことばにしようとするなら、こんなふうになるだろうか。つまり、

我々が本当に心の底で切々と感じることは、うまく伝えることはできず、誰ともシェアできない。

我々はいつか必ず100%の確率で死ぬことになるが、それがいつなのか知らず、何か大事なことを感じているはずなのに、それを伝えることはできない。


「ことばにならない」とか「曰く言いがたい」などと、もどかしくも矛盾した言い方

をせざるをえない想いが、ときに僕たちを訪ねる。

我々はその断片的な想いを狂おしいほど大切に思いながらも——そして自分以外の誰も彼もが同じように感じていることを想像していながらも——お互いの切々とした実感を分ちあうことはできない。


だからこそ、まるで見知らぬ他人が書いたことが、愛おしい。

(つづく。たぶん)


僕は間もなく死ぬことになっている。

スキルス胃がんのステージ4。告知を受けてから1年半が経った。

そろそろ、なのかもしれない。

今のところ体調は悪くなく、日々浮き沈みはありつつも、今日明日にすぐにも死ぬような気はしない。このままいけばずっと生きていけそうな気もしなくもない。

でも冷静に事実だけを振り返ると、やはりそんなに長生きはしないのだろう。

もう間もなく、僕は病状が悪化して死ぬことになるのだろう。

マーシャル諸島ウォッチェ環礁で餓死した39歳の日本兵・佐藤冨五郎さんは、いつごろから自分の死を意識したのだろうか。途中までは、何とかして生き残って故郷に戻りたいと強く思っていたに違いない。その気持ちが体調の変化とともに徐々に揺らいでいき、やはり自分はここで死ぬしかないのかと感じるようになったのはいつの頃からなのだろう。

最晩年の日記を読むと、その心の変化が少しずつわかるような気がしてくる。栄養失調で身体が思うように動かず、周囲の迷惑になることを心配しつつ、何とか生きていたいと願う、そんな日々が綴られていく。

毎日、ひとの日記を読むこと（下）

3月20日（金）

（前回のつづき）

僕が感じていることはいずれ消える。

いずれ、などというまでもなく、感じたそばから消えていく。

ソファに座って飲み物のグラスを手元に置いて、携帯で日記のtweetを見ながら、なにか大切な感慨を抱いているような気がする。でもそのほとんどはうまくことばにならず、誰にもいえず、そのまま消える。

佐藤冨五郎が感じていたことは、かろうじて、かすかに残った。それにしたって、彼が感じていたことのほんの一握りにすぎないだろう。

そこに行ったことのない僕は想像するしかないが、たまの爆撃を警戒しながら、波の音を聞きながら、水平線を見つめながら、木陰にうずくまりながら、空腹と表現するのもはばかられる身体の異常を感じながら、たとえば「三月十日　晴。」とだけ綴ったとき、彼が切々と感じたかもしれないことは、ことばにならないまま跡形もなく消え失せている。

彼がそのごく短い言葉を書いた日、東京は大空襲に見舞われて彼の家族が暮らす場所も被災しているのだが、彼はそんなことは知る由もない。彼はそのことを永遠に知らない。

我々は、明日自分がどうなるのか、何も知らない。

当たり前だが、それが人生の基本だ。

未来のことは、絶対に誰にもわからない。

ところが、最期のとき、佐藤冨五郎は自分がもう間もなく死ぬことを知る。

彼は「之ガ遺書」「最後カナ」と記し、実際にその数時間後に死ぬ。

そのとき彼には未来が見えている。

その未来は、我々全員にいつの日か確実に訪れる未来なのだが、多くの人はそれがいつの日か知ることなく生きている。

彼はそれを知ってしまい、しかもそのことを死の直前まで書き残す。

自分の未来(のなさ)を見てしまっていること——そのことが、この日記に独特の印象を与えている。

有名な作家の残した文学作品や手記とはまた違う手触りが、そこにはある。

たとえば漱石の『坊っちゃん』を読みながら、「ああこの人は後に大喀血《かっけつ》して生死の境をさまようことになるとも知らないのか……」「この人は49歳で死んでしまうのか」と哀れをもよおすような人はほぼ皆無だろう。

『断腸亭日乗』を読んで、鞄を抱えて孤独死することも知らずに暮らしている荷風に切なく狂おしい共感を抱く人は、そういないだろう。

その文学的評価とはまた別のこととして、伝記的な事実が確定された有名な人とは、我々にそのような感慨を抱かせる存在ではない。

ひるがえって、どうやら自分は数時間後には死ぬらしいと感じ、そのことをリアルタイムで文章にした、まったく無名の人がいた。

自分の死を記述するその最後の文章に行きついたとき、未来に対する我々の絶対的な無知が、ほんの一瞬だけ、震えるようにほどける。

そしてこの不幸な予言者の無名性が、〈曰く言いがたいなにか〉を感じさせる。


日記のなかで、75年前の佐藤冨五郎は死につつある。

ことばにならない思いを抱え込み、書けることだけを淡々と書きながら、あと一月と少し経ったら、彼は死ぬ。

彼はそのことを薄々予感しているが、直前まで知ることはない。我々は知っている。

最後の最後で、彼も知る。

最後の一節を書いたときに、彼はどういう状況にいて、なにを考えていたのか。

様々に想像しようとするが、どのように想像してみても、彼が最後に抱いた思いはまったくわからない。

「万感の思いを込めて、最後の日記を書いたのだろう」などとは言いたくない。

でもそこには、なにかの思いがあっただろう。

それは最後の筆跡を見れば感じられる。

彼はなにを思い、その思いはどこに消えてしまったのか。

そういった日々の思いは無価値ではない。と、できれば信じたい。

少なくとも、自分の思いは、自分にとってだけは無価値ではないと信じたい。

なぜなら、もしこの感情が無価値なら、我々の日々の暮らしもまた無価値だから。


もしそれが十全に誰かに伝えられるなら、その人との間に完全な共感が分かちあえるなら、それは自分以外の誰かにとっても価値のあるものになるだろうか。

たとえば僕が感じているこの、無名の人が遺したものに触れるときの愛おしさと、未来について無知であることの切なさを、冨五郎という人に過不足なく伝えられたとしよう。

伝え手である僕がうまく言語化できておらず、受け手である彼は死んでいるのだから、そのようなことはあらゆる意味で不可能だが、仮に、彼の日記を毎日読むことで僕がどんなふうに感じているかを正確に伝えられたとしよう。

あるいは彼が、水平線を眺めながら、そこに沈んでいく赤い太陽を見つめながら、最後の日々に感じていたであろう感情を、ことばを尽くして僕に伝えてくれたとしよう。

そのとき、何かとても価値のあるものが受け渡されたと感じるはずだ。

ただし、それはおそらくできない。

佐藤冨五郎とはもちろん、他の誰とであれ、自分の思いを完全なかたちで伝えることも、相手の思いをありのままに受け取ることもできない。

だから我々の日々の思いは、本当は無価値なのだろうか。


あと一月と少ししたら、佐藤冨五郎は死ぬ。

もちろん、1945年、とっくの昔に、彼はすでに死んでいる。

でもあれから75年後の今年、彼はSNSのなかで再び日記を綴っていて、やがて死ぬ。

彼の、あるいは人びとの思いというものは、どこに行ってしまうのだろう。

そんなことをぼんやり考えて、不思議な気持ちを抱いている。


今の僕と冨五郎さんは、どれくらい似ているのだろうか。

あるいは似ていないのだろうか。

自分が間もなく死ぬかもしれないと感じながら、毎日日記なりブログなりを綴ること。

もしかしたら僕は、自分でもまったく意識しないままに、冨五郎さんと同じような日々を生きているのかもしれない。

冨五郎さんにとって日記を書くことは、おそらく日々生きていることを証立てる行為であった。厳しい体調のなかで兵士としての日々の仕事をこなし、そのうえで毎日時間を見つけては、少しずつ日記を書いていたのであろう。

そして日記を書いている間だけは、帝国海軍の兵隊ではなく、ただ生きていることをささやかに証しているひとりの人間に立ち戻ることができたのではないだろうか。

ブログを書くことは、僕にとっても生存証明になりつつある。当初は単なる書籍の宣伝媒体のひとつであり、ウェブサイトのコンテンツにすぎなかった。でもいつしか、日々書き続けるという行為が、大切な意味を持つようになった。

内容はともあれ、ただ続けることが大切なのだ。伝えたいことは、個々のテキストの中にあるのではない。ただ続けているという行為そのもののなかにこそ、伝えたいことがある。

僕が書くブログの内容は他愛のないことが多い。教訓も寓意もメッセージもない。そういうことが大切なのではなく、ただ毎日、書き続けることが大切なのだと思っている。日々思ったことを、ただ淡々と文章にしてそこに置いていくこと。この本『憶えている』もそうだが、そのような一見意味のないことばの集積こそが、おそらくは意味を持つのだろうと信じている。

結果的に、最後まで書き続けようとする行為自体がメッセージを帯びる。冨五郎さんの日記は、そのようなものとしてあった。

願わくは僕のブログも、ギリギリの最後まで続けられますように。
冨五郎さんのような、見事な絶筆を綴ることができますように。

4月13日（月）

2周年

本日は小社の登記上の設立日。
みずきちゃんは2歳になりました。
3年目が、始まります。

3年目を迎えることができるのは、ご支援をいただいている読者のみなさま、小社から本を出してくださる著者の方々、こんな小さな会社と組んで下さる取引先のみなさま、なにかと気にかけてくださるたくさんの方々のおかげです。

こうして書くとありきたりな文章ですが、この2年間をなんとか無事に過ごすことができたのは、ひとえに人に恵まれたからなのは確かです。

深く深く御礼申し上げます。

とても幸運で、幸福なことでした。文字通り「有り難い」ことでした。

そして、いまこの国は、というよりも世界は、かなり厳しい状況にあります。

今年の正月には、「3年目は刊行点数もそこそこあるし、何とか少しでも安定した軌道に乗せる」というのが目標でした。

あれから数カ月で、小社に限らず、もはやそういった安定軌道を目標に掲げうる状況ではなくなっています。

自分や周囲の人が死ぬかもしれないと感じながら生きること。これは——少なくとも僕の人生では——はじめてのことです。

2年前にこういうことが起こっていたら、僕は会社を辞めて独立するという選択肢はとれなかったでしょう。

生き残るためにあの場でふんばることを選び続けたと思いますし、結果的に、僕の人生はいまとはまったく違った経緯を辿っていたはずです。

つまり、ああいう選択は平時であったからこそできたことです。

進学・卒業・就職・転職など、今年まさに人生の転機を迎えている人も多くいると思います。

中学校に進学する子、大学進学で地方から上京してきた人、東京から地方の新任地に向かう人。僕の周囲にもそういう人がたくさんいます。

〈自分で選んだ変化は常に正しい〉というのは、この2年間、僕が信じようとしてきたことばです。

いまは文字通り非常時であり、そのなかで転機を迎えている人には不安もあるし、危険もあるでしょう。

自らの変化が正しいことだったのか、わからなくなってしまっている人もいるかもしれません。

もしそれを望むなら、自由に選び、変わることができる。

そういう日常が一日も早く戻ってくることを、心の底から願っています。


「自分で選んだ変化は常に正しい」というのは、僕が自分で作った格言だ。

そしてこのことばはおそらくは間違っていないという実感がある。

自分で考えて積極的に起こしていった変化はよい動きをもたらす。

逆にいえば、自分で選んだわけではない変化は、常に正しいとは限らない、ということでもある。

外部要因によってやむを得ず起こってしまった変化は、不本意で苦しい動きを生むこともある。変化を追っているとき、人は前向きになれ、変化に追われているとき、人は後ろ向きになってしまうからだろう。


病気になったことは、いうまでもなく自分で選んだ変化ではなかった。

その後の細かな決定事項——入院するかどうか、手術を受けるかなど——も、基本的にこちらには異論の挟みようのない状況で決められていった。いちおう患者の選択の元にそういったことを行うという「同意書」にサインはするのだが、最初の手術は緊急手術だったこともあり、同意書にサインを求められながら、同時進行で僕の身体は無数のコードに繋がれ、剃毛がはじまっている、という状況だった。とても同意しないなどと言える雰囲気ではなかったのだ。

もちろん、そこで手術という選択をしていなければ僕は死んでいたわけだから、そこで行われた選択は正しいものだった。その後も、主治医から提示される選択のすべてが、素人である僕には判断しようのない高度に専門的な選択であった以上、結果的にそれらの判断はすべて正しかったのだと思う。

ただ、それらの選択が僕にとってはすべて受け身であったのも確かだった。

結果的にはそこで行われた選択を正しいこととして受け入れていかざるを得ないのだが、もし万一何かあったときには、悔いを残すことになる。やむを得ないことだが、病になることの本質的な苦しさのひとつはそういうところにもある。

自分で選んだ選択はすべて正しい、という楽観的な前向きさから遠ざかったところで生きざるをえなくなるのだ。

8月3日(月)

勝手にアンソロジーを編む

自分のライフタイム・短編小説アンソロジーを編んだらどうなるだろうか。と思いついて、ひとまず10作選んでみました。
安岡章太郎「夕陽の河岸」
村上春樹「蜂蜜パイ」
ジュンパ・ラヒリ「三度目で最後の大陸」

レイモンド・カーヴァー「ささやかだけれど、役にたつこと」
芥川龍之介「藪の中」
太宰治「駈込み訴え」
中島敦「名人伝」
泉鏡花「歌行燈」
石川淳「紫苑物語」
三浦哲郎「みのむし」

漏れているものもたくさんあるはずですが、いま思い出せるのはこんな感じでしょうか。

吉行淳之介と筒井康隆は選べません。

芥川と太宰も、技巧的で凄みのあるものを選んだけど、もっと味わい深い作品もあったと思う。

そういう意味では、中島敦も鏡花も石川淳も、技巧が上手いものに偏りすぎているかもしれません。

サキ、O・ヘンリからもひとつずつ入れたいけど、どれにするかはすぐには決められない。ほかにも英米系の作家は、探せばぜったいにもっと好きな短編があるはず。

あとは、短編小説ではないけど、志ん朝か米朝から聞き書きを入れたい気もします。志ん朝なら「明烏」、米朝は「花筏」にしようか。

勝手にアンソロジーを編むのは、お金のかからない娯楽でなかなか楽しい。

同様の趣旨で、自分にとって外せない名作映画10選を選んでみた。商業映画に限る。以下、順不同。

フランク・キャプラ『素晴らしき哉、人生!』
マーティン・ブレスト『セント・オブ・ウーマン』
フランシス・コッポラ『ゴッドファーザー』
ウディ・アレン『おいしい生活』
ウォン・カーウァイ『恋する惑星』
大林宣彦『この空の花』
クエンティン・タランティーノ『パルプ・フィクション』
スタンリー・キューブリック『フルメタル・ジャケット』
宮崎駿『天空の城ラピュタ』

リチャード・マーカンド『スター・ウォーズ　エピソード6／ジェダイの帰還』

『素晴らしき哉、人生！』は、病気になってからよりいっそう心に響くようになった。名シーン・名演技が多い『セント・オブ・ウーマン』は子どもの頃から繰り返し観ている。タンゴを聴くようになったのはこの映画の影響。

「ゴッドファーザー」シリーズは僕の人格形成に欠かせない影響を与えていると思う。やはり1作目を選びたい。

ウディ・アレンは1作だけ選ぶのは無理で、本当をいうと、ウディ・アレンだけで10作全部埋められるかもしれない。一般的に評価が高いのは70年代のアレンだろうけど、僕は90年代以降の肩の力の抜けた、それでいて脚本の上手さの際立つ作品群が好き。この頃のアレンには駄作がないと思う。

ウォン・カーウァイとタランティーノは青春時代を象徴する作品群。

大林監督はやはり青春時代を象徴する『青春デンデケデケデケ』が大きな対抗馬だが、やはり後期の戦争作品から選んだ。

キューブリックも『2001年宇宙の旅』など対抗馬が多いが、やはり戦争ものに落ち着いてしまう。

宮崎駿はこの国で生きていれば、大きく影響を受けない人はいないんじゃないだろうか。

2020

名作は多々あれど、実家に金曜ロードショーからダビングしたVHSがあり、子どもの頃に繰り返し観たラピュタを選んだ。対抗馬は『風の谷のナウシカ』。何のかんの言って、この頃の宮崎アニメをベストに推す人は多いのではないだろうか。

「スター・ウォーズ」シリーズも、僕の人格形成には欠かせない。旧3部作から選びたいが、ここではやはり実家にVHSがあって視聴回数が多かったエピソード6を。

たしかにこうやって遊んでいるのは楽しい。

online, online

9月1日(火)

新刊の白焼きチェック、発注書の作成、電子化の手配、秋開催のオンライン商談会の準備、授業の準備などをやっているうちに、あっという間に一日が終わる。

今週末、来週末にオンライン研究会がひとつずつ、再来週からは毎週月曜がオンライン授業。9、10、11、12月と、それぞれ新しい本が1点ずつ。

忙しいのは全然いいのだが、しかし。

今年はずっとこんなことばっかり思っている。


コロナ禍真っただ中の頃。

この頃の、出口の見えない閉塞感をよく憶えている。

いつ終わるのかまったく先行きが見えず、緊急事態宣言やまん防（正式名称はもう忘れた）が出るたびに一喜一憂させられた。政治家たちの妄言・妄動にもうんざりさせられた（この頃配られたマスク2枚は、愚行の証左としてまだ引き出しの中に保管してある）。


とはいえ、もともとひとり出版社で、世間がリモートワークを言い始めるはるか前から、在宅勤務がデフォルトだった。自分だけのことなら、世間との関わりをある程度シャットアウトして、気持ちのバランスを保つことも不可能ではなかった。

きつかったのは、自分のまわりにいる人々がダメージを受けて苦しんでいるのを見ることだった。

僕にはもともと、政治も含めて他人のやることに過剰に反応してもしかたがないと思っている面があるし、社会的公正さを求める気持ちも希薄だ。基本的に、良くも悪くも個人主義的に生きているところがある。

だが、僕の周りには、——本を書くような人は多くの場合そういうタイプの人が多いが

2020

——社会の動向に気持ちを大きく動かされてしまう人が比較的多い。もちろん、社会的公正さが達成されないときに、怒ることは正当な感情の発露になる。あるいは気落ちして心が沈むことは、正しい感情の表明になる。そのことは否定しない。

社会が異常な方向に向かっているときに、正当な怒りや悲しみを表明することは、人間として正しい行いである。それに目を背けて、自分ひとりだけの満足や自足を求めてしまう僕のような人間のほうが反省すべきなのだ。そのことはわかっているつもりだ。とはいえ、親しい人たちの怒りや悲しみを傍らで見ているのは辛いことでもあった。

9月20日(日)　文字を読みまくる週末

世間は4連休らしいが、関係なし。

次の本の最後を飾る、3万字にも及ぶ力作の終章をチェック。戦争体験の継承、トラウマの感染、歴史実践の可能性について。先生の胸を借りるつもりで、思うところを長文のメールに書いてお送りする。

ここのところ集中的にやりとりしている原稿。

1年前にハノイで行った美術／工芸家の取材を元にしたテキスト。

ver.7までやりとりして、ようやく完成が見えつつある。


次のZINEの原稿。

今回も実に楽しい。

にぎやかで、ほろ苦くて、奇妙で、ぶっ飛んでいる。

今回もしかけが盛りだくさん。


授業準備。

前回、この講義で聞きたいことを募集した。

その160通のメールをがんがん読み、とりあげる質問を40個ほどピックアップしてジャンルごとに分類。


なんてことをやっているうちに週末が終わる。

眠い。寝よう。

2020

読んでいるうちに、この日のことをぼんやりと思い出してくる。

夕方頃、僕は妻と一緒に家の近所を散歩していた。おそらく仕事が一段落して、ふたりで散歩に行ったのだろう。

家から歩いて10分ほどの広尾高校のあたりを歩いていたのを憶えている。歩きながら僕は、『なぜ戦争体験を継承するのか』の終章になる今野日出晴先生の原稿内容について妻に話をしていた。そうしながら自分の考えを整理し、帰宅したら書くべきメールの内容を整頓しようとしていたのだと思う。

今野先生の終章は非常な力作で、蘭先生の序章と並んで、『なぜ戦争体験を継承するのか』の巨大な出入口ともいうべき論考だった。いまでも折に触れて読み返すことがある。

もしかしたら単なる散歩ではなく、渋谷にある郵便局の本局に向かって歩いていたのかもしれない。この頃、たまにそういうことをしていた。急ぎで発送しないといけない荷物があり、遅くまで受け付けている渋谷の本局まで散歩がてら郵便を出しに行っていたのだ。この日もそんな夜の一日だったかもしれない。

行き帰りには、だいたいお互いの仕事の話をした。

帰り道には、途中でスーパーに寄って夕飯の買い物をしたりもした。この日もそんなふうに夕飯の買い物をしてから帰宅したのかもしれない。

そしてどうやら、夜も眠くなるまで仕事をしたようだ。

このころ、そんな日々があとしばらくで終わるなんて予想もしていなかった。こんななんてことのない日々がずっと続くと思っていた。というか、続くかどうかさえ思ったことはなかった。生活とはこんな日々のことで、それが続くのは考えてみるまでもない当然のことだった。

終わってみてはじめて、それがかけがえのない日々だったと思い知ることになる。ありきたりな言い方だが、それが実感だ。

体調のことを考えずに外出して散歩をする。夜遅くまで気の向くままに仕事をする。好きなごはんを作って食べる。この本のなかで、僕はずっとそんな生活を続けている。それはこの日からほぼ1年間続いて、そしてある日終わる。

僕たちは失ってはじめて、そのかけがえのなさを知る。こんなふうに当時のことを思い出しながら。

10月6日（火）

藤田省三と保苅実のことば

一日ずっとPC画面を見ながら原稿整理などしていたら、目が潰れそう。

いま編集中の、

『なぜ戦争体験を継承するのか』

という本の「終章」から、今野日出晴先生の原稿の一節。


藤田省三は、本来的には、自分を震撼する物事に対して自らを開いておくこと、物事によって揺り動かされることを歓迎するような態度こそが重要であり、物あるいは事態に対してのこの開放的態度をこそ自由な経験の基本条件としていた。


……戦争体験の継承をあつかう本の中で、どういう文脈の中でこの一文が出てくるのか。

藤田省三とはどのような人物であるか。

といったことは、ここでは（このブログでは）関係がなく、ただこの引用に書かれていることはいいなあと思うのです。

喜びや共感は言うまでもなく、辛いことやしんどいことや悲しいことまで含めて、自分の心の震えを見詰めること。

いつか自分はこれを乗り越えるだろうという最終的な楽観だけは手放さないで、心の失調や低迷を否定しないこと。

今野先生のこの原稿では保苅実にも言及されるのですが、数年前にある人に教わって以来、僕のマントラになっている一節があります。

〈自由で危険な広がりのなかで、一心不乱に遊びぬく術を、僕は学び知りたいと思っている〉

保苅のこのことばも、藤田省三の思想と響き合うものがあるような気がします。

……編集中の『なぜ戦争体験を継承するのか』は、ついに先生方の力作が出揃い、巨大な門扉を持った威容を現しつつあります（５００頁超えるかも……）。

2020

こういった話題から展開させて、「なぜ戦争体験を継承するのか」について書き始めるととても長くなりそうなんだけど、もう目が疲れたから今日はビールを飲みはじめよう。

いずれまた。

「物事によって揺り動かされることを歓迎するような態度」を維持し続けること、「自由で危険な広がりのなかで、一心不乱に遊びぬく術を」学び知ろうとすること。

それがいかに難しいことか、ここ最近、実感している。

ここ数日間、ずっと吐き気に悩まされている。そうなっただけで、僕はそのことによって「揺り動かされることを歓迎するような態度」をとることができなくなる。

自分が不治のがんだと実感するたびに、ただただ自分が危険な狭まりの中にいるとしか感じられなくなり、「自由で危険な広がりのなか」にいることがわからなくなる。

少し苦しいだけで、僕はもう自分にその苦しみを理由にして弛緩して自分に甘えることを許してしまう。

このとき僕は「辛いことやしんどいことや悲しいことまで含めて、自分の心の震えを見詰めること」と記している。

それはとてもとても難しいことだ。でも、そうしなければならない。

もうひとつ、『夜と霧』からフランクルのことばを並べてみる。


人間はひとりひとり、このような状況にあってもなお、収容所に入れられた自分がどのような精神的存在になるかについて、なんらかの決断を下せるのだ。典型的な「被収容者」になるか、あるいは収容所にいてもなお人間として踏みとどまり、おのれの尊厳を守る人間になるかは、自分自身が決めることなのだ。


藤田省三と保苅実とフランクルと。

このあたりに、今後僕が生きていくための大切なことばが存しているような気がしている。

＊著者による推敲時のメモ〈この本の肝になる部分。藤田省三、保苅実、フランクルの発言についてもっと加筆。長くなってもかまわない。病気になったことは悪いことばかりではない、はず。〉

12月2日(水)

ダンス・ダンス・ダンス

僕らのまわりにある大抵のものは僕らの移動にあわせてみんないつか消えていく。それはどうしようもないことなんだ。消えるべき時がくれば消える。そして消える時が来るまでは消えないんだよ。たとえば君は成長していく。あと二年もしたら、その素敵なワンピースだってサイズがあわなくなる。トーキング・ヘッズも古臭く感じるようになるかもしれない。――『ダンス・ダンス・ダンス』

なんやかんやと言われますが、村上春樹が好きだ。子どもの頃から読んでいるものだから、やっぱり血肉になっている。生きている日本人という枠内であれば、断簡零墨《だんかんれいぼく》までほぼ読んでいる作家は、村上春樹ただひとりだろう。

そんな読者はごまんといることは百も承知で。経済観念からジェンダー観に至るまで、批判の余地がたくさんあることも承知のうえで。僕は村上春樹の影響下にある。

やはり春樹は、圧倒的に文章が上手いと思う。

丁寧で読みやすい文章は、すっと頭に入ってきて、どんなときでも読むことができる。

村上春樹自身にとっては、フィッツジェラルドの『グレート・ギャツビー』がそういう小説だという。

すべて憶えていて、どこから読みはじめてもいいし、読むたびに新しい発見がある、そんな小説だという。

僕にとっては、やはり村上春樹がそういう作家だと認めざるを得ない。

(彼がたとえば今ほど世界的に有名じゃなかったら、僕としても「認めざるを得ない」などと言わずに、もう少しストレートに推せたと思う。こうメジャーで毀誉《きよ》褒貶《ほうへん》が激しいと、あまり素直に好きだと言いづらい。でも、考えてみればそれは春樹本人のせいじゃない)

ともあれ——いまさらながら、春樹が好きだ。と書いているのは、最近『ダンス・ダンス・ダンス』を読み直しているからだ。

『ダンス・ダンス・ダンス』は、一番好きな春樹の長編だ。

初めて春樹を読む人に勧められる作品ではない。初めての人にはやっぱり『ねじまき鳥クロニクル』か『世界の終りとハードボイルド・ワンダーランド』、もしくは『ノルウェイの森』でもいいかもしれない。初期三部作の続編に位置付けられる『ダンス〜』は、いきなり読んでも何のことかわからない部分が多い。

でも僕が一番好きで、気が向いたら読み返して、それこそ春樹にとっての『ギャツビー』のようにどこからでもばらばらと開いてみるのは、『ダンス〜』だ。『ねじまき鳥』あるいは後期の長編が持っている、時間や人物を往還するような重層的な構造はない。でも、すごく楽しい小説として読める。1988年の作品。おもえばそれなりに時間が経っている。トーキング・ヘッズの『Remain in Light』はいまやロッククラシックになっている。

ここには、自分で料理をして、頑固で、オフビートなユーモアがあって、孤独で——ようするに春樹ファンが好きな春樹がいる。

べつに全然世界的な大作家でもベストセラー作家でもない、そういうパブリックイメージが定着する前、春樹自身も成熟する直前の、世間に向かって突っ張っているまともな大人がいる。

しばしば出てくるポップミュージックへのシニカルな言及や、ときおり出てくる料理の描写や、五反田君やユキとの会話など、春樹自身が楽しんで書いたことがよくわかる作品。経済観念なんてまったく下らん。ジェンダー観の違いなんてどうだっていいでしょう、そんな驢馬のウンコみたいな話しないで。

それでいて——当然ながら——面白おかしくハッピーエンドでは終わらない。この作家らしい、夢が現実を侵していくような、作品全体が人生の比喩として機能するような読み心地があります。

ちょっとした息抜きに、『ダンス・ダンス・ダンス』について熱く語る（笑）。ほとんどの人が読み飛ばし、何人かの知り合いが苦笑するのが目に浮かぶ。


『ダンス・ダンス・ダンス』は途中から舞台がハワイになる。

これまで僕は二度ハワイへ旅行に行った。

一度は妻の家族と。もう一度は自分の両親や姉一家と向こうで落ち合った。

そのいずれもが、とても楽しい記憶となっている。

ひとびとが言う通り、ハワイは本当に楽しくわくわくするような場所だった。ありきたりだし俗っぽいかもしれないけれど、休暇を過ごす場所として素晴らしい環境であることは間違いない。

2　0　2　0

一度目に義父母、義妹夫婦と行ったときには、キッチン付きの高級ホテルに泊まって、夕食は自炊した。食事を作るのは僕の担当だった。冷蔵庫をビールでいっぱいにして、近所のスーパーでバカでかい豚肉の塊を買ってきてローストにするのは楽しかった。

スニーカーやイヤホンを持っていって、向こうで見知らぬ道を走るのも胸躍る経験だった。午前中にみんなでダイヤモンドヘッドまで遊びに行って、午後にひとりで走ってそこまで戻ってみたりした。

二度目に両親や姉一家と過ごしたときも楽しい思い出ばかりだ。

そのときは市街地ではなく少し離れたリゾートホテルに泊まったのだが、やはりランは楽しかった。ホテルで自転車を借りて、妻とふたりでサンドイッチを買いに行ったことも憶えている。ひどく暑くて、目指すサンドイッチショップは予想よりもずっと遠くて汗だくになった。でもふたりで自転車を漕ぐのは楽しかった。

『ダンス・ダンス・ダンス』の話題からそんなことを思い出す。

もう二度と行くことはないであろう、ハワイ。

楽しかった記憶がひどく切なく感じられる。

死ぬ夢

12月21日（月）

死ぬ夢を見た。

僕は異星人で、普段は人間にまぎれて暮らしているんだけど、同じ種族同士で目が合うと死ぬらしい。

白いビルのなかを歩いていたら、目が真っ赤で頭の禿げた初老の男性（現実ではまったく知らないおじさん）と目が合い、その瞬間、その場に倒れた。

視界いっぱいに、同じように倒れている男の茫然とした顔。

手足がしびれてまったく動かせない。

（そのしびれている感覚は、いまでもまざまざと思い出せる）

これで死ぬのか。これが最後に見る景色か。と思っていると視界が端から狭まっていき、赤い目を見開いたまま死んでいる男の顔が黒く塗りつぶされるように消えていく。

最後には目の前が真っ暗になって、そのうちに視界の真ん中あたりから薄い灰色のもやのようなものが生まれて、ゆったりとうごめきながら大きくなってくる。だんだん明るさを増しながら、そのグレーとも乳白色ともいえないもやが、目の前いっぱいに拡がっていく。

不安のような、無念やるかたないような、でもなんだか安心するような気持ちになったのを憶えている。

あの目の赤い禿頭の男は誰だったのか。

現実世界で会わないようにしないと。

後にも先にも、自分が死ぬ夢を見たのはこの時かぎりだ。

こんな病気になった後も、死ぬ夢を見ることはない。

ただ、この夢にやや近いシチュエーションがあるとすれば、がんセンターのなかだろうか。

築地にある国立がん研究センターはその名のとおり、がんの専門医療機関であり、基本的にそのなかにいるのは、医療従事者を除けば、がん患者かその家族しかいない。つまりがんセンターのなかにいる患者は１００％、なんらかのがんであり、深刻さはそれぞれに異なるとはいえ、同病だといえる。

まさか目が合うと死ぬようなことはないが、お互いなるべく目を合わさないようにしているのも事実だ。

死ぬ瞬間はどんななんだろう。

この夢で見たように、徐々に目の前が真っ暗になって、薄い灰色のもやが大きくなって視界を覆っていくのだろうか。それとももっとあっさりとあっという間なのだろうか。

いずれにせよ次の瞬間には死が待っている以上、その実際のところをレポートすることができた人は、かつていない。死ぬ瞬間に何が起こっているのかは、誰にもわからないし、今後もはっきりすることはない。

ただし、早坂先生の言い方を借りれば、「死の現場を実況中継した人」がひとりだけいるという。それがお大師さん、つまり空海だ。死の直前、空海は弟子たちに向かってこんなことばを遺したという。

生まれ生まれ生まれ生まれて生の始めに暗く
死に死に死に死んで死の終わりに冥し

早坂先生のエッセイによると、これが死に最接近し、死をクローズアップで見据えた人のことばだという。そして早坂先生はこれを知って安心するのだ。生まれる前の記憶は定かではないが、少なくとも苦痛や恐怖の記憶はない。死もそれと同じなら、なにも恐れることはない、と。

なるほどそうかもしれない。実際、早坂先生は突然倒れて、そのときにはすでに意識がなく、見事な往生を遂げられている。その早坂先生がおっしゃることなんだから、間違いはないだろう。

最後なのだから、せめてそれが苦痛がなく、穏やかなものであることを願う。

2021

2021年

憶　え　て　い　る

オンライン、たまに対面

1月20日(水)

今年はじめて、対面での打ち合わせ。
夕方にすごく久しぶりにデザイン事務所を訪れ、3人でミーティング。
もちろんマスク完備で1時間ほど。

その他の今月のスケジュールは、
・オンライン会議×1件
・オンライン研究会×1件
・オンラインでの自分の授業×2コマ
・オンラインでの他の先生の授業への参加×1件
・オンライン呑み会×2件
とオンライン・オンパレード。

そのなかにあって、時間帯と場所を選べば――そして相手さえ抵抗がなければ――
対面で会えるのはやっぱりいいものですね。

3月に出す本の打ち合わせ。

内容は日本近現代のなかの個人のドラマというまっとうな内容ですが、例のスポーツの祭典絡みで、なかなか難しい配慮をしなければならない案件です。

デザイナーのみなさまには微妙な調整をお願いすることになりそうで、感謝申し上げます。

明日は右記オンライン祭のなかのひとつ。

海外向けの書籍輸出の会社のみなさまに、新刊の商品説明。

かつては彼らと一緒にアメリカに行って、何千人も集まる学会に参加していたなんて、遠い夢のようです。

この年の6月に刊行することになる夫馬信一著『緊急事態TOKYO1964――聖火台へのカウントダウン』の制作が始まっている。

本書の企画は、大学時代の後輩である本山光くんが夫馬信一さんを紹介してくれたところから始まった。

正直、オリンピック向けの本を作るつもりはなかった。どのような意味合いにおいても、次のオリンピックを擁護したりバックアップしたりするような本は作りたくなかった。そもそも、ジャーナルな本作りが得意ではないということもあった。

しかし夫馬さんと会って話をしているうちに、これがオリンピックヨイショ本などではなく、むしろ歴史的な視点から1964年の東京オリンピックを描くことで、今回の大会を相対化するものであることがわかってきた。そこに本書の面白さがあった。そしてその面白さは、1964年大会を生きたひとりひとりの個人によって体現されていた。

歴史的な視点があること、ひとりひとりの個人がその歴史を担ってきたことに焦点化されていること、そうであれば、やってみる価値はあるかもしれない。コロナの影響もあり、この時点でも実際に大会が開催されるかどうかはわかっていなかった。

この日は志岐デザイン事務所に行き、黒田陽子さん、萩原睦さんのふたりと打ち合わせをしている。おふたりとも前職以来の付き合いになる。膨大な図版のレイアウトをうまく行ってくださった。


オリンピックの顛末はご存知の通り。

結果的に、本書も残念ながらそれほど売れたとはいいがたい実績となった。

しかし、今回の東京五輪への態度表明というか、せめて小社なりに小さな小さなひっかき傷をつけてみようという気持ちで、本企画は生まれた。

1月24日(日) ヨーコと7歳下の英国人は〈あの戦争〉について話したか?

六本木で開催中のジョン&ヨーコの展覧会。

展覧会自体の――というかジョンとヨーコの関係性自体の――主題である、ふたりの愛とか、ラブ&ピースという観点でも、もちろん面白い。

ジョンとヨーコのド定番の見方であろう。

でも今回あらためて注目したのは、戦争とふたりの時間的な近さだった。

ジョンのミドルネームがウィンストンであり、これは第二次大戦中に生まれたイギリス男性に多い名前であることは有名な話だ。

ジョンは40年生まれで、その年はナチスがフランスやオランダに侵攻し、イタリアが英仏に宣戦した年でもある。

ジョンより年上のヨーコは33年生まれ。33年といったら、ナチスが政権を獲得した年であり、日本は満洲国をめぐって国際連盟を脱退している。

昨年、「ジョンが生きていれば80歳だった」とファンの間で話題になったが、80歳というのは、つまりそういう年齢ということだ。

ヨーコはまもなく米寿。敗戦時に12歳であったなら、その頃の記憶も残っているはずだ（もっとも最近のヨーコさんは年齢による衰えが目立つという。致し方ないことであり、その頃の記憶を取り出すことは、もう難しいのかもしれない）。

これもよく知られているように、ヨーコは財閥系の一族出身で、要するに大金持ちの令嬢だったわけだが、戦前期に深窓の令嬢だった人がどのような教育を受け、それが後年の彼女の表現活動とどのように結びついているのか。

とりわけ——芸術観も重要なのは間違いないが——その対米英観および、ヨーコ自身が自身も含めた戦後の日本人をどうまなざしてきたかが気になった。

1933年に生まれてほぼ確実に戦中の教育を受けた日本の名家の女性が、現代美術家として世界に出ていき、旧対戦国のポップスターと恋愛し、超有名人になること。アジア人・女性・有名人のパートナーという三重苦の中で生きて、それでも前向きな表現を続けていくこと。

そのことを彼女の自立心や克己心や、かっとんだパーソナリティ、イマジン的なオプティミズムによって説明してわかった気になってきたわけだが、展覧会を見て、そろそろもう一歩突っ込んだ追究が試みられてもいいのではないかと思えた。

たとえば以下のようなヨーコのことばを眺めてみる。

ひとりでみる夢はただの夢
一緒にみる夢は現実となる
A dream you dream alone is only a dream.
A dream you dream together is reality.

このことばは有名かつ、僕自身もとても好きな一節なのだが、これはジョンと出会う前に書かれている。多くの人の期待に反して、ジョンとの関係性をことばにしたものではない。

その下のいかにも名家のお嬢様然とした若いころの写真と並べると、戦前生まれの日本女性が31歳で英語で発表したテキストとして、たんに「素敵なことば」という詩的な関心以上の、いわば史的な興味が生まれてくるような気がする。

……僕はジョン・レノンの音楽を愛聴している者だが、考えてみれば、人間的な関心はヨーコのほうに強い。

昨日、展覧会を見てあらためて感じたことは、表現に関してのみいえば、「ジョンがヨーコから影響を受けたほどには、ヨーコはジョンから影響を受けていないのでは?」ということだった。ジョンと出会う前に紡がれた上記のことばからもわかるとおり、ヨーコは初期からいまに至るまで、表現者としてほとんどまったくブレていない。

そういう表現を、彼女はどのように獲得したのだろう。

とくに歴史的な視野のなかに置いてみるとき、生年の7歳差はとても大きいのではないかと思う。ジョンとヨーコといえば、ベトナム反戦とかニクソンと公安権力とか、その時期の反戦活動家としての一面もあるわけだが——であるならなおのこと、ヨーコのアジア・太平洋戦争へのまなざし、およびそれが彼女の表現や活動にあたえた影響について、もっと知りたいと思った。

そこには、ラブ&ピースの人の原風景のようなものがあるのではないだろうか。

この日本人女性と、7歳下のイギリス人の男は、自分たちを激しく分断していた〈あの戦争〉について話し合ったことはあったのだろうか?

かつて、さいたま新都心に、ジョン・レノン・ミュージアムがあって、学生時代に友人と行ったことがある。

そこにはジョンとヨーコにまつわる様々なアイテムが並べられていたが、なかでも我々の心をつかんだのは「ヨーコの電話」というアート作品だった。作品としてはなんの変哲もない黒電話がひとつ、台の上に置かれているだけ。

この電話はこちらからかけることはできず、受ける専用になっている。そしてその電話番号を知っているのはヨーコさんだけ。もし電話がかかってきたら、その場にいた来場者が自由に出てもいいことになっている、という趣向だった。

近くにいた学芸員の方に本当にかかってくることがあるのか訊いてみたところ、「たまにかかってきますよ」という返事だった。僕と友人はしばらくの間、どきどきしながら電話の周りをうろうろしていた。まさにいま、ヨーコから電話がかかってくるかもしれない。

単なる黒電話が魔法でもかかったように特別なアイテムに見えてきて、興奮した。それ以来、オノ・ヨーコというアーティストが好きになった。ヨーコさんは、たんにジョンのパートナーだった人という以上の存在になった。

それからさらに数年後、木場の現代美術館で行われたオノ・ヨーコ展に行った。
ここでは、これも有名な「YES」という展示を実際に梯子を上って体験できるようになっていた。梯子を上って天井を虫眼鏡で覗くと、小さな「YES」という文字が見えた。
僕はミュージアムショップで「YES」と書かれたピンバッジを買って、それからずっと、鞄にそれを付けていた。

この日の六本木は、しとしとと冷たい雨が降り続けている、とても寒い日だったことを憶えている。
僕はミュージアムショップで白地に黒で「IMAGINE PEACE」と書かれたパーカーを買って、いまでもたまに着ている。

見本完成！

2月8日(月)

蘭信三・小倉康嗣・今野日出晴　編

『なぜ戦争体験を継承するのか——ポスト体験時代の歴史実践』が出来上がってきました。

A5判約500頁と、重厚な本。
いまのところ、みずき書林の刊行物の中ではもっとも分厚い本になりました。

この本については、版元ドットコムに長めのテキストを書きました。
また特設サイトにも、各章を紹介した文章を載せました。

本を見てもらえればわかることを長々と書きすぎるのは、もしかしたらよくないのかもしれません。

学術・研究書を刊行する版元であった前職では、編集者は前面にでないことを叩きこまれました。
本とは著者の思想や研究を述べるための器であり、編集者はそこに奉仕するべきである。
いわゆる「編集者黒子論」です。

2021

基本的には僕も編集者は黒子であるべきだと思っています。もともとシャイで引っ込み思案な性格なので、そのほうが性に合っている、ということもあります。

ただ、ひとり出版社になってみて、ちょっとずつ考え方が変わってきています。

つまり、僕がその本の良さについて言わないと、誰も言わないわけです。有能な営業担当がいるわけでもなく、SNS使いの巧みな中の人がいるわけでもない。

ぜんぶ自分でやらないといけませんし、僕がやらなかったことは、他の誰もやらない。

であるなら、なりふり構わず、思ったことは——それが良きことであれば——口に出したほうがいい。

今日、この本が出来上がってきて、必死になって発送準備をして（いうまでもなく、発送もぜんぶひとりです）、いま取次に見本出しをして帰宅したところで、いささか脱力しています。

この本のプロトタイプの企画書をやりとりしたのは、2019年の3月。先週末にできあがった大川史織さんの『なぜ戦争をえがくのか』と並んで、ほぼ2年かかりました。

タイトルを見てもおわかりのとおり、この2冊は共通する問題意識を持っていて、それは出版社としてのみずき書林の主要な関心事のひとつです。

こういう本が作りたかったから、出版社になったようなものです。

同時に、この2冊には、2020年という誰にとっても異常で厳しかった1年の空気が否応なく刻印されています。

作業量や関わってくださった人の多さから、この2冊の編集作業は2020年の仕事のなかでも大きな比重を占めていましたが、この本があるから、なんとか乗り切る気分を維持することができたように思えます。

もちろん、戦争と記憶を主題にした本ですから、直接的にコロナをメインにしているわけではありません。

あくまで個人的に、単なる私的な思い入れとして、そういう感謝の気持ちが籠って

2021

いるということです。

――また余計なことを長々と書いてる？

そうかもしれません。でも、まあいい。

たとえば大川さんと10組13人のアーティストたちがいれば、蘭先生・小倉先生・今野先生をはじめとする20人の研究者がいれば、同じような本はどこかで生まれたかもしれません。

でも、この本たちがいまこのかたちであるためには、みずき書林というものの関与はやはり必要であったわけで、2020年をなんとか乗り切って、いまこのかたちにできたことが、いまはいささか誇らしい、という気持ちです。

『なぜ戦争体験を継承するのか』と『なぜ戦争をえがくのか』のために版元ドットコムに書いたテキストを、ここにコピー＆ペーストしておく。

少々長いが、当時の思いを色濃く反映していて、本書にも残しておきたいテキストなので。

『なぜ戦争体験を継承するのか』

歴史記憶の継承に関心を持っている人にとっては、けっこう挑戦的なタイトルかもしれません。

これまでは、

どのようにして戦争体験を継承するのか。

ということが問題の中心であったと思います。

戦後70年以上が経って、経験者がどんどんいなくなりつつあります。

いずれやってくる〈体験者不在の時代〉に再び体験者を生まないために、どのようにして過去の記憶をリレーしていけばいいのか。

従来型の問題はこのようなものだったと思います。

「なぜ」は自明のことであり、問う必要のない前提でした。

もちろん「どのようにして」という問いは今でも有効です。

しかしいまは、それよりももっと根源的な「なぜ」を問わざるをえない状況にあるのかもしれません。

本書「序章」で、編者のひとり蘭先生は以下のように書きます。

ただ単に「戦争体験の風化」に抗する継承実践を掬い上げるという従来型の問題設定ではない。本書は、戦争体験の〈忘却と想起〉というより包括的なフレームにもとづき、それぞれの対象に関する考察と紹介を行うものである。

そして続けて、83人が集団自決した沖縄読谷村のチビチリガマが一部の若者の間で心霊スポット化されて荒された、２０１７年の事件を紹介します。

呼応するように、今野先生の「終章」では、旧日本軍の軍服や軍帽などの遺品がネットオークションに流れ、それらを着用したサバイバルゲームが行われていることが記述されています。

「なぜ」という問いはもはや自明ではなく、その状況はこれからさらに進んでいくかもしれません。

本書では、6本の研究論文を収める第1部に、遊就館やwam、広島平和記念資料館、長崎原爆資料館など15の主要な平和博物館を紹介する第2部を合わせています。

そして詳細な平和博物館・戦争関連展示施設のリストと、今後の研究のための長大な参考文献一覧を付しています。

さらに、異様なまでの力がこもった序章と終章がそれらを包みこんでいます。


この本を編集してあらためて気づいたのは、保存と展示を担う博物館はもちろん、研究・学術もまた、〈実践の現場〉であるということです。

研究者というと、対象を観察して考察をするだけの、なにか傍観者のような存在と捉えている人もいるかもしれません。

しかし本書を読めば、研究者とはきわめて重く深いかたちで対象にかかわりつづけ、そのなかで自分を更新し続ける実践者であることがよくわかると思います。

ある著者は広島の原爆を描く高校生たちを追いかける過程で、自らのトラウマを克服していきます。当初は情報収集のために参加していた戦友会に深くコミットし、その終焉をみとることになった執筆者がいます。空襲体験の聞き取りをしていた若い著者は、体験者の語りを通して自分自身も大きく変わっていくことに気づいていきます。


アカデミズムは、そして博物館は、「なぜ戦争体験を継承するのか」という根本的な問いに、どのようにこたえようとしているのか。

当初の想定を大幅に超えた大著になりました。

いまこの問いに向き合うためには、こういう質量が求められていたのだと思います。

＊

『なぜ戦争をえがくのか』

戦後75年が経過し、戦争体験を持つ人が少なくなりつつあります。

そんななかで、

〈戦争の記憶をどのように継承していくか〉

が本書のテーマです。

注目したのは、さまざまな芸術で戦争をえがいている表現者たち。

この本で取材した10組13人は、それぞれの方法で、それぞれの戦争をえがいています。

たとえば、諏訪敦さんは圧倒的に精緻な筆で、旧満洲で飢えと病気で亡くなった祖母を描き、武田一義さんは可愛らしくデフォルメされたタッチで、ペリリュー島の凄惨な戦いを漫画にします。

小田原のどかさんは、芸術を鑑賞するときの〈感動〉に慎重な視線を向けつつ、長崎の彫刻群に戦前と戦後の連続と断絶を見出します。

かれらはどのようにして戦争と出会ったのか。

もちろん、かれらの誰にも戦争体験はありません。

参加者のなかの最年長は、地元・青森の人びととともに演劇で戦争を表現する畑澤聖悟さんですが、それでも56歳。

過去の白黒写真のカラー化に取り組む庭田杏珠さんは最年少で、まだ19歳です。

知らないことをえがくとはどういうことなのか。

10組13人の表現はさまざまですが、同じひとりが複数の視点や方法を持っている点も注目されます。

2021

ベトナムに拠点をおく遠藤薫さんは、織布や染料のなかに否応なく含みこまれる戦争の痕跡をみつめ、工芸と現代美術の間を軽やかに行き来しています。

ソングライターであることと作家であることをしなやかに両立させる寺尾紗穂さんは、文筆と作曲というふたつの方法で、人びとの記憶をとどめようとしています。

その表現方法はどこまで遠くへ届くのか。

そして戦争体験を持つ人が少なくなっているのは、いうまでもなくこの国だけの状況です。

世界に目を向ければ、戦争の体験は、いまも新しく生まれ続けています。

小泉明郎さんはVR・AR技術を駆使して、イラク戦争のトラウマに苦しむ人々とわたしたちを一体化させます。

土門蘭さんの小説には、朝鮮戦争と、ずっと残り続ける日韓の複雑な感情が色濃く影響しています。

後藤悠樹さんは地図上の空白地帯であるサハリン／樺太でいまも暮す人びとの表情を写し続けています。

なぜ戦争をえがくのか。

いまこの国の若い表現者たちが、どのような方法で、何を想いながら歴史実践をしているか。

歴史と表現に関心のある人たちに手に取ってもらい、この本をきっかけに、記憶をめぐる新たな対話が生まれるといいなと思っています。

2月28日(日)

営業部員としての装丁

うちの装丁は、けっこう綺麗だと思う。

それはほぼ、装丁家の宗利淳一さんの腕によっています。

宗利さんと、組版をしてくださっている江尻智行さんは、この会社を立ち上げようと決めたときに、真っ先に声をかけたふたりです。

このふたりがいれば、丁寧・迅速かつ綺麗な本を作ることができる。

小松健一『民族曼陀羅――中國大陸』は5色刷（4C＋金刷）

岡本広毅・小宮真樹子編『いかアサ』は山田南平先生の書き下ろしイラストをフィーチャーして、3種類の装丁。

早坂暁『この世の景色』では男鹿和雄さんが装丁画。

沖田瑞穂『マハーバーラタ、聖性と戦闘と豊穣』では新井文月さんが装丁画。

山本昭宏編『近頃なぜか岡本喜八』では喜八自筆文字を銀箔押し。

新刊の、蘭信三・小倉康嗣・今野日出晴編『なぜ戦争体験を継承するのか』では、

大川史織編著『なぜ戦争をえがくのか』では、トレーシングペーパーのカバーで、金箔押し。

並製なのにチリを作ったりしています。

こういうことは、本当はやらなくてもいいことかもしれません。

僕が作っている人文書は、というか本というものは、中身が全てです。

中の紙の束にどんな模様でインクが刷られているかが大事です。

コストのことを考えても、手間暇を考えても、装丁なんて何か色のついたカバーが

くっついていればいいのかもしれません。

でも。

やっぱり綺麗な本というのは、大事だと思います。

電子書籍が普及し、フィジカルな紙の本が劣勢であるからこそなおのこと、コストの許す範囲で、モノとしての本をなるべく格好よくしたいものです。

ひとり出版社の場合は、本そのものが会社の〈顔〉になる場面も多いと思っています。

何かものすごいアピールポイントがあるわけでもなく、また仮にあったとしても、それを大声で拡散する有能な営業担当者がいるわけではありません。

そういうときに、本そのものが外交官の役を果たしてくれることがあります。

『いかアサ』の装丁がすごいとか。

男鹿和雄さんの画が内容に合っているとか。

たまにそういう声が耳に入ってくることがあって、嬉しくなります。

あるいは書店のショーウィンドウに『なぜ戦争をえがくのか』が並んでいるのを見

2 0 2 1

つけたりすると、嬉しくなります。

ここで名前が挙がっているふたりについて。

装丁家の宗利淳一さんと、組版の江尻智行さん。このふたりがいなかったら、みずき書林の本はできていない。少なくとも、いまのような形にはなっていないし、いまほどスムーズに形になっていない。

おふたりとも前職から付き合いがあった。ここにも書いているが、前職を辞めてひとり出版社を作ろうと決めたとき、真っ先に連絡をとったのがこのふたりだった。宗利さんと江尻さんさえいてくれれば、少なくともモノとしての本に形を与えることはできる。しかも相当なハイクオリティで。

もしふたりに協力を断られていたら、かなりひるんでいただろう。でもふたりはすぐに応諾の返事をくださった。宗利さんはロゴマークと名刺のデザインまでしてくださった。

以来、お付き合いはいまに至るまで続いている。コトニ社の後藤さんを紹介してくださったのも宗利さんだし、そのつながりでいまはコトニ社も江尻さんに組版をお願いしている。

この本『憶えている』もおふたりにブックデザインと組版を担当してもらえる、幸福な本になるのだろう。

みずき書林は宗利さんと江尻さんとともにあった。最後までおふたりには見守ってほしいと思っている。

3月14日（日）

「いい人になる」

昨日、43歳になりました。

吉永小百合と同じ誕生日だということを知りました。

さて、43歳の（というかこれから先の）抱負は、「いい人になる」です。

この歳になってそんなことを言いはじめるのは、遅いといえば決定的に遅いんだけど、最近、ようやく気が付きました。

子どもの頃は、クールで才気走ったキャラに憧れたりもしたものです。ちょっと斜に構えて、皮肉っぽい冗談を口にして、あえてひとりでいることを好んで背中を丸めているような。

このあたり、誰のせいでもないんだけど、強いて挙げれば、筒井康隆とウディ・アレンの影響があるかもしれぬ。初期春樹と初期ジョン・レノンも、もしかしたら吉行淳之介も、影響を及ぼしているかも。

この歳になって、そういうペシミスティックな鋭さやシニカルな機知みたいなものは、自分には似合わないと気づきました。

別になにか決定的なトリガーがあって気づいたわけではなく、なんとなく思っていたことが、ここ数年で腑に落ちたということでしょうか。

結局のところ、根が善良で特別な才能もなく基本的に育ちのいい人間が、世間様に関わっていこうとするなら、面白さよりも親切さのほうが圧倒的に求められる。

できるかぎり真面目に。丁寧に。

それ以外にベターな方法はないのよ。

まあ、そう簡単には変われないから、あいかわらずバカなことを口走ってまわりをうんざりさせることもあると思うけれど、ともあれ、後半戦もよろしくお願いいたします。

「後半戦」とは人生の、という意味だろう。

やっと折り返し地点に来たくらいの気持ちだった。日本の40代前半なら、誕生日を迎えたときにはまあそれくらいの感慨だろう。実は折り返し地点ははるか昔に超えていたことを、あと半年後くらいに突然思い知らされることになるとは、この時点では知る由もない。

4月5日(月) 学術書の面白さとは――『沖縄−奄美の境界変動と人の移動』書評掲載

今週末の『沖縄タイムス』に、野入直美先生の『沖縄―奄美の境界変動と人の移動――実業家・重田辰弥の生活史』が書評掲載されました。

評者は南風原朝和先生。

沖縄をめぐる人の移動とネットワークを研究する社会学者である著者と、奄美をルーツとし、満州・奄美・沖縄・東京を移動しながらさまざまな人のネットワークを構築した実業家・重田辰弥氏の出会いから生まれたユニークな学術書であり、同時にわくわくする読み物である。

そのバイタリティーと「資産形成の欲が薄い」ことを自認する不思議な魅力が共存する重田氏と、優れた研究者との稀有なコラボ。

やっぱり、人と人の出会いが面白い。

この本については、野入先生と重田さんの出会いがすべての始まりであり、その出会いが聞き取りになり、研究になり、本になり……と展開していくのが、傍で見ていて実に面白いのです。

「ユニークな学術書であり、同時にわくわくする読み物」と評していただけたことは、我が意を得たりというか、とても嬉しいことです。

いわゆる研究書・学術書にカテゴライズされる本であっても、いま必要とされているのは――すくなくとも僕が面白いと感じるのは――このような人と人との出会いを元にした血肉の通った充実であり、それがもたらす一種の逸脱だと思っています。

大川史織さんと佐藤勉さんの出会いにより、『マーシャル、父の戦場』はあのような多彩で濃い本になりました。

小宮・岡本両編者の望んだかたちは、山田南平先生との出会いによって想像以上のものになりました。

『近頃なぜか岡本喜八』という評論は、喜八監督の娘・真実さんと出会うことで、内容・ビジュアルともに、いっそう充実したものになりました。

今回の野入先生と重田さんの出会いによって生まれた本書も、異質なもの同士が出会って心を通わせあうプロセスが描かれていて、そこに「学術書」というものの本来的な面白さがあると思っています。

神田の重田辰弥さんの事務所で、オリオンビールをご馳走になりながら、野入直美先生

2021

と3人で写真の選定をしたこと。

亘理町の勉さんのご自宅で、マーシャルの思い出がたくさん詰まった床の間（通称マーシャル・コーナー）を背に、大川さんとふたりならんで、勉さんのお父さんへの思いを聞いたこと。

下北沢の本屋B&Bで、小宮先生と岡本先生に教えていただいて、客席の奥のほうに座っておられた山田南平先生とそのご家族にはじめてご挨拶したときのこと。

向ヶ丘遊園の岡本喜八事務所にて、山本昭宏先生と一緒に、岡本喜八の娘・真実さんの熱量の高いハイテンションな語りを聞いたこと。


そんな折々のことを憶えている。

それは編集者冥利に尽きる、本作りの一番面白いところだった。

その結果として、充実と逸脱をふんだんに孕んだ、みずき書林の本が生み出された。

6月7日(月)

環境について。ちょっとしたこと

モノがたくさんあるのが好きではなくて、必要ではないものはなるべく持たないようにしています。

べつに環境に配慮しているとかそんな高尚なことを考えているわけではなく、単に荷物が増えるのが嫌で、なるべくモノのない部屋に住んでいたいというだけです。

だからテレビもないし、それに付随するDVDやらブルーレイやらの機器ももっていません。

映画はPCかkindleで見て、音楽はBluetooth接続の携帯スピーカーで流します。

リビングルームには絵が一枚かけてあるだけで、装飾らしいものは他になにもありません。

しかし、モノを増やしたくないとはいえ、本というモノだけは例外的に増え続けます。

自分の出版社の刊行物が増えるのはもちろんですが、購入する本もどんどん増えていき、段ボールに詰めてトランクルームに放り込むことはあっても、ほかのものと違って、捨てることはありません。

それにこういう商売ですから、どんなにペーパーレスに勤しんでも、紙ごみは毎日生まれます。

だからそれとバランスをとるために、普段の暮らしではなるべくモノを増やしたくないのかもしれません。

「べつに環境に配慮しているとかそんな高尚なことを考えているわけではなく」と書きましたが、最近、ちょっと考えないわけでもありません。

ささやかでも、できることはしたほうがいいんだろうなと思います。

エコバッグとかマイボトルとか、割り箸を使わないとか、ゴミの分別とかリサイクルとか。

そういう日々のことも重要です。

そしてその延長で、なるべくモノを持たないように暮らすというのも、それなりに意味があるだろうと。そもそもテレビを持たなければ、スーパーでビニール袋を1万回断るくらいのごみ削減効果はあるだろう、ということです。

（たぶんこういうことは、かなりの部分、「自己満足」でなければならないと思っています。自分自身の充足や喜びのためにやってもいいし、それどころか、むしろそれがないと長続きはしない。

だから——いうまでもなく——「みんなテレビを持つのをやめようよ」などと言っているわけではありません。それぞれが、それぞれの快楽と楽しみが続く範囲内で、気に入ったことをやればいいのだと思います。

地球が好きなのではなく、地球環境に配慮している自分が好き。たとえそうであっても、何もやらないよりははるかにましです。

そういう意味では、僕は環境意識が前よりは高まっていますが、それを「高尚なこと」とは思いません。僕はなによりもまず、自分の満足のためにやっています。エコバッグを持っている自分のほうが、持っていない自分よりも気に入っていて、ちょっと褒めてやってもいいと思っている、というだけの話です）

というわけで、この週末に思いついて、ちょっとしたプロジェクトを検討中です（ほんとにちょっとしたことですが）。

それを思いついたきっかけが、ものすごく久しぶりに目にしたテレビだった、というのは皮肉なことですが（笑）。

　まずはまわりの人たちと意見交換をするところから。


ここで何を考えていたかというと、帯レスということを考えていた。

みずき書林で作る本は帯をなしにしようかと。


湾岸方面を見渡すホテルの一室を憶えている。

コロナ禍のなか、都心のホテルが安く泊まれるキャンペーンをしていて、妻と一緒に気分転換の意味で一泊したのだった。そこで久しぶりにテレビを見たら、外国の小企業の環境への取り組みを特集していた。

　それを見ながら、ふと窓の外に目をやった。窓の外には、湾岸の高層マンション群が林立していて、その無数の窓の明かりが作りだす夜景が綺麗だった。僕らはホテルに隣接する商業施設から買ってきたつまみや酒を広げて夕食代わりにしていた。当然、たくさんの紙やビニールのゴミが出た。

　不意に、いま見えているひとつひとつの窓の明かりの中に住んでいる人が、一回ずつ割り箸を断るだけで、かなりの量の資源の節約になるだろうな、と考えた。

　ここから見えている範囲だけで、数百数千世帯の家庭の明かりが見える。みんながエコバッグを持つようにしたらどうだろう？　みんながビニール袋で買い物をするのをやめたらどうだろう？

そしてせめて自分にできる方法として、本の帯をなくしてみようかと考えた。もちろん、年間に数点しか刊行しないひとり出版社が帯レスにしてみたところで、本当に微々たる資源の節約にしかならない。でも、やらないよりはマシだろう。

夜景を眺めながら、そんなことを考えたことを憶えている。

その帯レスプロジェクトそのものは、間もなく僕が倒れて病気になることでうやむやになってしまう（結局、みずき書林の本で帯をもっていないのは『なぜ戦争をえがくのか』と藤岡みなみさんのＺＩＮＥ、教科書として作った『ここから始める文学研究』だけとなった）。

もし元気だったら、僕は帯レスプロジェクトを進めただろうか。

いまとなってはわからない。

2021

7月2日（金）

請われれば一差し舞える人になれ

火曜日のミーティングで、新企画が決まった。

ごはんと旅。みんなが食べて笑って、怒って心配して、生きている。ということについての本。

きちんと寄り添って、丁寧に（かつ素早く）仕上げなくてはならない。

水曜日は、懇意にしている会社の企画（リリースしていいのかわからないので名前は伏せる）で、Podcastの収録。Podcast?

いろんな出版社に取材して、その模様を発信するのだとか。

勝手気ままにいろんなことを喋っているうちに、あっという間に時間が過ぎる。

近日公開予定。小社の立ち上げの頃のこととか、お勧めの本とか、この夏のシンポやフェアのこと。ひとり出版社のタイムスケジュールとかやりたいこととか、そんなことをインタビューしていただく。

今日は新刊『母と暮せば』の見本出し。

その前に著者の畑澤聖悟さんのドラマターグで本書に解説を書いている工藤千夏さんと待ち合わせて、本の受け渡し。

お渡しした本は、富田靖子さんと松下洸平さんに届くのだとか。ドキドキである。

その松下洸平さんのファンの方々にTwitter上で取り上げていただき、オンラインショップでの販売が伸びている。明日初日。

時間を見つけて、今野書店のフェアの準備。

四六全判の用紙に壁新聞を作る&販売する関連書籍全32点分のポップポスターを作って店内に張り巡らせるという企画。

明日はみんなで集まって壁新聞を仕上げる予定なので、その準備で明朝体を手書きで書きまくる。

紙が大きいからずっと中腰で作業して、腰が痛いったらない。

かつてある著者に「請われれば一差し舞える人になれ」と言われたことがある。

というわけで、おぼつかない足取りながら、一差し舞ってみせましょう。

最初に書いてある新企画は、松本智秋さんと見元俊一郎さんとのもの。半年後に『旅をひとさじ――てくてくラーハ日記』となる企画である。

智秋さんとのこともたくさん憶えている。

彼女は僕よりひとつ上で、スキルス胃がんのステージ4だった。つまり、この3カ月後に僕がなる病気の先輩だった。

編集者が著者と同じ末期がんになる。そんな信じられないような悪魔的なツイストが起こることを、このときの僕たちは知る由もない。ただ、企画の段階で智秋さんがそういう病気だということは知っていた。

だから引き受ける気持ちになったということもある。「丁寧に（かつ素早く）仕上げなくてはならない」と素早くを強調しているのは、そういう意味だ。

目の前のこの小柄な女性は、本の完成を待たずに亡くなってしまうかもしれない。この本作りが僕自身にとってもなにか重要なものになる予感があった。それがまさかこのようなかたちで重要になるとは予想の範囲外だったが。

智秋さんと見元さんとの本作りはとても楽しいものだった。僕たちはお菓子を食べてはよく笑い、病気の話をしてはしんみりした。

そんなふうにして本を作ったたくさんの日々のことをよく憶えている。

7月21日（水）

森岡書店のフェア、スタート

森岡書店さんで、『なぜ戦争をえがくのか』展が始まりました。
8月1日まで。

昨日は大川さん、森岡さんと12時30分に集合。開店前の最後の調整。
後藤悠樹さんが駆けつけてくれる。
前日の夜中に急遽書いた手書きポスターを展示。

15時頃、知り合い（秋にうちから本を出すのだ）が来店くださる。

19時より、インスタでライブ配信。
森岡さんと大川さんと、1時間。
まあ、いろいろ反省点が多い。アーカイブを聞くと、嫌になる。喋るのって苦手だ。
そんなこんなで、酷暑のなかずっと銀座にいるのはキツかったので、近くにホテルをとってベースキャンプにする。時折ホテルの部屋に帰り、ＰＣで仕事など。

一泊して帰宅。


これを書いている時点で21日の17時30分。

あと15分くらいで家を出て、今度は西荻窪の今野書店へ。

明日スタートのフェアの設営。


受信トレイにすごい量のメールが溜まっている。

ぜんぶ明日だ。


銀座の森岡書店と西荻の今野書店。

この夏、2店舗同時開催で『なぜ戦争をえがくのか』のフェアを行った。

世間ではオリンピックが騒がしかったが、僕たちはそれどころではなかった。

森岡書店では、『なぜ戦争をえがくのか』参加の10組の表現者たちそれぞれの作品を展示した。

小泉明郎さんと遠藤薫さん、庭田杏珠さん・渡邉英徳さんは映像作品を上映し、諏訪敦さんは絵画を、武田一義さんは書下ろしの色紙を展示した。寺尾紗穂さんはCDとレコードを、土門蘭さんと畑澤聖悟さんは書籍を販売した。後藤悠樹さんと小田原のどかさんも作品を展示した。

店内はさながら小さな美術館のようだった。

今野書店では、フェア台に全員の代表作となる書籍を並べて販売し、また全員の「戦争を考えるための推薦書」もあわせて紹介した。

そして手書きの壁新聞を大きく掲示したほか、店内に手書きイラスト付きのポップを何十枚も張り巡らせた。壁新聞は後藤悠樹さん、大川さんと僕で作った。手書きイラストポップは、僕が描いた。全員の代表作と推薦図書の装丁画を描くのは、実にたいへんな作業だった。

両フェアの準備で、6～7月は本当に忙しかった。まるで文化祭みたいで、大川さんと僕は銀座と西荻を何度も行き来した。

楽しくも慌ただしい、怒濤の日々だった。

森岡さん家で午後8時にお茶を

7月23日(金)

タイトルは、種村季弘氏の『澁澤さん家で午後五時にお茶を』のパロディですが、まあ誰も気づかないだろうな。


7月23日。

今野書店に行き、土門蘭さんの『戦争と五人の女』を納品。さっそくフェア台に並べていただく。

13時30分、次の本の著者・智秋さんとデザイナー見元さんと待ち合わせ。

今野書店に案内して、いろいろとフェア本を買ってくださる。

見元さんは後藤さんの『サハリンを忘れない』と土門さんの『経営者の孤独。』を。

智秋さんは『ラディカル～』を。

その後、商店街のビストロでオムライスやナポリタンを前にランチミーティング。

いい本になるに決まっている。


17時。

銀座へ移動開始。今野さんと森岡さんはけっこう遠い。

19時から、今野書店の担当書店員・花本さんをお迎えして、インスタライブ。

一冊の本だけを売る本屋さんと、都内屈指の棚作りの上手さを誇る街の本屋さんの対話。


20時に終了。

森岡書店の柏崎さん、森岡さん、大川さんと片づけ。

在廊していない間に、前職の後輩が来てくれていた。

彼が差し入れてくれたお菓子を4人でわけて、暗くなった路上で食べる。

疲れた身体に、ほのかな甘みが心地いい。

世間では開会式をやっている時間帯。でもそんなことは関係なく、夏の夜に、友人が持ってきてくれたベルギーワッフルをみんなで立ったまま食べている。


何年か経って、憶えているのはたぶんそんな些細な場面なのかもしれない。

友人の顔が見たかったな。彼はフリーペーパーをちゃんと持って帰ったかな。そんなことだけ気にかかる。

悪くない夜。ということなんだろう。


1年遅れの東京オリンピックの開会式の行われた日。

僕たちには関心がない出来事だが、世間では大騒ぎなので、嫌でも耳に入ってくる。

でもそんなことは気にならないほど、充実した忙しい1日だった。


ここで登場する前職の後輩は、竹井仁志くんという。

お互い本を読むのが好きで、音楽を聴くのが好きで、むしろ僕が会社を辞めてからのほうが親しくなった。こういうフェアにも関心を持って来てくれる、ありがたい友人のひとりだ。


すっかり日が落ちて外は暗い。

森岡書店の照明がアスファルトを四角く区切っている。

僕たちはその灯りのあたりになんとなく立って、路上でベルギーワッフルをかじっている。

たしかに、そんな些細な場面をいまでもよく憶えている。

この翌日は小泉明郎さんと諏訪敦さんのトークイベントを行った。遠藤薫さんもオーディエンスとして聞いてくださった。トーク終了後の歓談の時間に、このメンバーが僕の描いた手書きポスターを囲んで写真を撮ってくださったのがとても嬉しかった。

やっぱり、そんな些細なことが印象に残っている。

7月26日(月)

素敵な大人とは

前期の授業最終日。

いつもはわりと周到に準備をして、何を喋るかもざっと原稿を作って望むのだけど、最後の30分は完全にフリースタイルで。

案の定、フリースタイルで喋ったから、うまく伝えられなったのだけど。

あえて断言しますが、学部の大学生活にとって、授業なんて1割か2割程度の重要度しかありません。

ほかの8〜9割は、たとえばサークル活動をしたりバイトをしたり、友だちと徹夜で無意味な議論をしたり酒を飲んだり、恋人を作ったりデートをしたり、そんなことに費やされるものです。

そして何十年も経ってみれば、憶えていること、いまの自分の糧になっているのは、ほとんどすべてそのような授業外の経験です。

サークルの仲間で合宿に行ったり、煙草をふかしながら友だちと深夜の街を徘徊したり、飲みすぎて駅のトイレでゲロを吐いたり、恋人と半同棲生活をした挙句に大喧嘩して別れたり。そんなことばかりを憶えているものです。

(しかし、このコロナ世界ではすべてNGなことばかりだ)

僕も大人になりました。

そんないい加減な大学時代も遠く過ぎ去り、サラリーマンになって、取締役を経験して、独立して自営業者になりました。

おそらく、あらゆる感情を十全に感じることが、生きているということです。

これからも世界は変わるし、今からでもまったく遅くはない。


楽しい、嬉しいばかりで人生が進むわけではない。

ときに、悲しみや苦しみや悩みや怒りがやってきます。

それを十全に感じまくることが、たぶん生きているということです。


たかが学部の半年のコマが終わったくらいで、なんとも大袈裟なメッセージです。

でも、あなたたちはかなり特殊な学生生活を送っています。

プラトンがアカデメイアを作って以来、「大学に集まらなくてもいい」というキャンパスライフを送っているのは、（放送大学を除けば（笑））たぶんあなたたちがはじめてです。

非常勤の分際でなんですが、正直、かわいそうだと思います。


大人になるとね、たんにハッピーそうな人とか、たんに楽そうな人を羨むことはなくなるんだ。

2 0 2 1

それよりも、ちゃんと笑って、でも強く怒って、きちんと喜んで、でもしっかり悲しむことができる人に敬意を抱くようになるもんです。

願わくば、喜びも怒りも、楽しみも苦しみも、あらゆる感情を十全に感じられますよう。

素敵な大人とは、きっとそういう人のことです。

「生きているとは、あらゆる感情を十全に感じるということである」

誰が言ったことばだったかは忘れた。誰か作家のことばだったと思う。

いまでも基本的には賛同できる。

でも、あらゆる感情のなかに苦しみや痛みも含まれるとするなら、話はやや微妙になってくる。しみじみと思うが、苦痛は本当に避けたい。できることなら感じないで生きていけたほうがいいに決まっているのだ。

病気になってから、苦しみや痛みを意識することが増えた。それを感じることも生きていることの一部なら、避けることはできないのだろう。もちろん苦痛を軽減するために様々な手を尽くす。薬を飲み、点滴を打つ。

それでも、避けがたい苦痛というものはある。生きるというのはこの苦痛も込みのことなのだと、今更ながら自分に言い聞かせる。それは軽く小さくすることはできても決して消すことはできない。

そしてこれから先、少しずつ少しずつ重く大きくなっていく。そのことを生きていることのうちに含めて考えないといけない。

このとき大学の学部2年生だった学生たちは、いまは4年生で、就職活動などをしている時期だろうか。彼らは素敵な大人になっているだろうか。

そして僕はこの2年で、この頃よりも素敵な大人になっているのだろうか。

8月10日（火）　将来のために

Twitterは基本的には一過性のもので、せいぜい数時間もすれば通り過ぎてしまう。良くも悪くも、それがTwitterをはじめとするＳＮＳの特色なのだろうと思う。

また、僕は日々の楽しみ半分／自分に課した義務半分で、このブログを続けているが、書いたものを読み直すことはほとんどない。

ブログはTwitterやFacebookなどに比べれば、バックナンバーを参照することは比較的容易だが、それでも過去の記事を再読することはまず滅多にない。

とはいえ、2日前に流れてきたこのtweetは、喜びと恐縮とともに、ここに記録して保存しておきたい。

いつか、辛いことがあったり、へこたれそうなことがあったときのために。

あるいは、いつの間にか脇が緩み、油断していたと知ったときのために。


つまるところ私は、みずき書林岡田林太郎のように、仕事に対して掛け値なしに情熱を傾けられる人物が好きなのだと思う。

一緒に仕事をしてるのに常に乗っかろうというスタンスの人はアピールのわりに事態に変化が無いから馬脚を顕す。

真に動いている人の熱気と、狡猾に立ち回るさまは異質なものだ。

諏訪敦さんのツイッターより。

今野書店でのフェアの模様をご覧くださった後のツイート。読んだ瞬間に、ありがたくて目眩《めまい》がするような感覚に襲われたのを憶えている。

この5日後、僕は激しい腹痛に見舞われて15日間の入院をすることになる。病名は腸閉塞。結腸右半切除といって、大腸の右半分を緊急手術で取り除いた。手術そのものはうまくいったが、その検査の過程でがんが見つかることになる。

以来、僕の人生はその様相を大きく変えることになる。

9月1日(水)

宝物

退院して2日目。

少しずつ、メールを書いたり、電話をしたりしています。

ワクチンも2度目を終えました。

この間に起こったことは、いずれぼちぼちと書いていきます。

ひとまずこの写真をアップしておきたい。

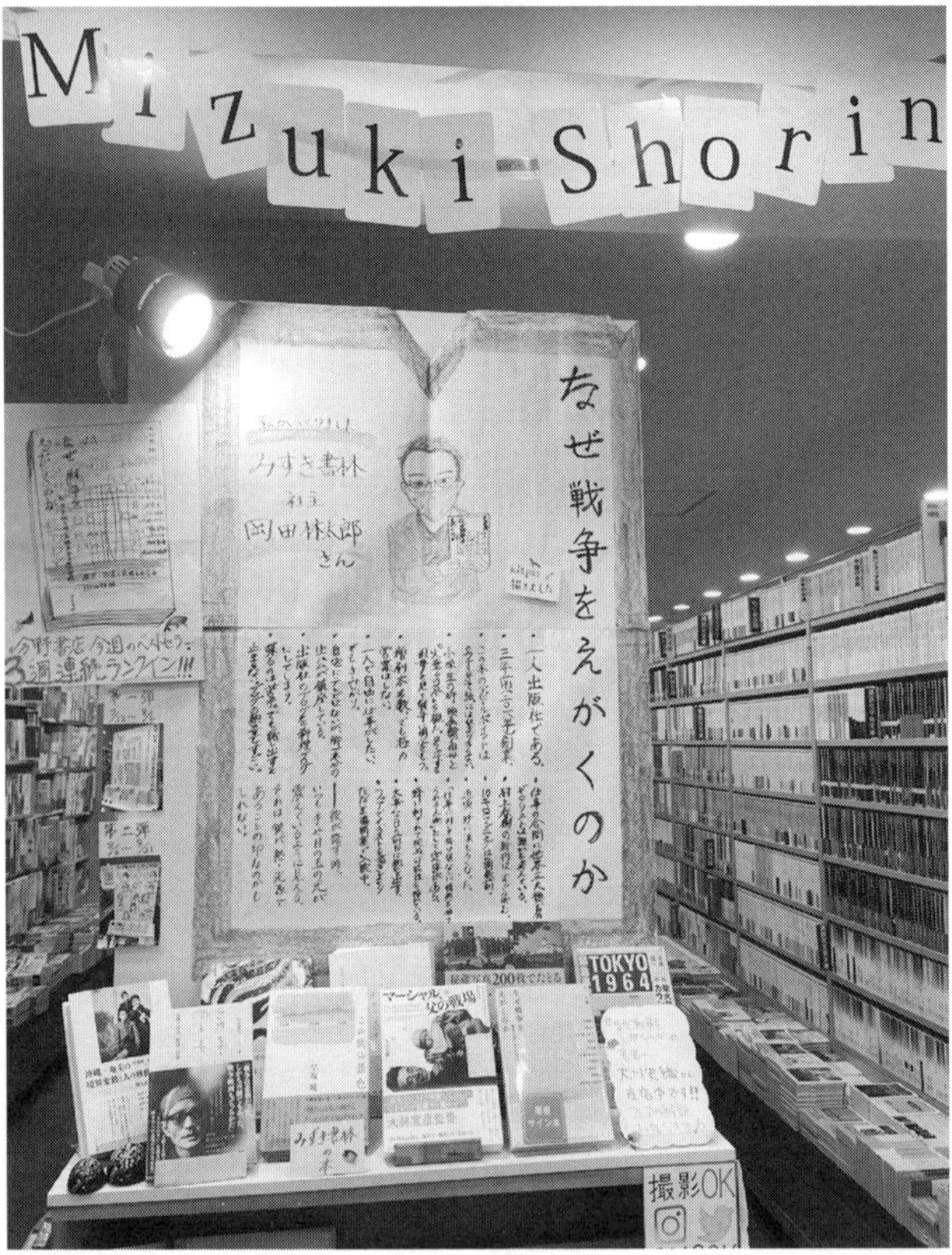
Mizuki Shorin
なぜ戦争をえがくのか
みずき書林
社主
岡田林太郎
さん
一人出版社である。
TOKYO 1964
マーシャル、父の戦場
撮影OK

もういい歳だから、手術が痛くても入院が辛くても泣くことはないけれど、SNSでこの様子を見たときには、ありがたさにさすがにちょっと泣けました。

小さな版元の無名の編集者をここまでフィーチャーして、売上に好影響があったとはとても思えないけれど(笑)、僕にとっては一生の宝物のひとつになりました。

今日電話で話した人は、「どんなに大病をしても、結局のところ、今まで生きてきたようにしか生きていけない」と言いました。

その通りだと思います。

僕は決して立派な人生を歩んできたわけではありませんが、みずき書林を立ち上げておいてよかったと思っているところです。

実際のブログには写真をアップしているが、本書ではすべて割愛している。例外として、この1枚だけ掲載しておきたい。

今野書店でのフェアでは、四六全判の用紙を使って壁新聞を制作した。写真家の後藤悠樹さん、大川史織さん、僕の3人で集まっては、明朝体を書き、著者たち全員の似顔絵を描いた。

2021

なかなか大変な作業だったが、滅多にできることではなく、充実して楽しかった。そしてその直後、僕は腸閉塞で倒れて入院し、入院中にがんの告知を受けることになる。この壁新聞は、僕が入院している間に大川さんが描いてくださった。病床でSNSを見て、僕は少し泣いた。

本書にもその名が頻出することからもわかるとおり、大川さんはみずき書林のもっとも大切な著者だ。最初の本である『マーシャル、父の戦場』がなければ、僕は独立創業という選択はしていなかったと思う。2冊目の本『なぜ戦争をえがくのか』は我々の交友範囲を押し広げてくれた。この2冊がきっかけとなって生まれた企画もたくさんある。

この文章を書いているのは2023年4月12日。奇しくも大川さんの誕生日にあたる。誕生日おめでとうございます。

いつまでも瑞々しい感性を失わず、やりたいことにフォーカスし続け、周囲や仲間を気遣い続ける人でいてください。そして長く幸福で自由な人生を送ってください。

からっぽ

9月6日（月）

希望は常にある。

でも、
なにを感じればいいのかわからない。

悲しいわけでも、苦しいわけでもないし、冷たくも熱くもない。

ただ空疎というか、無に近い。

なにも感じたくない。

なにかを感じるのが怖くて、無意識に感じたり考えたりすることを避けているような感じ。


自分の感情以外のもので空疎さを埋めたくて、なんでもいいから無のなかに詰め込んでしまいたくて、ひたすら長い小説を読んでいる。

アーヴィングとか、村上春樹とか。昔読んで面白かった/面白くなかった本を、ひたすら読んでいる。


それに疲れると、ある男の写真をずっと見ている。

昨日はじめて見た、すでにこの世にいないある男の写真。

みんながずっと見たいと思っていた顔。

人望があったとのこと。

穏やかで思慮深そうな眼をしていて、意志の強そうな口元と、運に恵まれていそうな豊かな耳朶《みみたぶ》を持っている。

この人はどんな人生を歩んだのだろう。


きわめてありきたりな感傷ながら、人それぞれに、人生いろいろ起こる。


このあと、本書の冒頭「はじめに」に掲げた9月9日のテキストが続く。

僕はがんの告知をうけた。それも、進行が早いとされているスキルス胃がんのステージ4だという。

この6日のテキストと冒頭の9月9日のテキストを書いた頃が僕にとっての分岐点だった。この日を境にして、いろんなことが変わり始めた。治療が始まり、がんが生活の中心に位置を占めるようになっていく。

ここではまだ気持ちの整理がぜんぜんついていないことがわかる。告知を受けたことで、混乱して怯えている。現実逃避をしようとして長い小説を手あたり次第に再読している。メルヴィルの『白鯨』なども読み直したのを憶えている。

ずっと眺めているある男の写真とは、原田豊秋さんの写真のことだ。

佐藤冨五郎の戦友であり、彼の遺した日記を日本に持ち帰った原田さんがとうとう見つかり、冨五郎さんの遺児・勉さんと原田家の方々との対面がついに果たされた。残念ながら僕はその場に立ち会うことはできなかったが、大川さんがLINEで逐一経過を教えてくださった。その情報のなかに、原田豊秋さんの顔写真があった。僕たちははじめて、豊秋さんの顔を見ることができた。

佐藤勉さんと原田家の方々との対面が行われたのが9月4日のこと。このブログを書いているのは6日。僕のがんのことと原田家が見つかったこととの間には何の関係もない。だからそういうタイミングであったことは忘れていた。

ここから数日をかけて、僕は本書冒頭のテキストを書いて、自分の病気のことを公表する。

公表するに際しては少し迷いもあった。でも最終的には周囲のみんなに伝えることを選んだし、その選択に後悔はしていない。これでよかったのだと思っている。

国立がん研究センターの病院に通うようになり、抗がん剤治療がはじまり、僕の生活は変わっていく。

その日の日記

9月10日（金）

8月27日（金）

入院13日目。

この日は朝から調子がよかった。

珍しく目を覚まさないで朝まで眠れたし、粥の朝食もぜんぶ食べられた。午前中のリハビリも、リハビリ室まで5階分の階段を降りた後、3キロくらいバイクを漕げた。

数日前から、シャワーを浴びて髪を洗うこともできるようになった。

次の週には今野書店でのフェアが終わるから、せめてもの援護射撃としてtweetをした。諏訪敦さんの似顔絵を描いてアップ。そんなことができる気分になったと、我ながら嬉しかった。

お腹もそんなに痛まないし、いい感じだ。

昼食の前に担当のお医者さんが入ってきて、切除した大腸の検査結果が病理から上がってきたから、その説明をしたいと言われる。ついては、家族の方にも同席いただきたいと。

まあ、医者から家族も同席の上で話をしたいと言われたら、あまりいい気持ちはしない。でも、なぜ腸閉塞になったのかの理由の説明をしてくださるのだろう。

妻に電話し、16時に病院まで来てもらうことに。ついでに、爪が伸びているから、爪切りを持ってきてとお願いする。シャワーも浴びられるし、髪も洗えるようになったし、これで爪を切られれば、ずいぶんさっぱりするだろう。

最悪の可能性として、大腸がんかもしれないとは思った。でも僕は結腸右半切除といって、腸の半分を取っている。どんなに悪くても、「大腸にがんがあったんだけど、今回の手術で結果的に切除しました」くらいの話ではないかと思っていた。

お昼も全部食べた。翌週中には退院できることもほぼ決まっている。

手術直後の前の週は音楽なんて聞く気はまったく起こらなかったんだけど、この数日はやっと音楽を楽しむ気持ちになっていた。

iTunesで探して、ウェイン・ショーターがミルトン・ナシメントと共演した『Native

Dancer』というアルバムを聴いた。

はじめて聞くアルバムだったけど、ナシメントの天上的に美しい声と、ショーターの艶のあるサックスがとてもいい。どこか懐かしいような、童謡みたいな無国籍なメロディも味わい深く聞き飽きない。

すっかり気に入って、ベッドに寝転がって音楽を聴いていたらすぐに4時。

看護師さんに付き添ってもらい、1階の診察室に向かう。ロビーで妻とも合流。コロナで面会できないから、久しぶりだ。リハビリの成果か、かなり普通に歩けている僕を見て驚く。「忘れないうちに」と爪切りを渡してもらう。


診察室に入ると、ステージ4のがんだと言われた。

大腸がんではない。この段階では、原発巣はわからない(それが胃だと判明するのは、さらに1週間ほど後の、退院後の検査でのことだ)。でもどこかで発生したがんが、大腸に転移しているのは間違いない。

ひととおりの説明を受ける。とても丁寧で懇切な説明。

何かご質問はありますかと訊かれて、「シビアな状況ですか?」と訊いたら、「残念ながらそうです」とのこと。

他に訊くべきことも思い浮かばない。

なんというか、悲しいとかショックだとか泣けるとか、そういうのでもない。後になって妻とも確認し合ったのだが、正直にいうと、このとき僕らはヘンなテンションだった。ドラマみたい、という陳腐な表現がぴったりかもしれない。よくある医療ドラマのなかにいきなり放り込まれたみたいな感じだった。どこか他人事みたいな。人生でも最大級クラスのシャレにならない宣告を受けたわけだが、どうにも実感がない。

気は高ぶっているが、その半面、なんだか空疎な感じだ。喉の辺りまで、重い空気のかたまりのようなものがせり上がってきている気がする。もしかしたらパニックの前兆なのかもしれない。一方で、なにか印象的なことを言ったりやったりしないといけないのではないか、みたいな、無内容なことをぼんやりと考えている。

とりあえず20分ほど妻とふたりで相談する時間を欲しいと、主治医と看護師さんに言ってみる。ふたりは席を外す。

妻とふたりになるが、ヘンなテンションはおさまらない。妻は少し泣くが、僕は泣けない。泣いたほうがいいんだろうな、とまだそんなことを考えている。

よし。とにかく一回落ち着こう。

ともあれ原発巣がわかるまでは変に暗く考えすぎないこと。まずは来週、無事に退院して家に戻ること。それまではがんの件はいったん中吊りにしておくこと。情報不足のまま、がんという事実だけを直視してはいけない。平らかな気持ちでやり過ごすこと。そんなことを確認し、えらいことになったのぉ、などと笑い合う。他にもいくつか、つまらない冗談を言い合う。よし、大丈夫だ。いつもどおり、呑気にへらへらやり過ごそう。ぜ。


コロナ対策で、診察室を出たら、妻はすぐに帰らないといけない。エレベーターのところで別れ、妻はひとりで家に。

僕は7階の病棟まで戻り、やれやれと自室のベッドに座る。

原発巣は不明ながら、大腸にがんが転移している。

予想していた以上にヘヴィだ(1週間後、そのヘヴィさは、スキルスというかたちでさらにもう一段階レベルアップするのだが、このときは知る由もない)。

ついさっき、僕の人生はイヤな方向にずれた。

でも相変わらず、どう感じればいいのかわからない。


スマホをいじって『Native Dancer』を再生する。浮遊感がかっこいい。いまの気分にぴったり。でも、いまの気分てなんだ?

それから爪切りをとりだして、両手足の爪を切っていく。ベッドの上にティッシュを広げて。

切りたかったんだよな、爪。

足の爪を切るときに背中を丸めた姿勢はかっこ悪い。どんなイケメンでも美女でも、スタイリッシュに足の爪を切ることはできない。


がんの告知を受けて最初にしたことは、その朝たまたま見つけて気に入った音楽を聞きながら、爪を切ることだった。

なんてドラマチックじゃないんだろう。


それから夕食を食べた。ぜんぜん喉を通らない、ということもなく、全部食べた。夜に実家の両親に電話をかけて、がんのことを伝えた。これは少しきつかった。でも僕の父は医者だから、冷静に受け止めてくれた。

電話のあと、親しく敬愛する著者が登壇する配信トークイベントを視聴した。

さらに、金ローで『風立ちぬ』をやっていたので、最後まで観た。見回りに来た看護師さんと、「今日はジブリなんですね〜」「そうなんですよ〜。この映画、よくわからないですけどね」なんて他愛のない会話を交わした。


そんなふうに、僕の人生がぐるっと回転した8月27日（金）が終わった。

なんてドラマチックじゃなかったんだろう。

でもこの日のことは、憶えているうちに書いておきたかったんだ。

この記事を書いていたおかげで、この日のことはわりとよく憶えている。付け加えるべきことはとくにない。ただこの日、『風立ちぬ』を見終わった後にベッドに入って眠ろうとしたのだが、さすがにまったく寝られなかったことを憶えている。翌日回診に来てくださった主治医にそのことを伝えたら「それはまあ、そうでしょうね」と言われた。

もしもこうして書き残していなかったら、この日のことはたいして印象にも残らないいま記憶から消え去っていたかもしれない。がんの告知を受けたとはいえ、まだ何らかのがんであることがわかっただけで、胃が原発巣だともスキルスだともわかっていなかった。出来事としては何が起こったわけでもない、入院中の何ということのない一日に過ぎなかったのだから。

でもこうして書き残したことで、この日のことは僕のなかで定着している。

ウェイン・ショーターの『Native Dancer』はいまでもたまに聴いている。そして聞くたびに、この日の記憶がよみがえる。ショーターもつい先日亡くなった。

9月21日（火）

クリスマスの朝のような日

今日から小社に新入社員・クリームちゃん（♂・12歳）が着任いたしました。
みなさま、どうぞよろしくお願いいたします。

例によって例のごとく、様々なつながりのなかで、クリームは我が家に来ることになりました。

僕↓大川史織さん↓その知り合い↓さらにその知り合い↓クリーム。
というご縁。もともとは「さらにその知り合い」の方の飼い犬だったのですが、諸事情でその方が飼えなくなったので、僕が引き取ることにしたのです。

誰とでも仲良くなれるおっとりした性格とは聞いていたのですが、噂にたがわず、来るなり愛想を振りまいてくつろぎまくるクリームなのでした。

昼と夕方と散歩にも2回行き、ごはんもあっという間に食べきり、おやつも食べ、部屋中をうろうろして、玄関が涼しくて寝やすいことを発見し、初日からマイペースに過ごしています。

クリームを引き取ることは、僕が入院する前から——病気のことを知る前から——決めていたことでした。

それが僕が突然倒れ、その後も予想外の混乱を重ねたため、予定より1カ月以上遅れて我が家にやってきたのでした。

正直、これは犬を飼うのはやめたほうがいいんじゃないか、そんなことをしている場合じゃないんじゃないかと考えたこともありました。

でも、おそらく我々（というのは妻と僕のことですが）には、こういう、生活がよい方向に変化するかもしれないという希望のようなものが必要だった気がしています。

結果的に、これから先、彼は僕の目線を少しでも明るい方向にそらし、妻の不安を癒してくれるかもしれません。

本人はそんなことはつゆ知らず、いたってお気楽なのですが。だからこそ。

（これを書いている間も、隣室からクリームの寝息が聞こえてきます。わりとしっか

りした野太い寝息なのです）

さらに。

今日はたくさんのギフトが届きました。

海外にいる姉は僕の体調を気遣ってくれて、たっぷりのフルーツとジュースを送ってくれました。

ジュースを飲んでみたら、とてもとても美味しかった。


そして。

田中さんは僕の体力を慮ってくれて、デジタルガジェットの数々を届けてくださいました。

運動してみたら、とてもとてもハードだった。明日はきっと筋肉痛だ（笑）。


というわけで。

ギフトの空き箱のなかで、クリームはうろちょろしています。

僕は身体にいいものを摂取しながら、リングフィットで体力づくりをして、アップルウォッチで体調管理して、クリームとともに散歩をして、本を作るでしょう。

2 0 2 1

たくさんの好意とギフトに囲まれて、まるでクリスマスの朝のような1日でした。


この日以来、クリームは我が家の一員になった。

それは近年僕ら夫婦が行った選択のなかでも、もっとも重要かつ正しい選択だった。

たしかに、僕の病気がわかって、犬などを飼っている場合ではないのではないかという考え方もあった。これからどんな生活になるか、どんな闘病が待っているか見当もつかない状況のなかで、自分たち以外の命を抱えることは無責任かもしれなかった。

でも、僕たちはやってみることにした。何よりも後悔したくなかったから。

犬を飼うことは長年の夢だった。それがいま、実現しようとしている。この機会を逃せば、きっと悔いが残るだろうと思った。やらないで後悔するより、やって後悔したほうがいいだろう。

そんなふうに考えてクリームを迎え入れた。その結果、後悔したことは一度もない。クリームと一緒に住むという選択をして本当によかったと思っている。

彼と一緒だから、この1年半の間、僕と妻の間の頻出ワードは「かわいい」になった。もしクリームがいなかったら、「辛い」「がん」「きつい」といったワードが頻出語になっていた可能性もある。僕たちふたりだけだったら、つらい局面を覗き込んでは怯えるばかりだったかもしれない。そういうことばをさほど口に出さないですんでいるのは、あきらかにクリームのおかげだ。

考えてみれば、クリームだけは僕の病気のことを知らない。配慮も遠慮も会釈もなく、僕のお腹に飛び乗ってくるのはクリームだけだ。

それが嬉しい。

いっぽうで、クリームはけっこうな高齢犬だ。我が家に来たときに間もなく13歳になろうという年齢で、いまは14歳。一般的に長生きとされている小型犬にせよ、いつどうなってもおかしくない年齢ではある(もっとも本人はいまのところいたって健康で頑丈。毎日うきうきで散歩に行き、ごはんもぺろりと食べる健康優良児だが)。

いつまでも元気でいてほしい。

そしてできるかぎり長く、妻に寄り添っていてあげてほしい。

10月3日(日)　早稲田大学4号館・村上春樹ライブラリー

早稲田大学4号館。

いまから23年ほど前、僕は同大学の映画サークルに所属していて、4号館の地下1階はそのたまり場でした。

当時は小汚いフロアにベンチとテーブルのセットがいくつも並んでいて、各サークルが思い思いにそのセットを占拠して領土権を主張していたのでした。


10月2日（土）14時30分少し前。

ものすごく久しぶりの早稲田大学本部キャンパス。

4号館の裏、かつてよくぶらぶらしていた中庭のようなところのベンチに座ります。そこから、窓越しに洒落た書斎が見えます。

まさに我々が占領していたテーブルセットがあった場所には、なんと村上春樹の書斎が再現されていたのでした。


僕らが毎日集まってはバカ話に興じ、言い争いをし、さも一大事であるかのようにサークルの行く末を議論した場所は、早稲田大学国際文学館、通称村上春樹ライブラリーとして生まれ変わっていました。

台風一過で、もう10月だというのに、28度くらいある暑い日です。

でも風が吹くと少し涼しい。

ベンチに座ったまま、さっきコンビニで買ったポカリスエットのボトルを開けます。冷たいペットボトルを持っていると、徐々に手がしびれてきます。冷たいものを持つと手先がしびれるのは、抗がん剤の副作用です。

あれから20年以上が経って、秋と夏が混ざったような気候の中で、僕はあのときと同じ場所に座って、でもアラフォーのがん患者になっています。人生は不思議で異様です。


間もなく、わが畏友・田中さんがやってきます。

連れ立って、4号館の入口――昔を知っているとちょっと恥ずかしくなるくらいカッコいいカフェに生まれ変わっています――のほうに向かうと、ベンチに座って文庫本を読んでいる大川さんがいます。


この時点で、個人的にはすでに満腹感があります。

喋りたいことがいっぱいあって、でもどれもこれも僕にとってだけ懐かしい昔の思い出で、そんな思い出の跡地が、当時からずっと好きだった村上春樹の記念館になっていることに、いささか呆然としています。

いま、親しくしてもらっているふたりとそんな場所にいると、時空がゆがんでくるような感じがしてきます。

ありきたりなもしもトークですが、もし大学生の僕に、23年後に起こることを伝えたら、どんな顔をするでしょうか。

——きみはひとりで出版社を走らせることになる。

——きみは著者たちとともにこの場所を再訪する。

——そのとき、この場所は村上春樹ライブラリーになっている。

——きみは残念な病気だ。

ひねくれたガキだった大学生の僕は、どれも信じないだろうな。

予約時間が来るまでカフェで談笑しながら、僕はもう満足しかかっているのです。

村上春樹氏の蔵書やオーディオルームを見る前から、もうお腹いっぱい気味です。

でも、クライマックスはさらにもうひとつ用意されていました。

予約時間が来て、3人でひととおりの展示を見て回りました。

最後は、ライブラリーの名物である階段本棚です。地下から1階まで伸びる大きな階段の両サイドに、長大な本棚が設置されています。そこには、村上作品に登場する書籍から、その作品世界を理解するための関連書までがたくさん並べられていました。

選書は、BACH《バッハ》の幅允孝氏が行っているとのこと。

そしてなんとそのなか、「戦争と生死」と題されたコーナーに、『なぜ戦争をえがくのか』が配架されていたのでした。

大川さんがそれを発見し、我々は驚き喜びつつ、スタッフの方に記念撮影をお願いしました。スタッフの方もとても喜んでくださり、何枚も写真を撮ってくださったのでした。

引きの強さ、というやつですね。

あなたたちと一緒にいると、そういうことがしょっちゅう起こります。

いまさらもう驚くには値しないことなのかもしれません。

しかしやっぱり、驚きです。

——思い出深い4号館は、好きな作家のライブラリーになる。

——きみはもっと好きな著者たちと一緒にそこを訪れ、そこで1冊の本を見つける。

――それは彼女が書き、きみが出版した本だ。

信じられないかもしれないけど、そういうことが起こるんだ。

村上春樹は大学時代から大好きな作家だった。

先に『ダンス・ダンス・ダンス』について書いたテキストでも触れたが、結局のところ、僕の人生で最重要の作家でもあるのだろう。

この年の夏に僕は腸閉塞で人生初の入院をして、その結果がんが発覚するわけだが、入院期間の後半は回復期で、リハビリをしながら身体を休めているだけで、つまるところ時間があった。僕は『1Q84』と『騎士団長殺し』を続けざまに再読した。

この翌年の夏、僕はふたたび入院することになる。そのときは『世界の終りとハードボイルド・ワンダーランド』を(もう何度目になるのか)読み直すことになった。

そしてこれを書いているのは2023年の4月14日。昨日は新刊の長篇小説『街とその不確かな壁』の発売日だった。僕は夕方のクリームの散歩に出かけがてら近所の本屋に行き、早速新刊を買ってきては昨夜から読みはじめている。

事程左様に、村上春樹という作家は僕にとって重要であり、人生の折に触れてその世界観に接してきた。パスタを茹でて自炊したり、ビールやジントニックを好んで飲んだり、自分で自分の生活をコントロールするのが好きだったりといった生活上に受けた影響は計り知れない。

学生時代のサークルのラウンジがそんな村上春樹の記念館に生まれ変わったことは、ちょっとした驚きだった。まさかそんなことが起こるとは思ってもいなかった。

そして田中さんと大川さんというとても大切な人たちに誘われて、そこを訪れることになろうとは、学生時代には予想だにしていなかった。

村上春樹ライブラリーを見学した後、高田馬場まで歩き（これを早稲田生は「馬場歩き」と呼ぶ）、高田馬場駅前の酒場で3人で食事をしたのを憶えている。

そういうところまで含めて、学生時代を再現したような、とても楽しい1日だった。

10月15日（金）

松本智秋さんの本
『旅をひとさじ――てくてくラーハ日記』

サブタイトルの「ラーハ」とはなにか。
智秋さんは「はじめに」でこんなふうに書いています。

アラビア語には、「労働」「遊ぶ」このふたつの時間に収まらない第3の時間を意味する「ラーハ」ということばがあるそうです。学ぶ、旅をする、ゆっくりお茶を飲む、家族や友人とおしゃべりする、ぼーっとする、詩を書く……そんなふうな時間。イスラムの日常生活に流れる第3の時間にぴたっとあたる日本語はなく、文化人類学者の片倉もとこさんは「ゆとり」と「くつろぎ」を足し、そこから「りくつ（理屈）」を抜いて「ゆとろぎ」という造語で表現されていました。そしてラーハは、がんばって働いたご褒美や対価として与えられる時間ではなく、人が生きるうえでもっとも大切な時間であるとされています。

文中に出てくる片倉もとこさんは、

人生のなかで一番いいものであるという、たいへん能動的、積極的な意味合いを持った言葉なのです。明るい「ゆとり」のなかで、堂々とくつろぐ幸せというようなイメージがあります。

（アラビアの人たちは）大人はもう少しゆったりと散歩をするとか、瞑想にふける、お祈りをする、人と話をするなど、「ゆとろぎ」の時間をもつべきであるというのです。

と書いています。

「堂々とくつろぐ幸せ」というのがいいですね。

仕事ではなく、その代価として自らに許す遊びの時間でもなく、ただ時間に乗って、気持ちのままに／気持ちよく過ごすという感じでしょうか。

あるいは、自分の行動や過ごし方に意味を持たせすぎない時間、という感じかもしれません。

いずれにせよ、現代の日本人には、いまひとつうまく言語化できない、でも強く惹かれることばです。

２０２１

最近犬を飼いはじめたのですが、この犬を見ていると、なんとなくラーハという感じがわかる気がします。

我が家の老犬は散歩が大好きなのですが、犬は目的地に向かってまっすぐ急ぐということはしません。

そもそも目的地などなく、散歩という行為そのものを堪能しています。

草むらに顔を突っ込み、そこらじゅうの匂いを嗅ぎ、気ままにマーキングをします。

あっちをうろうろして、こっちをちょろちょろします。

どこかに行きたいわけでもなく、効率よく運動したいのでもない。

ただただ、散歩の時間を楽しんでいます。

本質的に賢い犬は、ややこしい人間にはうまくことばにできない時間を、素直に過ごしています。

引綱をもって犬の後ろをゆっくり歩きながら、ああ、智秋さんもこんなふうに外国を旅してきたのかもしれないなと思います。

松本智秋も、優れた嗅覚をふんふんさせながら、あっちこっちと、動くことそのものを楽しんできたのでしょう。

　いまは本作りという時間を純粋に楽しんでいるように見えます。

　今回の旅の相棒である編集者・岡田林太郎とデザイナー・見元俊一郎は、引綱をゆるく持って、その後ろをついていくのです。


　智秋さんと見元さんとの打ち合わせは、いつも代々木上原の見元さんの事務所で行われた。

　午後の時間にお菓子をぶら下げて事務所を訪れると、先に智秋さんが来ていることもあったし、バスの都合で遅れてくることもあった。先に来ているときは、打ち合わせ用の大きなデスクでランチを食べかけていることもあった。プルドポークのハンバーガーが美味しそうだったのを憶えている。

　打ち合わせも、かならずお菓子をつまみながらだった。僕が行きがけに買っていったクッキーやチョコレート、智秋さんが持ち込んだポルトガルの甘い焼き菓子。そこに見元さんが美味しいコーヒーを淹《い》れてくれる。いつだってそんなふうに、甘いものを食べながら和気あいあいと打ち合わせをしていたのを憶えている。

　そして打ち合わせが一段落したら、かならず病気の話になった。

先にも書いた通り、智秋さんと僕はスキルス胃がんのステージ4という同じ病気になった。著者と編集者がまったく同じレアな病気になるなんて、本当に悪魔的な巡り合わせだ。

本書の冒頭に掲げた9月9日のブログで全員に公表する前に、僕はごく親しい人にだけ、個別に電話して病気のことを伝えた。家族を除けば、大川さん、田中さん、そして智秋さんにだけは電話であらかじめ話をしたのだったと記憶している。

そのときの電話を憶えている。

退院した直後、話があると言って、僕は智秋さんに電話をかけた。彼女は何かを察して「やめてよやめてよ」と言いながらすでに半泣きだった。僕が病名を告げると本格的に泣きはじめた。「智秋さんと同じになっちゃった」と僕は言った。僕は泣かなかったが、彼女は泣きながら、それでも励ましてくれ、助言を与えてくれた。そして最後には必ず笑いにつないでいくのも彼女らしいところだった。

それはこのときの電話に限らず、打ち合わせ後の病気トークのときもそうだった。打ち合わせが終わって病気の話になると、彼女はよく泣いた。でも、最後には必ず僕と見元さんを笑わせるようなことを言った。いかにも大阪の子といった感じだった。

まだ知り合って日が浅かったけれど、僕はそんなふうにして智秋さんに急速に親近感を覚えるようになっていった。

そんな関係はほぼ1年間続いて、彼女の死をもって終わりを迎えることになる。
たった1年の付き合いだった。でも彼女は忘れられない思い出と大切な本を残してくれた。

ちなみに僕は著者のことはどんなに親しくなっても、基本的に名字にさん付けで呼ぶ。それ以外の呼び方をすることは滅多にない。智秋さんのことも最初は「松本さん」と呼んでいた。するとある日、できれば下の名前で呼んでほしいと言われた。松本はともかく、智秋という下の名前が気に入ってるから、と。それ以来、僕も智秋さんと呼ぶことになって今に至っている。夏生まれだから別に秋は関係ないんやけどね、と智秋さんは笑っていた。

この2カ月の幸福／不幸

10月26日(火)

自分ががんだという告知を受けてから、2カ月余りが経ちました。

この間、自分は不幸であったか。と問うならば、そうではなかったと思うのです。

むしろ、幸福であったと言ってみたい気持ちすらあります。


もちろん、痛みや苦しみを感じている瞬間は、そんなふうに思う余裕はありません。

毎日薬を飲まなくてはいけなくて、化学療法のあと数日間は気分や体調がすぐれないサイクルが必ずやってくるというのも、喜ばしい状態ではありません。

以前の、何の屈託もなく体調がよかった頃を思い浮かべると、ほんとに嘆かわしい、がっかりする気分になります。

以前ほど長時間、疲れることなく動き回ることはできなくなりました。


でも、この2カ月、僕は嘆き悲しんで泣き暮らしたわけではなく、不幸のどん底にいたわけでもありません。

むしろ生活の質は上がったと言ってもいいのかもしれません。

（この病気になると、ＱＯＬ〔Quality of life〕ということばをやたらに耳にするようになります）


本当にたくさんの人から、励ましや応援をいただきました。

退院したら会いたいと思っていた友人たちにも会うことができました。

このことをきっかけに、ずっと会っていなかった旧友たちと再会することもできました。

今やれている仕事のありがたみを再認識しました。

未来への希望として、いくつかの出版企画が動きはじめました。

愛犬だって仲間に加わりました。

家族はずっとここにいてくれます。


普通に暮らしていたら特に意識もしないまま流れすぎてしまうであろうこういったことを考えられるようになったのは、病気になったからです。

それは一面では幸福なことなのかもしれません。


嘘くさいやせ我慢に聞こえるかもしれませんが、案外本心でそう思っています。

少なくとも、そういうふうに考えてみる余地はあるかもしれません。

そういうふうに言い聞かせてみる価値はあるかもしれません。

1年以上ぶりに読み返してみて、ここに書かれていることに賛同する気持ちが強い。病気になったことは基本的には悲しむべきことだが、いっぽうで、それだけではないよなという感情も強く抱いている。僕は病気になることで、いくつかの大切なことに目を向けられるようになったのだと思う。

そのなかでも特に考えるようになったのは妻との関係だ。普段あまり書いたり喋ったりすることはないから、ここに少しだけ書いてみたい。

僕と妻は大学の映画サークルの先輩と後輩として出会い、学生時代から交際をはじめた。彼女の20歳の誕生日を祝ったことを憶えている。２００７年に結婚して、今年で16年目になる。交際期間まで含めると、もう22年も一緒にいることになる。22年というと、ちょっとした年月だ。彼女の人生にとっては、半分以上ということになる。

この22年間はわりとあっという間に過ぎた気がしている。僕たちは子どもを作らなかったこともあってか、お互いの関係性を変えることもなく、よく言えば仲良しのまま、悪く言えば子どもっぽいところも多々残したまま、一緒に大きくなってきた。気づいたらふたりとも40代になっていたのは驚きだ。

そんなだったから、彼女と一緒にいることはごくごく当たり前の普通のことだったし、これから先もふたりの関係はこのままずっと続くと思っていた。４歳という僕と彼女の年齢差と日本の男女の平均寿命を考えると、先に死ぬのは僕である可能性は高かった。でもそれはずっとずっと先のことで、少なくとももうあと22年くらいはもつだろうと思っていた。僕らの人生はまだ折り返し地点くらいなんじゃないかと。

ところが、そうではないことがわかった。僕は末期がんで、おそらく近いうちにこの世を去らなければならない。我々に残された時間は予想していたよりも圧倒的に短かった。

そうすると、妻との時間もごくごく当たり前の普通のことではなくなった。それはとても貴重で、もっとも尊重されなければならない時間になった。これまで、そこにいるのが当たり前すぎて、気遣い労わることを忘れていたと思う。でも僕はまもなく妻と別れないといけない。もうあまり時間がないのだ。

そして、その後も妻の時間は続いていく。僕がいなくなった後、妻がどういうふうに生きていくのかと思うたびに、泣ける。なんといっても人生の半分以上、22年間も一緒にいたのだ。ひとりになった彼女がどんなふうに人生の後半を過ごしていくのか、僕にはわからない。ただただ、どのようなかたちであれ、幸福であってほしいと願っている。

家の近所に、昔よく通っていた寿司屋がある。ランチのセットが安くて美味しい。休日の昼にたまに妻とふたりで行っては、ランチセットで日本酒を飲んだりした。

今日のお昼は久しぶりにそこのランチをテイクアウトしてきた。僕はもうほとんど食べられないので、一人前だけのテイクアウト（ふたりで店に入って一人前しか頼まないわけにもいかないので、もっぱらテイクアウトに頼ることになる）。

帰宅してそれを分け合って食べた。僕は好物の穴子と玉子だけ。それでも美味しかった。でも穴子を食べたところで、嘔吐して食事を中断せざるをえなかった。嘔吐している間、妻は僕の背中をさすってくれていた。

ほんのしばらく前までは、お店に行ってひとりで一人前ずつ食べて、日本酒やビールも飲んでたのにね。でもしかたがないね。穴子だけでも味わえてよかったよ、と言うと、妻は少し泣いた。できることが少しずつ減っていくのは悲しいね、と。

できることが徐々に減っていくのは悲しい。でもそれを分かち合える人がいて、僕は幸福なのだと思う。

この人は最後まで僕のそばにいてくれる。そのことに確信が持てるのは、幸福なことなのだろうと思う。

それは、病気にならなければ気づかずに素通りしていた感情だっただろう。

11月10日（水）

不運ではあるかもしれないけれど、不幸ではない

月曜は授業。

『旅をひとさじ』の松本智秋さんがゲスト講師として来てくださいました。対面30人くらい、オンライン140人くらいのハイブリッド授業だったのですが、こんな大事な回に限って、マシントラブル発生。

メインPCがついたり消えたり。画像共有をすると落ちまくる。

僕がひとりでやっているときにはそんなトラブルはなかったのに、しっかり話を聞いてほしいゲストが来てくださった回に限って……。

あわてて5階の講師室に駆けあがり、別のPCをひっつかんで駆けおりる。

教室に戻ってみると、智秋さんはすっかりフロアの学生たちと仲良くなって、和気あいあいと旅の話をして笑いをとっていたのでした。

ああ、この人はこんなふうに旅先でも地元の人たちとあっという間に仲良くなっていったんだろうな、と思わせるひとコマでした。

その後、神保町の揚子江菜館でディナー。

エビ団子、白菜の酢漬け、酢豚、東坡肉《トンポーロウ》みたいな名物料理、店のスペシャリテである冷やし中華（11月なのに）。

翌日はケモだから、美味しいものをしっかり食べる。


火曜日はケモ。

朝から大川さんと田中さんに来ていただき、クリームのお世話をお願いする。

ふたりはみずき書林で仕事をしながら犬の世話をしてくださるという奇特な人びと。

例によって午前中から採血↓診察↓ケモ↓薬局で18時過ぎ帰宅というコース。

この↓の間に、ランチ・会計・処方箋をアプリで薬局に飛ばす、などの作業を効率よくこなしておくのがコツ。


帰宅すると、なぜか3人目の人影がソファに潜んでいる。

akaサイトウワークスもしくはガブリエルさんこと、斉藤さんがサプライズ登場。

何年ぶりの再会でしょうか。


みなでクリームチャンポ。その後、けっこう遅くなってしまったけど犬OKのカフェレストランで食事。

エビのアヒージョ、トルティーヤとディップ、鴨のロースト、ボロネーゼなど。ケモ当日なのに、けっこう食べている。

今朝〔水曜日〕は、一時帰国中の姉が朝食をもって来てくれる。リンゴのデニッシュ・ハムチーズのクロワッサン・バナナマフィン・メロンパンなどパン各種、母手製のカボチャのポタージュ、ソーセージ、メロン・グレープフルーツ・シャインマスカットなどフルーツ各種、ヨーグルトなど。

ケモ翌日なのに、結局食べてる。なんにせよ、食べるのは大事。

その後例によってみんなでクリームと歩く。

僕は不運ではあるかもしれないけれど、不幸ではない。

そんなことを感じる日々。

ファーストラインの抗がん剤でケモをやっていた頃。思えば副作用も比較的軽く、ファーストラインの抗がん剤期間中はわりと楽だったように記憶している。

とりあえず半年間、3月までケモをやりきるのがこの頃の目標だった。そこから先のことはわからない。ひとまず1日かけてケモをやって、そこから2週間薬を飲んで1週間休むというのを1クールとするサイクルを守りながら、半年間8クールをやりきること。

この記事の数日前に、大川さんと田中さんを家に招いて食事を作っている。このあと何度か繰り返すことになる、ちょっとしたホームパーティの最初のときだ。プチトマトとグレープフルーツと甘えびの赤いサラダ、マスカットとズッキーニとアスパラの緑のサラダ、スパニッシュオムレツを前菜に。プリモピアットは我が家のスペシャリテのひとつである鶏の白いラグースパゲティ。セコンドは牛頬肉の赤ワイン煮込み。大川さんはクリームと再会してとても嬉しそうだった。

またその翌日には、学生時代のサークル仲間が久しぶりに大勢集合し、みんなで早稲田祭に行った。学生時代からの一番の親友である尚史と、金澤志保さんがコーディネートをしてくれた。総勢15人くらい、懐かしい顔ぶれが集まった。

みんなで早稲田祭を見学して、懐かしい校舎に入ってうろうろしたりした後で、高田馬場駅近くのカフェに入ってお酒を飲んだ。

そんなふうに、この頃は生活を満喫できるくらいの体力的・精神的なゆとりがあったのだと思う。

僕は一見してがん患者には見えず、いたって健康そうな普通の人に過ぎなかった。

この頃のような体調が続けばどんなによかっただろう。

11月28日(日)

みんなと喋る

記念すべき900件目のエントリー。

昨日(11/27)は、北極探検家の荻田泰永さんが主宰する、大和市の冒険研究所書店にてトークイベントに参加。

『独立』と『がん』というテーマで、延長も含めて、結果的に3時間半の長丁場でした。

しかし、登壇した側から言うと、あっという間に時間が経ったという感じ。

始まってしまえば、とても楽しかった。

もっとこう言えばよかった、あの話もしたかった、という反省はあります。

でも、そう。小声で告白すると、苦手だイヤだと言ってたわりには、こんなふうに対話することのほどよい緊張感が、実は意外と好きなのかもしれません（笑）。


少なくとも、自分がいま何を考えているのかについて、どういうふうに仕事してきたのかについて、考えを整頓するいい機会になりました。

それと、僕がけっこう元気でいることを見てもらうことができたことも、よかったなと思っています。


ホストとして企画を進めてくださった荻田さん。

荻田さんとつないでくださったのみならずゲストとしても登壇してくださった諏訪敦さん。

同じく登壇してくださった、大切な著者である大川さん、智秋さん。

聴いてくださったみなさま、とりわけわざわざ会場に来てくださった友人たち。

みなさま、ありがとうございました‼

＊

備忘録兼本イベントの収穫として、みなさんの推薦書を挙げておきます。

諏訪敦さん：ジョーディ・グレッグ『ルシアン・フロイドとの朝食――描かれた人生』（みすず書房、２０１６年）

大川史織さん：長倉洋海『獅子よ瞑れ――アフガン１９８０―２００２』（河出書房新社、２００２年）

松本智秋さん：星野道夫『旅をする木』（文藝春秋、１９９５年）

荻田泰永さん：チェリー・ガラード『世界最悪の旅――スコット南極探検隊』（中央公論新社、２００２年、荻田さんは古書を紹介していましたが、ここでは入手可能な版を挙げます）

岡田林太郎：V・E・フランクル『夜と霧　新版』（みすず書房、２００２年）

荻田泰永さんとのトークイベントでは、闘病と出版について3時間以上にわたって話をした。

２０２１

この企画には後日談があって、なんとけっこうな額のギャラをいただいた。それでせっかくなので、そのギャラを使って、5人ですっぽんを食べに行った。

なぜすっぽんだったのかは定かには憶えていない。おそらくトークイベントのなかで話題に上がったのだったか、その後の打ち上げのときに話に出たのだったか、とにかく登壇者みんなですっぽんを食べようということで、中野新橋にある「スッポンふぐ久松」というお店に行った。暮れも押し詰まってきた12月17日、強い風が吹いていてひどく寒い夜だった。

すっぽんの生き血を飲んで、刺身や卵、唐揚げ、雑炊などなどたくさん食べた。

以来、荻田さん、諏訪さんを中心にしたグループで何度か集まってはイベントをやったり喋ったりすることになる。そのときにはこの5人だけでなく、見元さん、井上陽子さん、井上奈奈さんも加わった。

荻田さんの冒険研究所書店で、智秋さん主催の映画上映会をしたこともあった。ウクライナを舞台にした『ピリペンコさんの手づくり潜水艦』という映画。オフビートなユーモア溢れる、楽しい映画だった。

府中市美術館での諏訪さんの展覧会にみんなで行ったりもした。これについては後述する。

我が家で大川さんの『タリナイ』の上映会をしたり、たんに集まって雑談会をしたりもした。

このトークイベントをきっかけにして、そんなふうに思いがけない交流が生まれたのは、嬉しいことだった。

12月9日(木)　【重要】How to close my company

以下、なんだかパッとしない話ですが。

みずき書林はこれからも続けていくつもりですが、もしこれから先、存続させることができなくなったときのことも考えておかないといけません。

実は、継続性については、ひとりないし小規模出版の最大の弱点であり、まだ歴史の浅い小規模出版の世界では、ノウハウが確立されていない問題でもあります。

つまり、ひとりや少人数でやり続けた場合、その人（たち）がいなくなった場合に出版社はどうなるのか？　ということです。

いま考えるに、出版社がなくなるとして、問題は以下の点と思われます。

1. それまでの刊行書籍はどうなるのか？　もう買えなくなるのか。
2. その時点で進行中の企画はどうなるのか？
3. ウェブサイトやSNSはどうするのか？
4. 会社の負債はどうなるのか？

大きく分けて、問題は上記4点ではないでしょうか。

このうち、4はいわば内部的な問題です。

これについては、コロナ華やかなりしころに（願わくば二度と深刻化しませんよう）特別融資を受けたことがあります。

これは書き始めると長すぎ&面白すぎなので略しますが、要するに問題は解決しているとだけ記しておきます。

もし小社がなくなるというなら、融資額（借金）もなくなることは確認済みです。

よってこの点はひとまず措《お》きます。

（詳しく知りたい人は個別に問い合わせください。ここには書けない（笑））

1〜3は内部をどう整理するかという課題でもあると同時に、外部的な問題でもあります。

＊

1は絶対に何とかしたい。

会社がなくなって、それまでの既刊が入手できなくなる、ということになるのは避けたい。

これについては、まだ正式にはオファーしていないことですが、腹案があります。

つまり、知り合いの版元に、在庫を無償で譲渡するという方法を考えています。

ISBNを付与し直す（＝カバー・奥付の掛け換えないしはシール対応）などの事務手続きは必要になりますが、できればこのかたちで考えてみたいと思っています。

もちろん、組版データや電子版データも付随して譲渡します。

流通上のことは、小社はトランスビューと八木書店さんでの扱いのみなので、話はすんなり通せる見込みはあります。きっと両社とも了解してくださるはずです。

小社の書籍は増刷率も高いし、比較的コツコツと売れる本も多いですよ（笑）。同志の版元さん、いまからでも相談可能ですので、我こそはというところは先行してご相談できれば（笑）。

＊

2の進行中の企画についても、同じかたちを考えています。

出版は、ある程度中長期的な仕事です。しかかりの仕事がまったくない状態でクローズするわけにはいかないと思われます。どうしても、立つ鳥跡を濁さざるを得ず、というケースが想定されるでしょう。その際の企画も、原稿・組版・装丁データなどその時点での最新版を、無償で知り合いの版元に譲渡することを考えています。

小社は小規模出版なので、しかかりの仕事が山のように残るということはないはずです。多くてもせいぜい実動数5〜6件といったあたりを想定しています。

これについてはすでに知り合いの版元さんいくつかに話をしているケースもあります。

いきなり3つも4つも渡されると辛いでしょうが（笑）、ひとつふたつずつくらいなら、みなさん快く引き受けてくださりそうです。

その節はお願いしますね。

＊

3のウェブサイトやSNSについて。

FacebookやTwitterはIDとパスワードさえ親しい人に伝えておいて、おいおい削除してもらえれば問題ないでしょう。

問題はウェブサイトですね。

サイトは維持しておくだけで、毎月お金がかかります。

もちろん大した額ではないのですが、それでも負担は負担です。

これもアカウントを伝えておいて、どこかのタイミングでクローズするしかないでしょう。

ちょっとだけ惜しいのは、このブログでしょうか。

その段階でどれくらいの回数になっているかわかりませんが、本エントリーで908件と、けっこうな数になっています。

これがぜんぶ消えてしまうのは、なんとなく惜しい。


別途原稿データがあるわけではないので、このブログ記事全体をまとめてダウンロードするような方法があれば、方法的にも気持ち的にも楽なのですが……。

まあ、別に僕が気にするようなことではないのかもしれませんが、しかしせっかくこつこつ書いたものが雲散するのも何だかもったいない気がしてしまうのも人情です。

霧消するまえに、なんとか全部サルベージしておく方法を考えないと。


以上、あまり心地よい話ではありませんが、いまの心づもりを残しておきます。


これらの点については本書に後述される。

このテキストを書いている2023年の春の段階で、状況はまずまず整理されていて、僕がいなくなった後の在庫の問題およびしかかりの企画の問題については、ほぼ目途が立っている。

なお、ブログのテキストを保全する問題については、前職の同期でPC方面にめっぽう強い梨和久雄くんに相談したら、すぐに全テキストデータを抜き出してくれた。どういう仕組みかさっぱりわからないが、そういうプログラムを作って走らせるのだそうな。

おかげで全ブログを再読して主要なテキストを抽出するという本書の執筆の準備段階もすごくスムーズに進めることができた。ありがとう。

そしてそれはそれとして、僕がいなくなった後も、ブログそのものは当面残ることになると思う。そこには、僕が日々考えたことが、膨大な量となって蓄積されている。結論もなければ教訓もなく、ただとりとめのないかたちで、僕の毎日が記録されている。誰にとって重要かわからないが、少なくとも妻や親友や親しかった人たちにとっては、僕という人間の残響となるかもしれない。

ブログにアクセスすることで、いまはもういない僕という人間に再会できるかもしれない。そういう場を、ただそこに残しておきたいと思っている。

もちろん維持費は若干かかるし、そういう意味で家族に負担をかけてしまう結果になるかもしれない。でも、僕が死んだあと、僕はどこにいるのかといえば、お墓のなかではなく、膨大なブログのテキストのなかに、あるいはやはりそれなりのページ数になりそうな予感がしているこの本の中にいるのだと思う。

だからできるならその場を残しておいて、みんなにはそこに会いに来てほしいと願っている。

12月17日(金)

寺尾紗穂さんのライブ

12月16日、六本木のサントリーホール、寺尾紗穂さんのライブ。

こうなるんじゃないかとは薄々わかっていたけれど、やっぱり涙が出る。

寺尾さんの世界は、死と別れの予感で満ちていて、歌詞世界が特に今の僕の状況を描いているわけでもないのに、ときおり、何気ない一節が、えぐるように心に刺さってくる。

とくに休憩を挟んでの後半が素晴らしかった。

最後は灰田勝彦「森の小径」↓谷川俊太郎作詞「死んだ男の残したものは」↓「北へ向かう」↓新曲の「歌の生まれる場所」という流れ。

「森の小径」は特攻隊の若者が愛唱したという昭和15年の歌。

最後の一連、

なんにも言わずに　いつか寄せた
ちいさな肩だった　白い花夢かよ

という詩の「夢かよ」ということばづかい。

「死んだ男の残したものは」は、言うまでもなくベトナム戦争の頃に書かれた反戦歌。こういう歴史・戦争を背景に持つ歌を選んでいまに蘇らせるところも、この歌い手らしい。

そしてオリジナルの「北へ向かう」。

MCでおっしゃっていましたが、お父様が亡くなった翌日に、ライブのために北へ向かう新幹線のなかで書かれたのだとか。

そういう意味では、前述のとおり、僕のいまのシチュエーションとは異なります。

でもこの曲の、たとえば、

僕らは出会いそしてまた分かれる
叶わぬことにまみれては叫ぶ

という歌詞が、寺尾さんの高く透明な声で歌われると、もうダメなのでした。

3カ月前ならやり過ごせた歌詞だったかもしれませんが、いまはもう悲しくて泣けてしかたありません。

同じことは、アンコールの最後で歌われた「一羽が二羽に」にも言えます（大好きな曲です）。

一羽が二羽に
寄り添うだけで
ただそれだけで

はじめて聴いたのは、2019年7月の内幸町ホールでのライブでした。

そのときもいい曲だと思い、アルバム『北へ向かう』に収録されたときから愛聴してきました。

この曲もいまの僕には、また別の意味を持つようになっています。


本編の最後で披露された新曲「歌の生まれる場所」も、同じようにアルバムに収録されたら繰り返し聴くことになりそうです。

MCでは3月に新譜を発表するとおっしゃっていました。

そこに収録されるのでしょうか。

(ちなみに、この曲に入る前のMCでは河童の話をしていました。演奏中、照明が寺尾さんの頭のてっぺんにあたって髪の毛に光の輪ができて、まるで寺尾さんが河童みたいだったことも付言しておきます(笑))


3月を、楽しみにしていたいと思います。

寺尾さんのライブはこれで3回目。大川さんがライブの手伝いをしていて、それで情報を教えてもらい、妻と一緒にでかけた。

思えば、みずき書林を立ち上げる直前、前職を辞めるときも寺尾さんのライブに行っている。

２０１８年2月24日だったと思う。場所は忘れたけれど、どこか小さな町の小さなライブハウスだった。このときは大川さんと一緒に行き、ライブの最後に依頼状を渡して、寺尾さんに『マーシャル、父の戦場』の執筆依頼を行った。その帰りの電車のなかで、大川さんに今の会社を辞めて新しい会社を立ち上げることを告白した。その２日後の月曜の朝に、僕は辞表を提出し、会社を辞めた。

それが寺尾さんのライブ初体験。


2度目は２０１９年7月13日、内幸町ホール。

立命館アジア太平洋大学の学長である出口治明氏に招かれて、翌日から沖田瑞穂先生とふたりで九州に行く予定だった。

ところが、内幸町ホールに行ってみると、観覧者の列のなかにどう見ても出口さんとおぼしき人物がいる。まさかと思ってその時は声はかけなかったが、翌日、九州でお目にかかって夜の会食の際に、昨晩寺尾さんのライブにいなかったかと訊いてみた。するとやはりご本人であった。

翌日遠い場所で会う予定の方と、なぜかぜんぜん関係のないライブで一緒になっていたという偶然に驚いたことを憶えている。

そして3回目がこのときのサントリーホール。

翌年発表されたアルバム『余白のメロディ』は「森の小径」も「歌の生まれる場所」も収録されていて最高傑作と呼ぶにふさわしく、愛聴している。

2022

2022年

憶えている

1月13日(木)

ひとつずつ

朗報がひとつ。

気になる文章がひとつ。

気遣いが嬉しいメールがひとつ。


生きているというのは、ときにひどく切ないねぇ。

我々はみんな、最後の日までは生きている。

その翌日からは、いい思い出と寂しさを残していく。

だからそれまでは、いままでどおり、楽しく笑って会話をしながら——ときどきちょっと涙ぐんだりしながら——やっていこう。みんなで。


ここに書かれている朗報、気になる文章、嬉しいメールについて、詳しいことはなにも憶えていない。これだけの手がかりしかないので、いまから追いかけて特定することもできそうにない。でもおそらく病気関連のことだったのではないかと推測される。

僕はどのような死に方をするのだろうか。

どこで、どんなふうなプロセスを経て、どんなことを言い残して（あるいは言い残せなくて）、死んでいくのだろう。

最近、そんなことをよく考える。これを書いている時点で僕の体調は比較的安定していて、今日明日に体調が激変して死に至るとは考えにくい。このままあと数カ月はなんとか生きていられるのではないかというくらいの体調は維持できている。

でも、末期がんだからいつ何が起こるかはわからない。ある日急に具合が悪くなり、そのまま下降線を辿って死んでいくのかもしれない。それは誰にもわからない。


ありきたりで伝わらない言い方になるのは承知の上であえて書くが、僕は最後まできちんとしていたいと思っている。きちんとするとはどういうことかというと、冷静に取り乱さず、まわりにきちんと配慮しながら、普段通りに生きていくということになるだろうか。敬愛する早坂暁先生の好んだことばづかいを借りれば、「なおかつ平気で生きる」ということになるだろう。

最後まで、そのように振舞っていたい。

そしてここに書いた通り、その翌日からは、いい思い出と少しの寂しさを残していきたい。

2022

ごく普通の人間にとって、それがこの世に残せる最良のものかもしれないと、いまは考えている。

1月30日(日)

神様そりゃないぜと思うときは

最近は、スピッツの「こんにちは」と、宇多田ヒカルの新譜より表題曲「BADモード」をよく聴いています。

学生時代からずっと聴いてきた宇多田ヒカルも草野マサムネも歳をとり、僕も40歳を超えて、単なる加齢とは別の意味で調子が悪い。

あのころは、こんな気持ちで彼らの音楽を聴くようになるとは想像もつかなかったな。

今日はオンライン研究会。

この研究会の成果は本にする予定だけど、本作りに着手するにはもう少し時間がかかる。

でもだれも、「できないかもしれない」とは言わない。

だれもはっきりとは言わないけれど、将来への励ましとして、本の企画を扱ってくれる。

なんで僕が。と思うこともある
でも最近、その疑念への最適解を見つけた。
そんなふうに思うときは、妻のことを考え、家族のことを考え、近くにいてくれる友人たちのことを考える。
そしてあなたたちじゃなくてよかったと思う。

スピッツの「こんにちは」という曲は、個人的に松本智秋さんのテーマソングだと思っている。

そのことを智秋さんに伝えたら喜んでいたのを憶えている。

権利関係が面倒なので、ここではその歌詞を引用することはしない。気になった方は、それぞれに検索して歌詞を調べてほしい。

ここで描かれる人は、いかにも智秋さん的だ。スピード感のある曲調も彼女らしい。

2 0 2 2

いま彼女がいなくなって、もう一度彼女と話がしたいと思っている。

宇多田ヒカルの「ＢＡＤモード」は、藤岡みなみさんから教えていただいた。宇多田ヒカルが、病を得た友人について歌った曲。ネトフリとかUber Eatsとかいかにも現代的な意匠を散りばめつつ、病気の相手をどう気遣えばいいのか戸惑う心を繊細に描いている。

しばらく聴かない間に、スピッツも宇多田ヒカルも、こんなふうな詞を書くようになったのだなというちょっとした驚きがあった。とくに、もともと死の匂いを色濃くまとっている宇多田ヒカルはともかく、スピッツなんて、青春時代の恋愛を描くのがお家芸だと思っていたので、こんなふうに死を絡めた世界観を描くようになっていたとは。

僕が変わったように、彼らもまた変わっていったということなのだろう。ひとりのミュージシャンとして、人間として、いつまでも若い恋愛ばかりを歌っている年齢でもないだろうし、そこには当然ながら、人間的な成熟が現れてくることになる。

いま僕は、できることが少しずつ少なくなっていく過程にある。

去年の冬から、食事がほぼできなくなり、それにともない、外食や自炊といった楽しみもなくなった。お酒を飲むという楽しい習慣も消えた。いずれは外をちょっと散歩したり、読書をしたり、さらには仕事をしたりといったこともできなくなっていくのかもしれない。こんなふうになにかを書くという行為は手放したくないが、それすらもいずれ難しくなっていく可能性もある。

でも、音楽を聴くという行為だけは――受動的な行為だけに――おそらく最後の最後まで手放さなくてもすむ習慣なのではないかと考えている。

そのときにどんな種類の音楽を聴きたいと思うのかはわからないが、いままでと同じように、素晴らしい音楽とともに最後までありたいと願っている。

2月6日(日)

昨年の夏、まだ自分の病気のことも知らなかった頃。

あるイベントの準備で、本の編著者、イベント会場の小屋主さんと打ち合わせをしたことがあります。

と、特に名を伏せる必要もないので書きますが、大川さんと森岡督行さんと、我が家で打ち合わせをしていました。

どういう話の流れかまったく憶えていないのですが、その時に僕は、「自分用には使わないことばがふたつあります。ひとつは『愛』でもうひとつは『正義』です」

と発言しました。そして「正義」はともかく「愛」については、ふたりの猛反発にあったのでした。


残念ながら、僕はあまり長生きしないかもしれない。

この先も「自分は正義だ」とは絶対に言わないでしょう。

僕は自分が考えているある種の「正しさ」をささやかに守って生きていきたいと思っています。でもそれは極めて個人的なもので、自分は社会的に正義の側にいる——その対向として誰かが悪の側にいる——ということでは断じてありません。

では、「僕はあなたを愛している／愛していた」と発話するときは来るでしょうか。

僕はことばを商売道具にしているにもかかわらず、このことばだけは今ひとつ信用していないし、うまく使いこなせていません。

でも遠くないいつか、僕はこのことばを自分用に使わないといけないと考えています。

ひとりひとりの人生を、たとえば箱に入ったプレゼントのようなものだと考えてみます。

ひとりひとり、箱の大きさも形も違う。中身も当然、違います。

僕の箱には何が入っていたか。

家族・友人・知人・著者……あらゆる意味の人間関係に恵まれました。僕の箱の一番広くていいスペースに詰まっているのはそれです。これだけはどこに出しても自慢できる。

仕事にも恵まれました。前職ではたくさんのことを学び、今の会社を立ち上げてからはさらに楽しくなりました。誇らしい本とともに、そういう喜びもふんだんに詰めあわされています（でもお金はそんなに詰まっていない（笑））。

自分の家を自分の好きなようにアレンジしたり、料理を作ったり、洗濯や掃除をしたり、そんなふうに自分にとって居心地の良い空間を作る時間にも恵まれました。これは地味ながら貴重なことです。

かわいい犬だっています。

そういったものが、わりと整然と丁寧に詰め合わされているのが、僕の人生という箱です。

でもその箱は、そんなに大きくはないようです。

もうちょっと大きかったらよかったのに、と思わないこともありません。

しかしその箱には、僕がそれと知らずに受け取っていた愛情が目一杯詰まっていました。

箱が小さいことがわかって、やっとそれに気づきました。


以上、このテキストは、松本智秋さんの文章にインスパイアされて書きました。

そう、若い頃は照れくさくて使えなかった。

いまも照れくさい。

でもそれはどうやらそのへんにあるらしい。

インスパイア元の智秋さんのテキストは以下。
https://note.com/chiia_kiki/n/ne5c2baadac3a

がんの告知から1年半以上が経って、「愛」ということばはいまだにうまく使いこなせていない。

いまの気持ちをより素直に伝えることばは何かと考えてみると、「感謝」ということばがよりぴったりくる。

「愛」というとどうしても照れる。面と向かって発話するには、あまりにも情緒的かつ大袈裟なことばのようにどうしても思えてしまう。要するに、僕のパーソナリティにぴったりしないのだ。その点、「感謝」であればしっくりくる。

感謝は愛よりも弱いことばだろうか。少なくとも今の僕にはそうは思えない。感謝もまた、この世界でとても大切な感情であり、かけがえのないことばだと思う。

僕はおそらく、いま僕の身近にいてくれる多くの人たちより先に、この世界からいなくなる。そのときに伝えられるのは――伝えたいのは――やはり感謝の気持ちということになると思う。ありがとう、と言って死んでいきたい。


かつて漱石は「Pity is akin to love」を「可哀そうだた惚れたってことよ」と訳しました。

であれば僕としては、「Appreciate is akin to love」と言ってみたい気持ちがある。

ありがとうは愛の表現ってことよ。

2022

きちんとしていたい

4月3日(日)

今日、書き残すに値する何か大切なことを思いついたような気がしたんだ。だけどいざこうして書こうとしてみると、うまく言葉にできないで手元をすり抜けていく感じ。

このブログは、病気のことを書くと、普段の本作りの記事よりも閲覧数が倍増する。つまり、闘病ブログのようなものとしてここをのぞきに来てくれている人が何人かいるのかもしれない。

そういう人に——つまり顔のわからない、お目にかかったこともないどなたかに——何か有意義なことを書き残すことは、たぶん僕には難しいと思う。ここで書くことが少しでも誰かの役に立てばいいとは思うのだけど、でも、病気についての詳細をここに書く気には、いまのところなれないでいる。

でも、顔が見える人たちにになら、言いたいこと・書き残したいことはたくさんある。日本人のふたりにひとりががんになるのだという。

だとすれば、僕は他の人よりも先行して、この病気を経験していることになる。

そんなことは決して起こってほしくないが、もし今後、僕の知っている誰かが同じ経験をしなくてはならないのだとしたら、僕の書いたことや言ったことが、その人にとって前例・先行事例になる可能性がある。


だとするなら、きちんとしていたい。

この病気になったとわかった直後に、「冷静で丁寧に生きたい」と書いた。

その気持ちはいまでも変わらない。

泣いてもいいいし、悲しんでもいい。

でも最後には冷静に丁寧に、きちんとしていたい。

それがいずれ誰かの役に立つのなら。


なにか大事なことに触れそうになっている予感はするが、いざそれを文章にしようとすると、その大事なことは砂が手のひらをすり抜けていくようにこぼれ落ちて、あとにはもどかしい思いだけが残る。

そんな気持ちを最近も感じた。実を言うといまも、そのすり抜けてしまった軽い喪失感とともにこの文章を書いている。数日前、犬の散歩で外を歩きながら、なにか大事なことに触れられそうな気がしたんだ。病気になったこと。それでもこうして生きていること。もうしばらくはこのまま生きられそうな気がしていること。病とともに失われてしまった習慣。その一方でまだ続けられている習慣。そんなことが一体となって、なにか考えるに値する、書き残すに値する考えに辿り着けそうな気がした。

それはうまくことばにまとめられないままどこかに消え去ってしまい、僕の手元には何か大事なものが目の前を泳ぎ過ぎていったという震えのようなものだけが残っている。

その震えをより正確なことばで言おうとすると、どういうことになるだろうか。

おそらく、冷静に丁寧に生きること、きちんとしていたいということに尽きてくるのだと思う。

このブログ記事にも書いている通り、僕は最後まできちんとしていたい。

それがいつ、どのようなかたちでやってくるのかはわからない。それはどの程度の苦痛を伴うものなのか。どれくらいの喪失感をもたらすものなのか。いかほどの切なさを感じさせるものなのか。いまの僕にはわからない。

でもどんな感情が待ち受けているにせよ、それをきちんと受け止めて、十全に味わい、そのうえで冷静で丁寧でいたいと思う。取り乱すことなく、捨て鉢になることなく、諦めることなく、最後まで丁寧に生きていきたいと、切実に思う。

そんなことが僕に可能だろうか。わからない。怖くないと言えば少し嘘になるかもしれない。死までのプロセスを考えることは、少し怖い。

ただ僕には、いままで受け取ってきたさまざまな力があるはずだ。周囲の友人や仲間たちから、あるいは本や映画や音楽から、たくさんの力を受け取ってきた。そういったものを総動員して、恐れに打ち勝つことは不可能ではないはずだ。

4月11日（月）　525,600

がんばろう。

ということばを使わないようにしてやってきました。

ついうっかり口にしてしまった後は、決まって後悔しました。

がんばろう。というのは、傾斜を上から下に転がり落ちて、言われる側を押しつぶしてしまうような響きを持っています。

でも最近は――きわめて限定された範囲内での話ですが――このことばを使ってもいいと思える場面があります。より正確には、一緒にがんばろうや。

というニュアンスですが。


なんどもなんども考えて、繰り返し話し合った後では、ことばはシンプルに切り詰められていきます。

言うほうと言われるほうの両方にそのことばを選ぶ——そのことばしか選びようがない——という了解があるのなら、あらゆることばは有効に働いてくれます。


なにを言うかは大切ですが、より以上に、誰が言うかが重要です。


なんて言えばいいのかわかりません。

痛みや苦しみやいつだって極めてパーソナルなものです。

でも少し遠くから眺めれば、我々がかろうじて立っているのは、傾斜のない場所です。

だから、僕がこう言うときには、わかってほしいんだ。というか、お互いにわかっているとわかっているから、あえてこう言える。

一緒にがんばろうや。

このテキストは智秋さんに向けて、彼女が読むことを意識して書かれた。
タイトルの「525,600」という数字は、ミュージカル「RENT」の代表曲「Seasons of Love」の歌詞から採っている。1年間を分に置き換えたときの数字だ。

これについても智秋さんの書いたテキストがあるのでぜひ読んでみてほしい。

https://note.com/chiia_kiki/n/ne95d51113c00

僕たちは本を作りながら、こんな感情をシェアしあっていた。

3月3日、自宅に智秋さん、見元さん、アーヤさん、大川さん、田中さんを招いて、みんなで食事会。
3月20日と21日、九段下のGOTTAにて『旅をひとさじ』の出版記念イベント。
24日、西荻の旅の本屋のまどで出版記念トークイベント。
4月1日、荻田さんの冒険研究所書店で、『ピリペンコさんの手づくり潜水艦』上映会&花見の会。

この「525,600」の文章を書いた頃にはそういった日々も一段落したころだったかもしれない。

そして智秋さんの病気が少しずつ身体の自由を奪っていった頃でもあった。

保苅実と時間

4月16日（土）

保苅実の『ラディカル・オーラル・ヒストリー』の巻末には、塩原良和先生の「あとがき」が載っています。

すごく長くなりますが、その冒頭を引用します。


「自分の身体と対話している」と、保苅実さんは病床でよく言っていた。自分はとても貴重な体験をしていると、真顔で言うのだ。最初、わたしは信じられなかった。なぜならそこは病院で、彼はきわめて進行の速いガンに侵された患者だったのだから。

> メルボルンで闘病生活を送っていた彼の看病を手伝うために、当時シドニーに住んでいたわたしは、友人たちとともにときおり彼のもとを訪れた。保苅さんは、キャンベラでいくつもの共同研究をふたりで行っていた頃と、まったく変わらなかった。むしろ、病をつうじた「身体との対話」は、彼本来の性質であったスピリチュアルなもの、ポスト・セキュラーなものに関する感性を、ますます研ぎ澄ましていったのではないか。
>
> 　あと二ヶ月の命、と医者に宣告されてからも、保苅さんはそれまでと同じように、人生に対して前向きで、真摯だった。そして、彼は本書の原稿を、ホスピスの病床で書き続けていた。保苅さんはよく、この本を通じて、歴史をめぐる「声の複数性」を表現したいといっていた。彼の頭脳は、いまやますます明晰だった。その振る舞いには、悲壮感のかけらもなかった。「美しく生きたい」と彼は言っていた。「コミュニケーションは双方向的であるほうがいい」とも。この期に及んで、彼はまだ、人とのつながりから生まれる何かを信頼していた。

書き写していて、バカみたいに涙が流れます。

僕は彼のように生きたい、あるいは死にたいと思います。

もう何度目になるのか、僕はまたこの本を読み直さなくてはなりません。

2022

今日、ある人と保苅実についてメッセージをやりとりしました。

今野日出晴先生から戦争体験の継承に関する抜き刷りが届きました。

新しい企画がお腹を蹴りはじめました。


このあとの塩原先生の文章は「彼に足りないのは時間だけだった」と続きます。

僕がこういうことを書くと驚かれる方もいるかもしれませんが——たぶん僕にはまだ時間があります。

その時間をどう使うか。

時間のことを考えると秒で泣けます。泣いてもいいと思っています。

いまさら明晰になることはできませんが、しかし前向きで真摯であることは見習えるかもしれません。


このブログを書いてからちょうど1年が経った。

いまこのテキストを書いているのは2023年4月19日。

そして信じられないことに、僕はいま、保苅実の本を刊行すべく編集作業を行っている。

保苅実の本を作れるとは、なんと幸福なことだろうか。

例によって例のごとく、編集作業にまつわる細々とした事務作業をこなしながら、保苅実の遺したテキストを慈しむように少しずつ読んでいる。『ラディカル・オーラル・ヒストリー』も読み返している。そして彼の生き方に大きな勇気をもらっている。

思えばこういう縁が生まれたのも、大川さんのおかげだ。

大川さんの最初の本『マーシャル、父の戦場』は、サブタイトルに「ある日本兵の日記をめぐる歴史実践」とあるとおり、保苅実の『ラディカル・オーラル・ヒストリー——オーストラリア先住民アボリジニの歴史実践』に大きな影響を受けている。その本が完成したときに、大川さんが保苅実の姉である由紀さんに献本した。保苅実の一番身近に届けたかったのだ。そんなふうにして、保苅由紀さんとの交流が始まった。

大川さんの2冊目の本『なぜ戦争をえがくのか——戦争を知らない表現者たちの歴史実践』も同じように献本し、やはり由紀さんからは折に触れて感想のメールをいただいた。我々とのメール上でのやりとりは断続的に4年近くにも及んでいた。

そして僕は病気になった。

由紀さんは僕のブログでそのことを知り、「実の本を作らないか」と声をかけてくださった。

2　0　2　2

『ラディカル・オーラル・ヒストリー』に載らなかったエッセイや論文を集めて本にまとめるプロジェクトはまだまだ始まったばかりで、刊行までにはもうしばらく時間がかかる。完成まで僕の体力が持つという保証もない。でもこの企画は僕を前向きにさせてくれる。

保苅実をよりいっそう身近に感じることができるプロジェクトに携わることができて、僥倖というしかない。この本が出来上がったら喜ぶ読者がたくさんいるだろう。大川さんももちろんそのひとりだ。なにより僕自身が嬉しい。ここにいたって、みずき書林にこんな幸運が訪れるなんて、予想もしていなかった。

僕に時間があるのかないのかわからない。ただ、真摯に前向きにやるだけだ。

夜はまだあけぬか――5／12

5月12日（木）

不測の事態が生じて、朝から一日通院。

2日前から、右前の脇腹あたりが周期的に痛む。

昨年8月の腸閉塞のときの痛みに酷似していて、3日目で痛みも引かないので、いささか焦ってくる。

5時頃、目覚めて、がんセンターの時間外窓口に電話。カロナール。

9時、あらためて主治医の先生に電話。すぐに検査と診察の予約を入れてくださる。

9時30分過ぎ、準備をしてタクシーで築地へ。

10時過ぎ、採尿・採血・レントゲン。

12時頃、主治医の先生の診察。その場でさらに午後の造影CTの予約を入れてくださる。

13時30分、造影CT。

14時30分、再度の診察。グッドニュースは、腸閉塞の再発でもなければ、がんが明確な病変を起こしているわけでもないということ。バッドニュースは、腹痛の原因は不明。痛み止めを処方してくださる。麻薬と聞くと、ちょっと心理的にはキツいものがあるけれど、その点も十分に説明してくださる。

会計を済ませ、薬局に寄って帰宅。

16時過ぎ、朝からほとんど何も食べていなかったので、サンドイッチと温かい紅茶。カロナール。

17時過ぎから19時前まで読書して眠る。

20時過ぎ、妻が作ってくれたうどんとニンジンのサラダ。痛み止め。

再度の腸閉塞の場合は、入院→開腹という昨年夏の再現もありうるかと、早朝の薄暗がりの中ではよくないことばかり考えてしまう。

原因は不明ながら、大事ではないことをよしとしよう。

主治医の先生の迅速な対応も本当にありがたい。電話をした一日で、採尿採血レントゲン造影CTと、検査のフルコースを終わらせることができて不安を取り除くことができたことには、感謝しかない。


一日待ち時間が長かった。

この間ずっと、梅棹忠夫『夜はまだあけぬか』を読んでいた。

晩年に両目の光を失った梅棹の、口述筆記による闘病&仕事エッセイ。

実際に会ったことはないが、小長谷有紀先生と組んで、2冊ばかり梅棹の本を作ったことがある。彼ほど頭脳明晰で、しかも平易なことばで書ける学者を知らない。

目の前で起こっていること（見えていないわけだが）、考えたことを、実に的確にわかりやすくつたえる文章。誰でも書けそうな無色透明のような文体だが、実際にこれを書ける人は少ないだろうな。タイトルも秀逸。

そして碩学も、我々と同じように不安に悩み、恐怖に苦しんでいる。

このままなおらないのではないか、なおったとしても、まえの状態までにはもどらないのではないか。その不安はずっとつきまとっていた。不安と恐怖、未来の悲観的予測というのは、くりかえしくりかえしあらわれた。（中略）この心理的経験はそうとうに深刻であった。しかし、ふしぎなことにわたしは一ども泣かなかった。

そしてやはり、巨大な知性は強靭でもある。

わたしがこうなったのは、だれのせいでもない。わたし自身、あのときこうすればよかった、という後悔はなにもない。わたしは、なにひとつ失敗しなかった。わたしは後悔することもなく、ひとのせいでもないことが、ひとつのすくいだとおもった。

この日のことはうっすらとしか憶えていない。

それなりに大変な1日だったみたいだが、これまで山のようにこなしてきた通院日のな

2022

かに埋没してしまっている。

梅棹忠夫の本をずっと読んでいたことは憶えている。でもそれ以外の検査の詳細などは何も憶えていない。早朝5時に目覚めてがんセンターに緊急連絡をしたことも。その時の痛みも。

不思議なもので、痛みも苦しみも不安も、過ぎ去ってしまえばありありと思い起こすことは難しい。ただそのとき、実際にその感覚なり感情を感じているそのとき、きわめて切実に感じているだけだ。それを他人に伝えることはもちろん、あとで自ら思い起こすことすらできない。ただそこに痛みがあったことを、ぼんやりと記憶しているだけだ。

5月29日（日）

生きちゃうかもしれない

こんなタイトルではあるが、何か特別な変化が起こったわけではない。

その点はまず強調しておかなければならないが、検査の結果が劇的に改善されたとか、病状が大きく好転したとか、そういうことはない。残念ながら。

ただ、喜ぶべきこととして、この数カ月間、現状維持ができている。

そう、良くて現状維持であり、それこそがもっとも喜ぶべき状態なのだ。

そしてそれがまさに現状の維持であるからこそ、僕は自分に死が迫っていると考え続けることに倦《う》み始めているのかもしれない。

このタイトルはそういう意味だ。


僕に限らず、僕の周囲で心配してくださっている人びともまた、そのように思い始めているかもしれない。

会えば、僕はかなり元気で普通に喋りもするし食べもする。見るからに痩せて衰えている、ということもない。本当に幸いなことに。

はじめて病気についてこのブログに書いたときに、僕は「死ぬ死ぬ詐欺」ということばを使った。あれから9カ月が過ぎ、スキルス胃がんのステージ4という病気は僕に限ってはまだトップスピードを出しておらず、いまのところ、その死の速度を振り切って逃走中と言っていい。早ければ半年以内、ということもおそらくはありえたのだから。

「詐欺」とは強すぎることばかもしれないが、とはいえ「あまりにも深刻に考えすぎだったんじゃないか」と自他ともに思い始めてもおかしくない時期なのかもしれない。

2022

僕はどこまで希望を持ってもいいのだろうか。

洒落にならない病気、の思わぬ小康状態。

足元の氷が薄いのか、思っていた以上に厚みがあるのか、よくわからなくなりつつある。しかし少なくとも、明日明後日に氷を踏み抜くことは、どうやらなさそうな気がしている。

繰り返すが、「気がしている」というだけで、そこには何らの根拠もない。日々見つめている自分の身体の状態が比較的平穏だという以外に、楽観できる根拠はない。


こんなテキストを書くと、フラグになるかもしれない。

もしかしたら明日、僕は氷を踏み抜くかもしれない。いきなりそこまではいかないとしても、足元の氷が音を立て、この先の未来まで明らかな亀裂が入っていく様を見ることになるのかもしれない。

でもいま、僕はもしかしたらそんなことは当面起こらないんじゃないか……と思い始めている。


こんな僕の楽観を戒める要素はいくつかある。

絶対に目にしたくない光景が、聞きたくない知らせがあって、そこから目を逸らせるために、僕達は何でもないふりをし続けている。

こんなふうに書くことで、予め悲しみを少しでも目減りさせようと試みているわけだが、そんな細工が通用しないこともよくわかっている。

このことについてはこれ以上は書かない。ただ、いまの僕が秒で泣けるのは、自分の病気のことを考えているときではない、ということだ。

もしかしたら僕も、誰かにそんなことを思わせている?


生きちゃうかもしれない。

こんなタイトルで文章を書くことは、心配してくれる人たちを喜ばせるのだろうか。それとも不謹慎だと眉をひそめさせるか、いっそ悲しませるのだろうか。


このブログを書いてから1年近くが経って、僕はいまでも生きている。それも寝たきりとかではなく、普通に起きて、人と会い、仕事をしながら生きている。小康状態はずっと続いていると言っていい。

もちろん、変化は生じた。このときは「会えば、僕はかなり元気で普通に喋りもするし食べもする。見るからに痩せて衰えている、ということもない」と書いているが、いまは食べることはもうほとんどできない。体重も今朝計ったら40・2キロで、見た目にもかなり痩せている。腕や肩、足がひょろりと細くなっている、いかにもがん患者特有の痩せ方だ。

そういったわけで、この頃と比べれば僕の具合は間違いなく悪化している。それでも、いまなお僕は「生きちゃうかもしれない」と思っているのだ。

いまだに、死はいつのことになるのかわからない。スキルス胃がんのステージ4という病気はまだまだそのトップスピードを出してはおらず、僕ははっきりとした死の予感を感じることなく毎日を暮らしている。

告知を受けたばかりの頃は、自分の死期を知りたいという気持ちはまったくなかった。自分がどれくらいもって、いつ頃死を迎えることになるのか、そういうことは知りたくなかった。知ってもしかたがないだろうと思っていた。

いまは逆に、できることなら知りたいと思っている。

僕は自分がいつまで生きていられるのか知りたい。とりわけ、いつまで元気に活動できるのかを知りたい。そしてもし寝たきりになったり著しく活動を制限されなくてはならない日が来るなら、その期間がどれくらいになるのかも知りたい。

もしわかるなら、自分が死ぬ時期について知りたい。

この知りたい欲求は、必ずしも悲観的な考えに染まっているわけではなく、むしろそれに備えたいと思っているからだ。僕はもともと計画を立てたり、予定通りに物事を進めたりするのが好きなほうなので、自分の死も自分でコントロールして計画のなかに落とし込みたいと思っている。

現段階では、僕の死期については誰にもわからない。主治医の先生にも毎日来てくださっている看護師の方々にもわからない。でももし死期が迫っていることがわかったら、教えてほしいとは伝えてある。

それはそんなに遠いことではないのだろう。それはそれでかまわない。長生きがしたいとはもう思っていないし、死が近いのはしかたがないことだと思っている。

ただ、それを知りたい。いつの間にか手遅れになっているなんてことがないように。

きちんと知って、受け止めて備えたいのだ。

6月22日（水）

泣いてもいいよ

9月に病気のことがわかったとき、このブログにそのことを公表しました。

その前に、何人かには電話で直接伝え、何人かには個別にメールをしました。

ある人は、病気だと伝えた瞬間に、電話の向こうで声をあげて泣き始めました。

僕は反射的に、

「泣くな泣くな」

と小さく笑いながら言ったことを憶えています。


そのときは病気のことがわかったばかりで、僕はまだそのことで泣いたことがありませんでした。

告知を受けたときも、その夜も、はじめてがん専門の病院に行ったときも、僕は泣きませんでした。

その頃は泣くことを自分に許していなかった、といったほうが正確かもしれません。

だから僕は、僕のために泣いてくれている人の涙をとっさに避ける気持ちが働き、思わず知らず「泣くな泣くな」と口にしたのでした。


どういう心境の変化があったのか忘れましたが、それから9カ月が経って、いまの僕は、自分に対しても他人に対しても、またこの病気に関してもそれ以外のあらゆることに対しても、「泣いてもいいよ」という気持ちになっています。


辛いことはもちろん、嬉しいことがあっても。

子どもはもちろん、大人になっても。

ほろほろと涙を流すのはもちろん、なりふり構わぬ号泣でも。泣いてもいいんだと、いまは思っています。


誰かが泣いているとき、「泣くな」ということはもうありません。

だけど、泣いている人に何と声をかけていいかはいまだにわからないから、ただ黙っているだけでしょう。


今日は寺尾紗穂さんの新譜を聴きながら泣きました。

この人の声はどうしてこんなふうに、まるではりつめた弦が心にひっかかって震えるように響くのでしょうね。


つい最近泣いたときのことを思い出す。

ほんの2日ほど前、妻と夕飯の食卓を囲んでいた。といっても僕はほとんど食べられないから、妻が作ってくれた里芋のポタージュスープを小さなお椀に少しだけ。

食事をしながら、これまでいっぱい一緒にごはんを食べたねという話になった。

僕が東京に出てきてはじめて暮らした杉並区の古いアパートから、妻は知っている。『基本の和食』『基本の洋食』『基本のイタリアン』といった料理本を買いそろえて、狭いキッチンで文字通り料理の基本から一緒に作った。出汁巻き卵、冬瓜と鶏肉の煮物、ポークピカタ、パルミジャーノのリゾット、そして海老のアメリケーヌソースパスタなどなど、そのとき憶えたレシピは後々まで定番のレパートリーになった。

その後、僕は江東区清澄白河で親友とルームシェアをした。社会人になって、本格的にお酒を飲む楽しみを憶えたころでもあり、よく甘めで安いドイツワイン、シュワルツ・カッツを買っては、家で料理を作った。料理を作るのは僕と妻の役割で、友人はたしか皿を洗う係だったように記憶している。

4年に及んだルームシェアを親友の結婚を機に解消してからは、二子玉川で暮らした。僕の最後のひとり暮らしの舞台となったのは、高島屋のすぐ裏の飲み屋街にあった典型的なワンルーム。わずか1年ほどしか暮らさなかったけれど、ここにも妻は毎週末遊びに来て、ふたりで高島屋で買い物をしたり、多摩川でピクニックをしたりした。

そこから300メートルほど移動した場所にやや広めの部屋を借りて、2007年に僕たちは結婚した。

ご存じの通り二子玉川は外食産業がよく発達した街で、ふたりでいろんなお店で食事をした。自炊ももちろんたくさんした。その街で新婚生活を送るのは楽しかった。

それから初めてのマンションを広尾に買うことになる。広尾の商店街のど真ん中にあって、二子玉川に負けず劣らず、生活することが楽しい街だった。以降、一度マンションを住み替えて、ずっと広尾〜恵比寿界隈で暮らしている。いまのマンションが僕にとって終の棲家になるのはほぼ間違いない。

……妻とふたり、こんなことを食卓で話していた。

結婚生活も16年になった。16年というのはそれなりに長い歳月だ。

そしてそんな日々はこれからもずっと続くと思っていた。短くない時間とはいえ、それでも16年なんて、まだ折り返し地点ですらないと思っていた。

でも、どうやらそうではないみたい。

ずっと林太郎さんと生活することを当たり前と思ってきたから、もしいなくなったら、そのあとどんなふうに暮らせばいいのかわからないよ。そういって妻は泣いた。

あとに残される妻の生活を想像して、僕も泣いた。

最近はそんなふうに泣くことがしばしばある。

泣いてもいいよ、と思う。人生はときに限りなく寂しく、切ない。

僕がいなくなった後、彼女はどんなふうに暮らしていくのだろうか。

7月4日(月)

友だちが増えた

これまでの全人生を通して、僕は友だちが少ないと思って生きてきました。

実際、僕は友だちが少ないし、でも少ないけれど皆無ではないので、それでいいやと思ってきました。

転機は4年前にひとりで出版社を立ち上げたとき。

それと、昨年の9月に病気がわかったとき。

このタイミングで、「友だちが増える」という現象が起きました。

ひとりで出版社を立ち上げると、まず同僚がいなくなります。

毎日顔を合わせていた元同僚たちとも、付き合いが続く人は続き、続かない人とは自然と会わなくなります。

続く人たちとは、友人としか呼びようのない関係になったりします。

著者との関わり方も変わりました。

もちろん相手によりますが、ビジネスライクなだけの関係からはみ出して、担当編集者／取引先という関係から変わっていく人もいました。


そして昨年の9月以降。

厳密に言えば、病気になったことと友人が増えたことがそのまま直結するわけではありません。

絶飲食の入院中の病室で、僕は料理の本や動画を見ながら、「退院したら知り合いをたくさん招いて食事会をしよう」と思ったのでした。

それは前からやりたいと思っていた企画でしたが、もともとシャイで人付き合いが苦手な僕としては、ホームパーティなどは憧れてはいても実行できないことでした。

でもやらないと後悔するかもしれないな、という病状になって、ひとつやってみることにしました。すると案外に楽しく、――同じタイミングでクリームという犬の友人が加わったこともあり――以来、何度か人を招いてごはんを作ったり持ち寄ったりするようになりました。

そのなかで、僕は学生以来の友人やみずき書林の関係者たちと出会い直していくことになりました。


たとえば、自宅に招いて食卓を囲むことからはじまって。

その人の地元まで遊びに行き、親姉妹や従兄弟とごはんを食べる。

仕事とは直接は関係しない芝居や博物館や映画を一緒に観る。

犬の散歩を一緒にする。

贈り物を選ぶ。

くだけた口調のちょっとしたメッセージを送り合う。

引っ越しを手伝う。


大人になったら、「あなたと僕は友だち」などといちいち確認し合ったりはしないものです。

相手がどう考えているのかは知りません。

でも少なくとも僕は、そういう人たちは、もう、友人と呼んでしまいたい。

もちろん、いまでも友人が多いとはとてもいえません。でも、僕の人生の重要人物はもう出揃っていると考えても何の悔いもありません。

この土曜日に、青山ブックセンターで桜林直子さんと土門蘭さんの『そもそも交換日記』刊行記念イベントを聞いて、帰りしなにそんなことを思いました。

イベント後に本にサインをもらったとき、短い雑談の最後に土門さんが「お身体いかがですか」と気遣ってくださったことが、とても嬉しかったのでした。

この年の5月19日から21日まで、僕は妻と一緒に智秋さんの実家がある大阪の八尾市に遊びに行った。智秋さんはそこで病気療養中だった。

智秋さんの自宅近くにある、西日本で一番おいしいと言われるとんかつ屋さんに連れて行ってもらった。小さいながらもよく繁盛しているお店で、たしかにとんかつがとても美味しかった。それから智秋さんの自宅を訪れ、お母様、妹さんたちと話をした。

帰りはお母様の運転する車で駅まで送ってくださったのだが、そのときにお母様が「智秋は東京での生活が楽しくてしかたがないみたいで、とくに岡田さんと見元さんのお名前は何度も繰り返し会話のなかに出てくる」と言っていたのを憶えている。

6月下旬。智秋さんが東京の家を引き払うということで、みんなで方南町のアパートまで引っ越しの手伝いに行く。典型的な独身者のワンルーム。新しくはないが、住み心地がよさそうで、智秋さんらしく適度に乱雑に整っている。

智秋さんはあまり体調がよくなく、ずっと寝ている。その指示を受けながら、僕と見元さん、大川さん、田中さんが荷物を段ボールに詰めたり、掃除機をかけたりしていく。


最終日は片付けもあらかた終わり、大家さんや業者への引き渡しの立ち会いのみだったので、僕だけが行った。引き渡しを終えて、大阪へ戻る智秋さんを送って東京駅まで行く。途中、京橋で焼き鳥丼のランチ。あまり具合がよくなさそうに見えるけど、それでも美味しいものに貪欲な智秋さん。老舗の焼き鳥丼はとても美味しい。智秋さんはほんの少しか食べられなかったけど、僕はこのころはまだ量を食べられた。

それから東京駅まで歩き、新幹線のホームまで見送った。もう間もなく出発しそうなので、智秋さんは新幹線に乗り込んで、自由席まで車内を歩いていく。僕は歩幅を合わせて、外のホームを歩いていく。やがてベルが鳴り、新幹線が動き始める。窓の向こうで智秋さんが笑いながら手を振っている。僕も手を振り返す。

新幹線は速度を上げて、あっという間に智秋さんは見えなくなる。

2022年6月30日。それが智秋さんを見た最後になった。

7月20日（水）

造影CTの結果が良かったこと

昨日は通院日。

いまは3週間に1度、ケモといって抗がん剤の点滴を受けにがんセンターに行っています。

加えて、2カ月に1度ほどの頻度で造影剤を使って全身のCTを取ります。これは抗がん剤が効いているか、いまの治療を継続できるかを判断するためのものです。

もし造影CTの結果、今までなかった場所に転移などして明らかな病変が認められる場合は、治療方法を見直していかないといけません。

つまり、造影CTの結果は、現在の病気の状況および今後の予測をするうえで、とても大切なわけです。

もし結果が良くなければ、一歩後退（というかデッドラインに一歩前進）したことになります。

で、昨日は先週受けたＣＴの結果がわかる日でした。

……現状維持ができていて、あきらかな病変はありませんでした。

ほっと一安心です。

部屋に入るなり、主治医の先生が「大丈夫でしたよ」と伝えてくださいます。

その瞬間、緊張していた身体の力がふっと抜けます。

開口一番、そのことを伝えてくださるのがありがたいです。

これであと2カ月は、いまの治療を続けることができます。

2カ月後といえば9月。

病気がわかってから1年になります。

もう1年です。本当にあっという間でした。

どうやら2年生になれそうです。

それも、非常に幸いなことに、1年前に予想・覚悟していたよりもずいぶんと良いコンディションで。

病気が治ることはおそらくありません。

これは橋を落とし、家屋を燃やしながらじりじりと後ろにさがっていく撤退戦のようなものなのでしょう。

それでも、僕の身体の士気は依然として維持されています。


よい先生とよい薬のおかげです。

そして、運がいいのです。


ここからさらに半年以上が経って、いまなお僕の体調は維持されている。

もちろんこの頃と比べてよくはなっていない。抗がん剤治療は終わり、食事は食べられなくなり、体重は減った。じりじりと、僕の具合は悪くなっているのだろう。

それでも、告知から1年7カ月が経って、ここまで元気でいられるとは思っていなかった。正直にいって、もうとっくに死んでしまっていてもおかしくはなかったのだから。

それに比べれば、いまは本当に平穏無事といってもいいくらいだ。吐き気が強いときもあるし、お腹の具合が悪いときもあるが、毎日、こんなふうに文章を書き、仕事をして、夕方には犬の散歩に行くことだってできている。不満や不足を言えばきりがないけれど、冷静に考えてみれば、実に幸運だといわなければならない。

こんな状態がいつまで続くのだろう。それは誰にもわからない。

がんセンターの主治医の先生は「人間の寿命は神様にしかわからない」と言っていた。その通りかもしれない。でもそれでもなお、僕は自分がいつまで生きられるのか知りたいと思う。

もしも寿命というものがあるなら、自分のそれを知りたいと思う。

もしかしたら僕は、いまの幸運というしかない、しかし中途半端な状態がいやなのかもしれない。この際、生きるか死ぬかどっちかに振り切ってほしいと考えているのかもしれない。

病気の期間が長引き、できることが制限された暮らしもまた長く続くようになっている。それでいて、毎日は比較的平穏に続いていく。僕は毎日病気に向き合い、死について考えることに倦《う》みはじめているのだろうか。そうかもしれない。毎日死について考えるのは苦しい。自分の体調の細かい変化に一喜一憂するのもしんどい。

だからはっきりとさせたいのだ。自分が生の側にいるのか、死の側に近いのか。

思えば傲慢でわがままなことだが。

さよなら、智秋さん

8月4日（木）

8月1日。

今日から始まった今野書店での新刊フェアで、藤岡みなみさんが『旅をひとさじ』を関連書に選んでくれたことを知りました。

嬉しくなって、今野書店さんの店頭風景のtweetとともに智秋さんにLINEを送りましたが、いつまで経っても既読が付きません。

でも最近は既読になるまでにちょっと時間がかかることがあることも知っていましたから、それほど気にはしていませんでした。

夜に、見知らぬ電話番号から着信がありました。「松本智秋の妹です」と言われた瞬間に、胸が潰れるように詰まります。


智秋さんが死んでしまいました。

この日僕は実家に帰っていて、妻と両親と、アメリカから一時帰国していた姉の家族とともに賑やかに過ごしていたのでした。

諏訪敦さんの発案で、ユニクロとリコーGRのコラボTシャツを着て智秋さんに写真を送るのが仲間内で流行りました。姉の家族4人にも着てもらって智秋さんに送るつもりで、シャツを持ち帰っていたのでしたが、撮る甲斐もなくなってしまいました。

居間のソファに、畳んだTシャツが重ねて置いてありました。

僕は洗面所で泣きました。

これを書きながら、また泣いています。


わずか1年ちょっとの付き合いでした。

でもこの1年間はとても濃くて楽しい時間でした。

いまこれを書きながら、この間に撮った写真を見なおしました。

辛くて涙が流れて吐きそうです。

いろんな場面を思い出して、見元さんと3人でたくさん喋ったことを思い出しています。

いまはちょっと、そういったことを細かく書くことはできそうにありません。

ただ、智秋さんとの思い出を忘れないことが、とても大切なのだと思っています。

ひとり旅が好きだった智秋さんだから、早速わくわくしながらそっちをてくてくしているのかもしれませんね。

でもお喋りも好きだったから、誰か聞き役がいたほうがもっといいかも。

ほかの人はとうぶん来られないよ。あなたもいますぐにみんながそっちに行くことは望んでないと思う。

でも僕は近いうちに行くから。ちょっと待ってろ。

それまでにそっちで美味しそうなお店を見つけておいてよ。天国だから、いい店いっぱいあるでしょ。

愛機のＧＲで写真も撮っといて。

また一緒にごはん食べて、本を作ろう。


でもね、僕ももう少しこっちでがんばってみるよ。

あんまり早く行くと、それはそれであなたに怒られそうだからね。

満面の笑みで泣きながら、「ちょっと早すぎひん？　なにしとん？」なんて言って、近づいてくる智秋さんの顔が見えるようです。

2022

ばいばい。

またね、智秋さん。

智秋さんが亡くなったのは8月1日だった。

ご家族から、翌日2日の18時からのお通夜のご案内をいただいた。場所は智秋さんの実家、大阪の八尾市。

ここにも書いた通り、そのとき僕は岡山の実家に帰省していた。両親と妻と、アメリカから久しぶりに帰国していた姉の家族4人で、賑やかに過ごしていたのだった。翌日2日は東京に帰る予定の日だったが、急遽八尾に向かうことにした。

2日は朝10時から岡山市街に出て服を買った。黒のスーツ、白シャツ、黒いネクタイ、ベルト、靴下、黒い靴。なんせ夏休みの帰省なので、ラフで浮かれた服しか持っていなかった。一式を買い整えるしかない。

しかしスーツセレクトはすごい。開店と同時に店に入り事情を説明するや否や、あっという間に寸法を測ってくれて、どんどん服をあてがってくれる。試着と裾直しを含めて、右の一式が手渡されるまで、わずか45分。しかも帰宅して着替えてみて気づくのだが、タグやラベルの類はすべて切ってあって、すぐに着られる状態にしてくれていた。

香典の準備などもして、タクシーでいったん実家に帰る。

お昼を食べて、2階で横になって少し目を閉じる。

とても暑い日だった。これから大阪まで行って、そこから東京まで戻るつもりだった。体力を温存しておかないといけない。

起きて、スーツに着替える。小さな姪っ子が、どうして林ちゃんは黒い服着てるの？と訊いてくる。

ちょっとね、ちゃんとした格好でお友だちに会いに行かなくちゃいけないんだ。

スーツケースに入れていた帰省用の荷物は、実家から東京に送ってもらうことにする。なるべく身軽に。


15時くらい。

父と母が車で送ってくれる。まずは東京に戻る妻を岡山空港まで。それから市街に取って返して、岡山駅まで僕を連れて行ってくれる。

道中はずっと無言だった。

もう間もなく岡山駅に着くというところで、ぽつりぽつりと智秋さんのことを話した。せっかくだから、お互いの家族も含めて会えたらいいねなんて話をしたことがあった。

2　0　2　2

実現はできなかったけど、智秋さんの話はずっと両親にはしてたんだよ。本だって読んでくれてたしね。だから会ったことはなかったけど、身近に感じてたんだ。

岡山駅から新幹線で新大阪へ。

私鉄に乗り換えて、斎場のある駅まで。初めての場所に行くときに慌てるのが嫌だから、僕はいつも1時間くらい早めに着くことにしている。

少し時間がある。外は暑い。

駅前のミスタードーナツに入り、ドーナツをひとつとアイスティーを頼む。二度と来ることはないであろう、八尾のミスド。僕はいかにも場違いで暑苦しい喪服姿だ。

前回八尾に来たのは5月の半ば。もちろん智秋さんに会いに行ったのだった。あのときは一緒に「関西で一番おいしい」というとんかつ屋に行ったね。噂通り、ちょっと感動的に美味しかった。

18時前。

駅からタクシーで行こうと思っていたが、タクシーが一台もいないし、くる気配もない。しかたなく、徒歩15分ほどあるという斎場まで歩き始める。

住宅地を抜けて大きな国道を渡って、もう少しで着くというところで、後ろから声をかけられる。見元さん。

お互い、いままで見たこともなかった黒い喪服姿。

智秋さんが見たら「ふたりともなんか違うな〜」と笑ったに違いない。


斎場について、お経を聞いて、ご遺族のご焼香。それから我々の焼香。

最前列のご遺族に一礼。お母様が泣いていらっしゃる。

祭壇の横には、『旅をひとさじ』が飾られている。

智秋さんの遺影は文庫本を持っていて、森岡さんがデザインした白いTシャツを着ていた。


ご焼香が終わってみると、いつの間にか荻田さんが来ている。

子どもたちと歩く100マイルウォークの途中で、たまたま奈良にいたとのこと。それで急遽車を飛ばして、隣県まで駆け付けてきた。

歩きやすいTシャツと短パンとスニーカー。でもそんなことはぜんぜん関係ない。智秋さんが見たら「っぽいわ〜」とやっぱり笑ったことだろう。

さすがのフットワークと情の厚さ。

それから、智秋さんのお顔を見るために、列を作って祭壇へ。僕の前には見元さんと荻田さん。

正直、智秋さんを見るのがこわい。

こわいというか、心の準備ができていない。

ここに来るまでに、新幹線のなかでも私鉄のなかでもミスドでも、この瞬間のことばかり考えていた。でもいざとなると、心が縮み上がっている。

亡くなってしまった智秋さんの顔。あんなによく笑ってよく泣いていた智秋さんの顔。

対面を終えた見元さんが、ぼろぼろ泣きながらお母様と話をしている。棺の前で体をかがめている荻田さんの背中が見える。

順番が来て、僕はおそるおそる棺に近づく。

小窓から、智秋さんの顔が見える。

明るい水色の和服を着て、瞼を閉じて、ほんの微かに口元が開いていて、頬はふっくらしていて。ほんとに眠っているような、穏やかな表情だった。

お母様と妹さんたち、5月に会った従兄弟さんにご挨拶して、隣室で食事をいただく。

見元さんと荻田さん、井上陽子さん、大阪のお友だち。途中から二階堂和美さんも同席して。

智秋さんに。と献杯。

しばし智秋さんの話をした。

さっきまで泣いていたみんなも僕も、なんだかさっぱりした表情。

生きているって不思議なものだ。

こんなときでもごはんを食べて、笑顔で話をして。もう二度とやってこない今夜をみんなで分け合った。


その日のうちに東京に戻りたかったのだがぎりぎりで終電を逃したので、結局大阪に一泊することに。

5月に泊まった新大阪のホテルに電話して部屋をとる。

帰りの駅のホームで、二階堂さんとばったり。広島に戻るという二階堂さんと、新大阪まで一緒に帰る。

今まではメッセージのやりとりだけで今回が初対面だったが、40分ほどゆっくり話をすることができた。智秋さんとの出会いや、今年の3月に亡くなってしまった伴侶のガンジーさんのこと。宗教者として、信仰することと歌うことの関係について。

新幹線の乗り換え口で、握手して別れた。

柔らかくて温かな手だった。

8月15日、毎年この日は鬼門筋なのか

8月15日(月)

敗戦の日。

体調変わらず。

朝から終日病臥《びょうが》。

義理を欠いていて早急に対応したい仕事があるが手がつけられない。

以下、次の診察の時の私的な備忘録。胃がん治療と他人の体調不良の記録を読むのは辛い、という人は飛ばしてください。

今後はこうした記録が増えるかもしれない。


左脇腹に痛み。ベッドとトイレの往復。

食欲なし。

朝食のスープと小さなパンも完食できず。
自己判断でTS-1を飲むのを止める。
下痢止めを飲み始める。
昨夜、ほぼ眠れなかったので、昼までなんとか眠る。

昼過ぎ、回復しないので主治医の先生に電話。
やはり抗がん剤の副作用の可能性が高い。
・抗がん剤を飲むのは中止
・水分を摂る
・下痢止め飲む
・以上をもって腸管を休める
という方針を指示してくださる。安心感が圧倒的に違う。
ポカリスエットやお茶を飲んで眠る。
飲むと腹痛→トイレのコース。
でも方針が定まってひとまず安心。

ところが、夕方までうとうととして起きたら38・5度の熱が出ている。

すでに病院はクローズしているので、時間外受付に電話。当直の先生に相談。
・鎮痛解熱剤を飲む
・抗生剤を飲む
・夜中に大きな変化があれば救急車かタクシーで病院へ
・明日の朝になっても変化がなければ、主治医の先生に再度相談
自分で動けていて、水分が補給できるなら、ひとまず心配はないとのこと。

これ以上何事もありませんよう。

TS-1↓OUT
ロペラミド↓IN
カロナール↓IN
レボフロキサシン↓IN
というフォーメーションで。
あとは水分をできる限り摂ること。

結局、このまま入院することになる。

ちょうど1年前とまったく同じ日付での入院となった。

1年前は原因不明の激しい腹痛、嘔吐としゃっくりの併発に悩まされ、食べることも眠ることもできずに緊急手術となった。腸閉塞だった。手術そのものは成功したのだが、その後の検査過程でがんが見つかることになった。

今年のこのときの入院は、抗がん剤の副作用が強くなったため。だからちょっと入院して身体を休めれば、数日で出てこられるものと楽観視していた。

でももちろん、そんなことでは済まなかった。

副作用の影響で腸炎になり、結局、入院期間は8月いっぱい、15日間に及ぶことになった。

ベッドのうえで生きる　8／20―21

8月21日（日）

8月20日（土）
午前中にオンラインで研究会。
検査着を着て病室のベッドからログイン。

清水亮さんをはじめとする若手研究者たちが新たにスタートさせた研究会のキックオフミーティング。

以前それぞれに仕事をした塚田修一さん、遠藤美幸さん、後藤杏さんなどが一堂に会していて、不思議な気持ちがする。

レントゲン撮影が入って最後が聞けなかったけど、充実した若手メンバーでいい会になりそう。


午後にもうひとつオンラインの研究会に参加。

小倉康嗣先生、木村豊さんらが主催。

社会学のフィールドワークとドキュメンタリー映画の技法を比較・議論する会。


ゲストスピーカーは大川史織さん。

こちらも病室からそぐわない服装で発言。

小倉先生とは去年から会おう会おうと言いながら、僕の体調のせいで何度も繰り返し予定が流れている。

大川さんのマーシャルとの出会い、映画や本作りのプロセスは、なんど聞いても眩しい。

ふたつの研究会はともにとても刺激的だった。

保苅実『ラディカル・オーラル・ヒストリー』が重要文献として言及されたことも共通していた。

もうすこし生きていたいなあと思う。

彼ら彼女たちと一緒に、ごく普通に、まっとうに生きてみたい。

8月21日（日）

昨晩は4時頃目が覚めて眠れず。

点滴が主食だから何も出ないのだが、お腹の具合が悪くて、30分おきにベッドとトイレを行ったり来たり。苦しい。

半覚半睡のまま何もできずに昼になり、ロペラミドの量を増やしたおかげで午後は少し楽になり、5時まで眠る。

つまり、今日はほとんどまったく何もしないまま、夕方になった。ただトイレとベッドの間の7―8歩を何度も往復しながら息をしてただけ。

16階の窓からは、新橋汐留方面の高層ビル群と、レインボーブリッジからお台場が見える。

明日は朝の採血の結果次第で、どういう処置になるか決まる。本入院のメインイベントといっても過言ではない。

今日はそのための休息日と考えよう。


それでもこのときの2回目の入院は、まだ元気だった。

2021年の1度目の腸閉塞の入院、そしてこのあとすぐにやってくる3度目の入院に比べれば、比較的元気に入院生活を送ったといっていいだろう。

実際、ここに書いたふたつのオンライン研究会のほかにも、荻田さんと井上奈奈さんが銀座で開催したブックイベントもオンラインで聴くことができた。

なんと、飲み会にも参加した。池袋の中華料理屋にいる小倉康嗣先生と根本雅也さんのところとオンラインでつながって。彼らはビールを飲み、僕は白湯を飲んだ。わずか30分程度の参加だったけれど、楽しかった。

家族とも連日のようにビデオ通話ができた。

コロナ禍で面会は全面的に禁止だが、オンラインツールを駆使すれば、外界と接触を持つことができる。もちろん対面で会えたほうがいいのかもしれないが、それが難しい場合には、オンラインも心強い武器になる。

差し入れや励ましのメッセージもたくさんいただいた。

ひとつひとつに返信して対応するのが難しいほどに。

そしてこの入院期間中に、僕はがんの2年生になった。

そのことを書いた8月27日のブログを引用する。


ちょうど去年の8月27日（金）。

腸閉塞で入院していた僕は、あと数日で退院というこの日に、がんの告知を受けたのでした。

まだスキルスということは判明していませんでした。でも切除した大腸にがんが見つかり、どこかの原発巣から転移していることがわかったのでした。


今日はあの日からちょうど1年です。

つまり、2年生に進級したことになります。

ここまでもったことで、十分に感謝すべきです。もっと早くダメになる可能性だってあったのだから。

1年が経って、去年とほとんど同じスケジュールでまた入院しています。この入院期間中に、残念ながら胃のがんが拡がっていることがわかりました。

しかしそれでもなお、だからこそ、このように生きていることに喜びを感じます。「喜びを感じる」なんて実にありきたりで何も伝わらない言い方だけど、でもこの1年を振り返り、いなくなってしまった友人を思い、いてくれるみんなのことを考えると、贅沢なことだと思うのです。

もちろん、生きていることは純粋で混じり気のない喜びだけではありえません。大小さまざまなレベルで、しんどいことや辛いこともたくさんあります。とりわけ、人に迷惑と心配をかけながら生きていくのはつらいことです。果たせないかもしれない約束を励ましとして手渡してくださる方がたくさんいます。それはとてもありがたく、同時に心苦しいことでもあります。

でも、せっかくここまで来たんだから、力の及ぶ限り踏ん張ってます。

退院したら、セカンドラインの治療が始まります。これまでは3週間に1回だった通院が、原則として毎週1回に増えます。そんな暮らしにも慣れていかないと。

このようにして1年が経ち、僕はがん患者の2年生に進級した。この間に同じ病気だった智秋さんが亡くなった。それでも僕はまだ生きている。あと数カ月もてば、また9月がやってくる。僕は3年生になれるのかもしれない。

9月2日(金)

昨日は退院後の最初の検査。

血液検査の結果は良好。

食欲も戻ったし、体調は悪くありません。

やはり入院してゆっくり休んでよかった。


それから、主治医の先生に今後の治療方針の説明をいただきました。


思えばちょうど1年前に抗がん剤治療が始まったのでした。

簡単に書いておくと、最初の半年間は、TS-1という飲み薬とオキサリプラチンという点滴薬の併用。

そのあとはオキサリはいったんやめて、TS-1とオプジーボ。

そしてオプジーボの副作用が濃くなってきたようなので、ここからはセカンドライン と呼ばれる薬に切り替わります。

パクリタキセルとラムシルマブという点滴薬になります。

パクリタキセルとラムシルマブは、比較的副作用は少ないとされているようです。そういう意味では、日常生活は今まで通りに営めると思います。

いっぽうで、この薬を使うと頭髪などが抜けます。

まあ僕はウィッグなどは使わずに、基本はスキンヘッドで帽子や眼鏡でごまかしながら暮らそうと思っていますが。しかし眉毛がないのはさすがに怖いので、昨日、人生初のコスメセットというのか何というのか、眉毛を描くセットを手に入れましたよ。

実際の治療が始まって毛が抜けるまではあと1カ月ほどあります。

座して抜けるのを待つのも性に合わないので、この間に自発的に頭を丸めてしまう所存です。

このあと、僕は自発的に頭を丸めた。やはり頭髪が抜け落ちていくのを座視しているのは耐えられそうになかったからだ。

ある日シャワーを浴びていたら髪の毛がごそっと抜け落ちる。あるいは朝目覚めて枕を見たら、頭髪が大量に抜け落ちている……そんな風景を目にするのが嫌で、ならばいっそのことこちらから全部そり落としてしまおうと思ったわけだ。だからバリカンを買って、ひとまず5ミリくらいに刈り揃えた。

なお、毛が抜けるというのは、なにも頭髪に限った話ではない。身体中のあらゆる部分の毛が抜けるわけで、そういった部分の毛もあわせて剃り落としたことも書き添えておく。

たしかにこのあと治療が始まってしばらくしてから、毛は抜け始めた。そのときは覚悟もしていたし、すでに自発的にかなり短くしていたので、ビジュアル的にショックを受けることもなかった。

いっぽうで、結局眉毛が抜けることはなく、結局コスメを使うこともなかった。

このあたりは個人差があるのだろう、僕は髪の毛は抜けたが、眉毛やまつ毛は無事だった。

2022

9月12日（月）

「自分の人生が、けっこう気に入ってる」

どういう会話の流れだったのか忘れましたが、かつて松本智秋さんと話をしていた時に、彼女が、
「自分の人生が、けっこう気に入ってる」
と言っていました。

今日、義弟の運転する車の後部座席から海を眺めていたときに、不意にそのやりとりを思い出しました。

僕もいま、自分の人生がけっこう気に入っていることに気づきました。
なぜそう思うのかというと、僕にとっては十分な人数の、僕にはもったいないような人たちが近くにいてくれるからに尽きます。

かつては自分自身のことがそれほど好きではありませんでしたし、自分の人生が気に入っていない時期もありました。

それが上向いたのは2018年の春からで、2021年の秋以来、上向いた気持ちは踏み固められてより強固になりました。

シャレにならない病気になることの最大の効能のひとつを教えようか。

それはこういうことを書いても、たいして恥ずかしいとも思わなくなることです(笑)。

それどころか、言いたいことはしっかり言っておいていいという気持ちになります。

健康だったらこんなことを思うことはなかったでしょうし、ましてやこんなことを書くこともなかったでしょう。

ああ、やっと来られたよ。

元気そうでなにより。

泣けるね。

『旅をひとさじ』のサイトに不定期連載していた智秋さんのエッセイ。

最後の投稿になった「Hello from Bangkok」の最後の一節。

いわば智秋さんの絶筆です。

2022

最後のメッセージが旅先からというのがいかにも彼女らしい。

旅をなによりも愛し、そんな自分が気に入っていた智秋さん。

僕もたくさん喋ってたくさん書いておかないと。

言い忘れたことがないように。

退院してしばらくして、妻と義妹夫婦とクリームと、1泊の旅行に出かけた。

義弟が車を出してくれて、千葉の端にオーシャンビューの一軒家を借りて、海を見に行ったのだ。

天候にも恵まれ、壁一面をとった大きな窓からは海が綺麗に見えた。

夕食と翌日の朝食は近くのスーパーで食材を買いそろえてきて、僕が作った。

牧場にも行って、クリームは羊やアヒルやヤギに紛れて、興味津々であっちこっち嗅ぎまわっていた。よい旅行だった。

帰り道、車で走っているときに、不意に智秋さんのことばを思い出した。

この旅行用に編集したプレイリストのなかに、二階堂和美さんの「いのちの記憶」（智秋さんと二階堂さんは仲良しでした）、スピッツの「こんにちは」、RENTのサントラから「Seasons of Love」などを入れていたからかもしれない。

自分の人生がけっこう気に入っている。人はみな、そのように生きていくべきだと思う。そんなふうに生きていけたら、どんなに素晴らしいかと思う。

ときにそれは難しいことだが、でも末期がんに冒されていた智秋さんもそんなふうに自分の人生を見ていた。

僕はそのことをずっと憶えていたい。そして僕もそのように自分の人生を捉えていたいと思う。

10月5日（水）

体温が乱高下

抗がん剤の副作用だと思うけれど、週末から体調がおかしい。

いきなり熱が38・6度まで上がり、翌日になっても引かないので念のためにPCR検査を受けたのが先週の土曜日。

ところが検査会場の病院で熱を測ったら平熱。

もちろん、ＰＣＲは陰性。

それはそれとして、吐き気と倦怠感が強い。
これもパクリタキセルの典型的な副作用。
なんとなくぐったりしているうちに、また37度台まで熱が上がる。
日曜日もそんな感じで体温が乱高下。
オンライン研究会には参加できたものの、どうにもおかしい。

月曜と火曜はまあまあ平熱で落ち着いていたんだけど、倦怠感は強い。
集中力に欠け、仕事と仕事の切り替えがうまくできない。

今日はまたしても38度まで上がる。
とても行きたかったイベントがあったのに、泣く泣く諦める。
みんなに会いたかったなあ。

明日にはよくなってますように。

抗がん剤治療中はこういうことがちょくちょくあった。

副作用は人によっても違うし、タイミングによっても異なってくる。

このときは体温が落ち着かず、吐き気と倦怠感に悩まされている。

この日から20日後に、僕は再び入院することになる。

かなり厳しい入院になった。3度目にして、いまのところ最後の入院。


以下は、このブログを書いた8日後に、がんセンターの待合室で書いた記事。

自分が死んだ後のことも考えはじめている。

たとえば葬式のやり方だったり、埋葬のしかただったり、あるいは会社をどうするか、残った出版物をどうするかということだったり。

死ぬというのはなかなか簡単なことではない。そういう実務的なことも考えておかないといけないらしい。人生は即物的で非情緒的な面ももっている。僕としてはせめて死くらいはシンプルに迎えたいと思っているのだが、そうも言っていられないみたいだ。

いまから何年も先のことだけど
僕が歳をとって髪が薄くなっても
まだバレンタインや誕生日に

2022

お祝いやワインを贈ってくれるかな
深夜の3時近くになってまだ帰ってこなかったら
ドアに鍵をかけるかな
まだ僕を必要としてくれるかい
僕を気にかけてくれるかい
僕が64になっても

(The Beatles, "When I'm Sixty-Four")

3〜4年前から、趣味でウクレレを弾いています。簡単なコードをいくつか憶えて、歌いながら弾いて遊んでいます。ウクレレも歌も下手くそですが、それは特に問題ではありません。誰に聴かせるわけでもなく、自分で楽しめればそれで十分です。今まで聴いてきたロック・ポップミュージックを中心に、レパートリーは100曲くらいはあるでしょうか。もちろん、アプリでコードと歌詞を見ながら弾くわけですが。

去年の今頃に病気がわかり、それから歌えなくなった曲がいくつかあります。

冒頭に訳したThe Beatlesの“When I'm Sixty-Four”もそのひとつです。
ポール作の、チャーミングなラブソングです。

僕が64歳になることは、おそらくありません。

妻が64歳になったときに、僕がそばにいることはないでしょう。

自分で弾いて歌って自分で泣いていれば世話はないのですが、この曲を弾くと涙が滲んできて、最後まで歌うことができません。

＊

先日、実家から両親が上京してきました。

1年前から、コロナ禍のこれまでは考えられなかったほど頻繁に、両親と会うようになり、いろんなことを話すようになりました。

この週末は、墓のことを話しました。

結論から書いてしまえば、実家のある岡山の田舎の累代《るいだい》の墓に入りつつ、一部を分骨して東京で樹木葬にするというアイデアに落ち着きそうです。

これから詳しく調べてみないといけませんが、信仰がまったくなく、戒名などにも

2022

まるで関心がない僕としては、一代限りで宗教とも可能な限り距離をとれる樹木葬というのは、なかなか悪くないと思っています。

本当はそのあたりに適当に散骨してくれても、個人的にはまったく問題ないのですが、散骨は散骨で手続きが面倒くさそうで、かつ、やはり何らかの具体的な手を合わせる先（という言い方の信仰臭に抵抗があるなら、何らかの目を閉じる先）があるといいなという妻の希望もあります。その気持ちはわからなくもありません。

いまはそんなことを家族で話し合っています。

それはなんだか凄まじいことだな、と思うのです。

（誤解のないように書いておきますが、まだ元気で気持ち的にも切羽詰まっていないときに、こういうことを話し合っておくことは大事なことだと考えています。僕は性格的にも、こういうことは先に見通しを立てておきたいタイプです。昨夜は気付いたら、通夜の夜のクリームの散歩をどうするかについて妻に話をしていて、さすがに失笑しました。僕は取り越し苦労の多い、計画を立てるのが好きな、そういう性格なのです）

ここでいう「凄まじさ」というのは、自分が死んだ後のことをみんなで具体的に組み立てる、ということの一種独特な特異さを指します。

もちろん多かれ少なかれ、病気であれ高齢であれ、死を予期する時間を許された者たちみんなが通る道です。こういうことを考え話し合うこと自体はありふれた風景かもしれません。

しかし実際に自分がその場に身を置いてみると、いささか感慨があります。当事者でありながら、もっとも無関係。絶対にそこにはいないことが大前提でありながら、話題の中心人物でもある。自分がどこの墓に入るか、通夜をどうするか、今のうちに意思表示して決めておかないといけないことです。同時に、心の底まで浚ってみれば、これほど生きている自分と隔たりを感じている話題もそうはありません。

死の準備とは、思っていたよりも具体的で即物的な側面を持っているようです。そしてそのようなひとつひとつに対処していくのが、家族というものの最終的なかたちのようです。

＊

あなたも歳をとるんだよ
もしイエスと言ってくれるなら

ずっと一緒にいるよ

冒頭に引用翻訳した部分の続きの一節です。

あなたが歳をとっても、僕は歳をとらない
残念だけど、ずっと一緒にもいられない
ただ、通夜の夜には、棺に入る前に、クリームの散歩について行こうかな
そのあとは、樹の下で本でも読んでいようか
まだ僕を必要としてくれるかい
僕を気にかけてくれるかい
あなたが64になっても

以上、がんセンターの2階B外来のウェイティングスペースにて記す。

10月18日(火)

3食作る。クリームうれしょん

久しぶりに3食ごはんを作る。

朝食は妻にはチーズ、ハム、半熟目玉焼き、オレガノ入りバターを塗ったフォカッチャサンド。

僕はバナナとブドウ。

ミルクティー。


昼食は出汁巻き卵、頂きものの笹かま、トマトサラダ、冷奴、ごはん。

不意に嘔吐感があり、完食できず。


昼過ぎにアーヤさんと我が家でミーティング。

2週間前に会う予定が僕の体調が悪くてぐだぐだだったので会えず、やっと今日会えた。

クリームも嬉しかったのか、おむつをする寸前にいきなり嬉ション。まったく。

その後も妙にはしゃいじゃって、今日はかっこわるいところしか見せられなかったクリームであった。

2022

夕食は家にあった豚コマ切れやひき肉で、簡易魯肉飯《ルーローハン》を作ったところ。

八角の香りが最近はお気に入り。


『「いただきます」の人類史』の一部抜きができあがってくる。

カバーの箔押しが綺麗に仕上がっていた。

あとは金曜日の完成を待つばかり。

僕にとってもかなり特別な本。問題なく出来上がりますように。


病気中のなんでもない日常。

久しぶりに3食全部作ったのが特筆すべき点。

そしてこの日がおそらく、そんなことができた最後の日になったのではなかったかと記憶している。

昼食を完食できなかったことは憶えている。大した量でもなかったが、たくさん食べることができなくなっていった時期だった。

夕食の魯肉飯もごく少量だったけど、最後まで食べきれたんだったかどうか。

この後しだいに吐き気が強くなり、入院してから以降は食べることがほぼできなくなった。料理や食べることといった好きだったことができなくなっていく日々。

ほかにもアーヤ藍さんとミーティングしたり、本の一部抜きが出来上がってきたりしている。このあたりはかろうじて日常生活のなかに踏みとどまっている。

『「いただきます」の人類史』は、がんセンターの主治医の先生の奥様で、小児科医の蒼井倫子先生の著作。もし僕がこの病気になっていなかったら、出会うこともなく、実現することもなかった企画だ。病気になって主治医の先生に出会ったからこそ生まれた、そういう意味では不思議な縁に恵まれた書籍だった。

その後、僕の入院を経て、アーヤさんとの本は、編集を大川さんと藤岡さんの春眠舎にお任せすることになる。編集：春眠舎、刊行：みずき書林という体制。

考えてみれば、この本にとっては結果的にベストな布陣になったかもしれない。

これを書いている時点で、本はまだかたちにはなっていないけれど、いずれ刊行になるだろう。アーヤさんにとってははじめての単著。

みずき書林を立ち上げたばかりの最初期の頃、『タリナイ』のアップリンク上映が決まるか決まらないかといった2018年8月くらいの時期を思い出す。

その頃には、藤岡さんたちとZINEを作ったり、こうしてアーヤさんと本を作ることになったりするとは思ってもみなかった。本を作って広く刊行できるという能力は、ときに世界を広げてくれ、人を幸福にする。よい職業だと思う。
それにしても、この頃は体調不良の話題が多く、仕事のことはあまり書いていない。いま思い返しても、なかなか仕事に集中できない、かなり苦しい時期だった。どうにか仕事に復帰できるようになるのは、この後の1カ月ほどの入院と退院後の厳しい時期を乗り越えた後になる。

10月25日（火）

また入院。何度でも立ち上がりましょう

暖かい日の夕方に冷たいビールをぎゅっと飲んだり。
しっかり肉厚の鰻重に山椒をたっぷりかけてお腹いっぱいになるまで食べたり。
細麺の豚骨ラーメンを替え玉してみたり。
羽田の国際線ターミナルでみんなでちょっと興奮しながらパスポートを覗きあったり。
キロ5分半のペースで皇居の周りを走ったり。

抜けるような秋空の下でなんの憂いもなく気分爽快に目覚めたり。
きっと今生《こんじょう》ではそういうことをするのはもう無理だろうと思います。

でも、
冷たいジュースをゆっくり飲んだり。
キウイやオレンジにヨーグルトをかけて食べたり。
ベッドで楽な姿勢になって厚い本を読んだり。
ビートルズやジョニ・ミッチェルのアルバムを順番に聴き直したり。
クリームを連れて手を繋いで歩いたり。
朝起きたときにほんの少しでも調子がいいと嬉しかったり。
そういうことはこれからも受け取れるだろうと思います。

(いま、とても遅い時間で異例のことながら、明日の処置をするお医者さんが来てくれて説明をしてくれました。やはり今後はあまり堅いものや大きなもの、咀嚼に長時間を要するものを食べるときには慎重になったほうがよさそうです)

前の退院から2カ月を待たずして、また入院することになってしまいました。

2　0　2　2

こんなことを繰り返していくうちに、僕は少しずつ弱っていくのかもしれません。そしてやがて死ぬのかもしれません。それは遠くに見える雨雲のように、まだ朧《おぼろ》げにしか見えないけれど確実にこちらに向かってくる、避けようのないことなのかもしれません。

でもしゃあない。

どっちにしろ、ギリギリのところまでは生きているほかに選択肢などないのだから。

3日前、ある人からいただいたメールの末尾には「何度でも立ち上がりましょう」と書いてありました。

昨日、ギリギリまではふんばって生きてみせないといけない理由が、もうひとつ増えました。

吐き気は辛い。胃酸が喉を焼き、吐くものがないから、胃がひっくり返るように身体が痙攣《けいれん》する。

倦怠感もしんどい。頭の中ではやらないといけないことが山積みなのに、身体が言うことを聞かない。僕は仕事を続ける資格を失いつつあるのかもしれない。

いま、僕の右の鼻の穴にはチューブがぶっ刺さっていて、それは胃まで届いて不要物を吸い出している。鼻と喉の奥が気持ち悪いったらない。こんな状態で一晩過ごすなんて。

ああ、一口でいいからオレンジジュースを飲みたいな。でも飲んだら吐くんだろうな。


ぜーんぶしゃあない。

しゃあないんだよ。

それでもギリギリまでふんばって、何度でも立ち上がらないと。


激しい嘔吐に見舞われて、結局前回の入院からすぐに3度目の入院となった。

この入院は1カ月とちょっと続くことになる。そして僕自身ははっきりと自覚はしていなかったが、その間に僕は死にかけることになる。

この入院を境に、僕は点滴で栄養をとる生活になり、食事はほとんど食べられなくなった。

でも、ジュースをゆっくり飲んだり、ヨーグルトを食べたり、本を読んだり音楽を聴いたり、クリームと散歩に行ったり、朝調子がいいと嬉しかったり、そんなことは確かにいまでも享受できている（この原稿は夕方の17時頃にみずき書林のオフィスで座って書いている。ＢＧＭはキース・ジャレットの『ザ・ケルン・コンサート』。これを書き終わったら、クリームの散歩に行くつもりだ）。

「何度でも立ち上がりましょう」というメッセージをくださったのは、国立歴史民俗博物館の三上喜孝先生。

三上先生とは２０１８年の春に大林宣彦監督のインタビューに一緒に行ったり、いくつかの忘れられない思い出がある。先生は大林監督の筋金入りのファンだった。その大林監督もがんで亡くなった。

それでも我々は、生きている限りは何度でも立ち上がらなくてはならない。

死は避けがたくやってくるけれど、それまでは生きているのだから。

苦しいこともしんどいこともある。こうやって日々生きていても、体調の変化は常にある。

死の予感を感じるのは苦しい。自分が間もなく死ぬんだという感覚は、なんともいえない無力感を感じさせる。

でも、死ぬ瞬間まで僕たちは生きている。なんにせよ、そこまでは生き続けないといけない。

たとえ様々なことができなくなっていったとしても、逞《たくま》しく、平然としていたいと思う。

とにかく生きてます

11月8日（火）

こんなにもエントリーの間が空いたことはなく、ご心配とご迷惑をおかけしています。

毎日同じように布団の中で眠っているだけです。だけど今後の治療の大きな方針も立ちました。

まだまだがんばります。

先月先月21—から23日今月まだ、しかかけない。

この間、20日ほどブログの更新が滞った。こんなに間が空いたことはかつてなかった。

この20日の間に、さまざまな検査を行い、胃のなかにステントを設置する処置をはじめ、さまざまな対処を行った。うまくいったものもあれば、なかなかうまくいかなかったこともあった。

僕は朦朧《もうろう》としていて、長いテキストを書くことはできなかった。それどころか、ひどいときには今が何曜日の何時なのかもわからなくなっていた。自分がどこにいるのかもわからなかった。本当は築地のがんセンターにいるのだが、なぜか筑波大学病院にいると思い込んでいた。そんなところには行ったこともないのに。

そして頭の片隅では、そんなふうに日時も自分の居場所もわからなくなっていることが異常な事態だということも把握していた。だから看護師さんに「ここはどこですか」なんて訊いてはいけないということもわかっていた。

濃い霧のなかを前に進んでいるのか後ろにさがっているのかさえわからないような状態で、何日も過ごした。そんな漠然とした朧げな状態だけを何となく憶えている。

僕は知らなかったが、妻は主治医に呼ばれて、もしかしたらこのまま退院できないかもしれないと言われた。そんな状況だった。

このブログの最後の一文はまったく意味をなしていない。

朦朧とするなかで、なにかを書こうとはしたのだろうが。

12月5日(月)

できることは減っていくけど

退院して、ひとまず体調を自分のコントロール下に置くことを目指しつつ、日々を過ごしています。訪問看護師の方たちの手厚い看護も本当にありがたい。

こうなってみると、かつての僕にはそれなりの気力や体力が備わっていたのだと思います。

いまはそれらが愕然《がくぜん》とするほど落ちている。

……いま、寝落ちして、この間に15分ほど空いた。

かける量も減った。

でもできる範囲のことを少しずつ。

ああ、もう、それしかないのよ。

みんな、見守ってください。

1カ月以上入院して、たしか12月1日に退院した。

このブログ記事は退院5日目ということになる。まだ意識もはっきりとはしておらず、いささか呆然としながら曖昧に日々を過ごしていたことがわかる。

ずっと寝ていたので体力が激減しているし、仕事をする気持ちも弱まっていた。何よりもこの時期、気力が底をついていた。

先の入院中には朦朧としていることが多かったが、そんななかでも、がんセンターの主治医の先生に「気力をなくしてはいけないよ」と言われたことをよく憶えている。生きる気力、という意味だったのだろう。


それでも、少しずつ、僕は回復していくことになる。

それには、訪問看護・訪問診療の力が非常に大きかった。

新しく訪問診療の主治医となった松尾先生。訪問看護師の田中さん、前田さん、中村さん、土方さん、林さん、上村さん、山元さん、賢見さん。理学療法士の樽見さん。そんな人たちに支えられて、僕はここから回復していくことになる。

12月17日(土)

在庫を生き延びさせたい

前にも書いたかもしれませんが、ひとり出版社である以上、僕がいなくなったらみずき書林も消滅します。

そのこと自体には抵抗はありません。

ただ、作った本は何とか生き残らせたい。

ほとんど唯一の願いと言っていいでしょう。

僕がいなくなってみずき書林がなくなった後も、本だけは何らかのルートで入手できるようにしておきたい。

今のところ思っているのは、仲間の出版社に在庫(もちろん全数である必要はありません。あくまで適正部数。残部は断裁するしかありません)を持ってもらい、流通させてもらうという方法です。

在庫管理費の発生、ＩＳＢＮの付け直し、カバーの掛け替えもしくはシール対応などの手数をかけることになりますが、これが実現できれば一番かもしれません。

２０２２

あとは極小部数のみを残し、小社の通販サイトのみを活かしておいて、通販オンリーで流通させるか。

この方法の場合は、残された家族（妻）に発送などの手数をかけることになってしまいます。また、在庫をどこに置くのか（倉庫に置き続ける？↓在庫管理費は？／自宅に置く？↓少部数とはいえ多すぎでは？）といった課題も出てきます。

これを読んでいる業界の方で、どなたかよいお知恵をお持ちの方は、

rintarookada0313@gmail.com

までお知恵を拝借できると幸いです。

よろしくお願いいたします。

このことについては、この後、２０２３年２月16日のブログにその後の経緯を綴った。結果的にいうと、みずき書林は妻を代表取締役にして、当面の間存続させることになった。書籍の流通は今まで通り維持され、本が突然入手できなくなるという事態は避けられることになった。

結果的にそれは喜ぶべきことだったが、要するにこの時期、僕は会社をどう閉じるかということばかりを考えていた。

入院を経て、もうこれ以上本を作り続けるのは無理だと考えていた。

ちょうどこの頃、原作・ニール・フィリップ／翻訳・岡本広毅『ガウェイン卿の物語』という書籍を刊行した。

とはいえ僕は入院しており、最後の編集および印刷製本などの最終段階の工程は、ほぼ妻と堀郁夫くんに協力してもらってようやく終わらせることができたといった状態だった。

この本は『グリーン・ナイト』という映画の公開に合わせて刊行するはずだったのだが、その予定も大幅に狂い、映画公開に合わせることもできなかった。

そんな忸怩《じくじ》たる体験を経て、体調の悪さも重なり、このときにはもう新しい本を刊行することはないだろうと考えていた。だとすれば、いま進行中の企画を手離して整理して、みずき書林をいかにクローズするかを考えなくてはならない。悔しいけれど、そう考えるよりしかたがなかった。


会社がなくなるのはしかたがない。ひとり出版社なのだから、そのひとりである僕がいなくなったらみずき書林もなくなるのは当然のことだ。

ただ、これまで作ってきた本がもう手に入らなくなることは避けたかった。なんとかし

2022

て、みずき書林がなくなった後も、しばらくの間だけでも本が手に入る環境を整えておきたかった。

ちなみにこのブログは、山田南平先生、藤岡みなみさん、諏訪敦さんらがSNSなどで紹介くださったこともあり、みずき書林のブログ記事としてはかつてないPVを叩きだした。

助力を申し出てくれる出版社や出版関係者の方も予想以上の数に上った。

実にありがたいことだった。

目標の達成

12月23日(金)

府中市美術館、諏訪敦『眼窩裏の火事』を観に行く。

展覧会の感想は、明日以降改めて書きます。

実に充実した、同時に贅沢な体験でした。

ここに行くことは、闘病中の僕の目標でもありました。

そのことが達成できたことを、まずは記しておきたいと思います。

諏訪さん、荻田さん、井上陽子さん、井上奈奈さん、見元さん、大川さん、三上先生、裕子さん、学芸員のみなさま、本当にありがとうございました。


みんなで、諏訪敦さんの展覧会『眼窩裏の火事』を観に行った。

僕は胸からチューブを出していて、ぴったり寄り添ってくれる妻に重たい点滴のバッグを持ってもらいながら。


会場では、諏訪さん本人が最初から最後まで付きっきりで、ほぼ全作品を解説してくださった。そんな贅沢な環境で鑑賞できるとは思ってもいなかったので、恐縮と緊張で大変だったが、いずれにせよ、画家本人の肉声解説付きで鑑賞するなど、誰にでもできるわけではない得難い経験であったのは間違いない。

作品群は質・量ともに圧倒的だったが、個人的には《father》を観ることができたことに深い感慨があった。いつのまにか、僕にとって特別な意味を持つことになった、スキルス胃がんで亡くなった諏訪さんの父親を描いた一枚。

２　０　２　２

病臥《びょうが》する父親と、《HARBIN 1945 WINTER》で描かれたチフスで朽ち衰えた祖母の顔がよく似ていることを、諏訪さん自身の解説で知る。なるほど、たしかに似ていてハッとさせられる。

僕にとって諏訪敦という画家は「あの世とこの世をまたいで仰臥《ぎょうが》する身体を描く画家」ということになるのだが、その真骨頂というべき絵画。

いずれ僕も、このように仰臥しながら死んでいくのだろう。そのことを強く意識させられる。

そういう意味では、「わたしたちはふたたびであう」と題され、肖像画群を中心に構成された、展示の最後を飾るパートも印象的だった。

大野一雄、山本美香をはじめ、若くして亡くなった医学生、途中で亡くなってしまう依頼主など、このパートにも濃厚な死の匂いが立ちこめている。しかしここでは「描き続ける限り、その人が立ち去ることはない」とも述べられる。

僕はどうやらそれほど長生きはしない。もう間もなく、この世から立ち去ることになる。その後どこに行くことになるのか、まったくわからない。

ただ、いまの僕の考えでは「人は思い出の中に生き続ける」と考えている。

この夏に、僕たちは共通の友人である松本智秋さんを見送った。でも彼女を思い出し、思い出話をするたびに、彼女は立ち去っていないと実感される。こういうテキストで名前を出して憶えていることを綴るたびに、彼女はそばに来て笑う。

同様に、僕がいなくなったあとも、もしみんなが会話の端々で触れてくれるなら、ひとりで静かに思い出してもらえるなら、そのときは僕もその人たちのそばにいるだろう。僕はまもなく死ぬのだろうが、思い出になる限り、立ち去りはしないのだろう。

作品を観ながらそのようなことを考えた。

12月まで生き延びてこの展覧会を観に行くことは、ひとつの目標でもあった。

そのことが達成され、このあたりを境に、僕は少しずつ回復していくことになる。

2023

2023年

憶　えている

1月9日（月）

未練について

あれもしたかった、これもできればよかった。と思うことがいくつかあります。

でも残念ながら、時間や体力などさまざまな要因で、もう諦めないといけないことです。

それをいつまでも、したかった、できればよかったと思い続けるのはしんどい。だから、そういうことについてはなるべく考えないようにします。考えても仕方がないことでもありますし。

未練というのは、なかなか苦しくやるせない感情です。

だから、あれもできる、これもできる。というのは本当に素晴らしいことだと実感しています。

普通に仕事ができて、酒飲んでごはんが食べられるなんて、最高の人生だよ。

いま、まともに仕事ができなくなり、酒はいうまでもなく、食事もまったく摂れなくなって、実感されます。

なにも特別なことができなくてもかまわない。

何でもないことができなくなっていって、そのことを未練に感じるのは、なかなかにしんどい。

このところ、未練の泥沼に捉えられそうになることがいくつか続きました。

だから繰り返しますが、普通に仕事ができて、酒飲んでごはんが食べられたら、最高の人生だよ。


この頃、僕は点滴だけで生きていて、何も食べることができなくなっていた。

仕事もきちんとできなくなっており、会社をたたむ準備をしていた。入院中に溜まっていたメールの返信やオンラインショップからの注文処理をいつまで経っても終わらせることができず、プレッシャーを感じていた。

やりたいことができない、当たり前にやれていたことができないという悔しさと焦燥が強くなっていた時期だった。

なかでも、食に対する未練は強かった。食べられないとなると、どうしても食べたいという思いが募ってくる。

未練だから諦めろと言い聞かせるのだが、どうしても考えてしまう。

ところがこの3日後、がんセンターに診察に行き、そこで少量であれば食事をしてみてもいいのではないかと主治医の先生から言われた。

帰宅して夕食、さっそく妻が蕎麦を一口茹でてくれた。ほんの一口の温かいかけ蕎麦を食べたのを憶えている。実に2カ月半ぶりの食事。とても美味しかった。

昔から蕎麦が好きで、よく食べていた。休日の昼には行きつけの広尾の「さ和長」に行き、まずは出汁巻き卵と豆腐でビールを一杯と日本酒を2合ばかり。そのあとせいろを手《た》繰《ぐ》って〆るというのが蕎麦屋ランチの定番だった。お店の方にも顔を憶えられるくらいに通った。

病気になる前は、死ぬ前の最後のごはんは蕎麦がいいねなんて話も、よく妻とした。上記の通り、あっさりしたつまみ2～3種でお酒を少々飲んだ後、せいろを食べるというのが、理想的な最後の晩餐だった（いまではそんな冗談めいた会話を交わすことはないが）。

少量でも食べることができるようになったのは、とても嬉しい変化だった。

そしていっぽうで、ちょっとした欲求が満たされたからこそ、普通に食べて、普通に暮らしたいという未練は逆にどうしようもなく膨らんでいった。

1月17日(火)

昨日の続き、嫉妬と未練のこと

新しく出版社を立ち上げた堀郁夫くんのブログを読んでいます。

もともとうちから刊行する予定だった『原爆写真を追う』の新刊情報もアップされました。四十手前の男を捕まえて何ですが、新しいことを始めるひとの初々しさを感じます。

今日は少し、いや、けっこう羨《うらや》ましい感情が不意に湧き起こって眩暈《めまい》がするようでした。

僕にはもう新しいことを始める余力はありません。いまやっていることのひとつに、遺言状の制作があります。いかにこのところ調子がいいとは言え、中長期的な目でみれば、僕はいま、そういうシチュエーションにいます。なにか真新しい初々しい気持ちになれないのはしかたがありません。

しかし翻《ひるがえ》ってみるに、わずか5年前には、僕も自分の版元を立ち上げたばかりで、初々しく興奮していたはずなのです。そのころの高揚感はありありと思い出すことができます。

あのころは、というか病気が発覚して時間的にも体力的にも実際に仕事上の制約を被るまでは、僕も楽しくどきどきしていたはずでした。

いまも世が世ならば、堀くんと一緒になって、ああでもないこうでもないと話し合って、新しいことを始めてみたり、いろいろ思案したりしているはずなのです。

今日不意にそのことに対して羨望のような、嫉妬のような気持ちを感じました。

堀くんに限らず、新しいことを始めようとしている仲間が他にもいます。

彼ら彼女たちに幸多からんことを。

あなたたちと同行できないことを悔しく思います。

ええ。しかしこれも未練だ。

思っても詮《せん》ないことです。


前職の後輩だった堀郁夫くんとは、かれこれもう10年以上の付き合いになるだろうか。

僕が前の会社にいたころ、アルバイトとして雇ったのが堀くんだった。文学や音楽の話で気が合い、その後彼が正社員になったこともあって、付き合いはずっと続いた。

２０１８年の春に僕が前職を辞めてみずき書林を立ち上げた数カ月後、彼も転職した。そして転職先の出版社で4年程勤務してさらに経験を積んだうえで、この12月に「図書出版みぎわ」という会社を立ち上げて独立・創業を果たした。

彼が新会社を立ち上げて忙しくしていたこの頃、僕はなんとか退院はしたものの、自分の会社をクローズしなければならないと、そのことばかり考えていた。僕は他人に嫉妬したりすることはまずないのだが、このときは堀くんが羨ましいと感じた。

ほんの5年前までは、僕もいまの彼と同じ高揚感に包まれていたはずだった。

このブログから3カ月後、このテキストを書いている4月末の段階で、僕とみずき書林は復活し、再起動している。僕はこうして自分の本の執筆を進めながら、編集作業も再開し、いくつかの興味深い企画を進行させている。

そして堀くんはそんな僕をサポートしてくれている。もし僕が再び倒れて、みずき書林での企画の進行が難しくなった場合には、堀くんの図書出版みぎわが引き継いでくれることになっている企画がいくつかある。

だからそのような企画の編集会議や研究会にも、堀くんは参加してくれている。

前職で一緒に机を並べていた頃には、こんなふうな未来が待っているとは予想もしていなかった。

いま我々は小さいながらもそれぞれの版元を持っていて、僕は死病にとりつかれている。それでも、ふたりで一緒に何かできることがある。

前職でも人に恵まれたが、堀くんはそのなかでも僕にとって唯一無二の存在だと言えるだろう。僕がいなくなった後も、旺盛な活動を続けるであろう堀くんと図書出版みぎわにささやかな嫉妬と大きなエールを。

2月16日(木)　【ご報告】みずき書林の存続について

以前、僕がいなくなった後の在庫の行方について書きました。

このエントリー、何人かの方がTwitter等でご紹介くださったこともあり、このブログでは過去あり得ないほどのPVを記録しました。

読んでくださった方、気にかけてくださった方、実際に声をかけてくださった出版関係者の方、本当にありがとうございます。

この度、一応の結論めいたものが出ましたので、ご報告いたします。

結論から申し上げると、僕の没後も、当面の間は妻を代表取締役として、みずき書林は存続することになりました。

よって在庫の散逸もなく、入手できなくなることもありません。

出荷作業・注文処理は今までと変わらず行われます。

もともとは、会社に妻を巻き込むつもりはありませんでした

しかし出版業というのは返品があるため、実質的に会社を閉じたとしても、その後数年は会社を維持しておかなければなりません。

いずれにせよ市場の動きが落ち着く数年後までは会社を存続させなくてはならないなら、とふたりで話し合い、在庫管理だけでも妻に継いでもらうことになりました。

大きく分けて、出版業に①新刊制作部門と②在庫管理部門があるとするなら、僕がいなくなった段階で、①の新刊制作はクローズになります。ですが②の在庫管理部門

2023

だけは維持していく、ということになります。

言うまでもなく、これは当面の暫定的な措置に過ぎません。

数年後、あるいは在庫維持費が月々の注文額を超過した段階で、妻は会社を維持するか閉じるかの選択を迫られることになります。

そのときは、彼女の判断が１００％尊重されることになります。


あるいはこういう結論の出し方は無責任なのかもしれません。

しかし、僕としてはいまある在庫が、僕がいなくなった後もみずき書林のレーベルで販売できることを、素直に喜んでいます。


妻に感謝します。

そして在庫を引き受けてもいいと言ってくださったいくつかの版元のみなさま、本当にありがとうございます。もし今後僕がいなくなったあとで妻が困っていたら、アドバイスをしていただければ心強く思います。


昨日書いた通り、まだまだがんばります。

でももし僕がいなくなっても、みずき書林とその刊行物を、引き続きよろしくお願い申し上げます。

僕がいなくなった後もみずき書林の本を入手できるようにしておきたい、という願いはこのようにして一応の結論を得た。ありがたいことだと思っている。

僕はやがて死に、僕たちの作った本だけが後に残る。

考えようによっては、それはそれで気持ちのいいことだ。

僕がいなくなった後も、僕たちの作った本たちが誰かに読まれるかもしれない、誰かの書棚に収まることがあるかもしれないと空想することは、誇らしいことだ。

2月20日（月）　再起動

自分の本の準備を進めつつ、この数日で、いくつかの企画が動き始めました。

昨年末からほぼ動きを止めていた出版活動が、再び活発化しつつあります。

どこまでやれるかはわかりません。

でもやれる限りやってみようと思います。

いま一緒にやろうと話している相手は、みんな僕の病気のことをわかってくれています。

もしかしたら迷惑をかけるかもしれないけれど、でもやはり最後までみずき書林は活動を続けていこうと思います。

あともう一歩だけ遠くへ、もう一息だけ深いところへ——いまはそのような心境です。

そのように思える体調であることには感謝しかありません。

いまお世話になっている医師、看護師のみなさまにはどれだけ感謝してもしきれません。

そして事情を知ったうえでみずき書林に付き合ってくださる／企画を寄せてくださるみなさまにも、心からの御礼を。

この数日で動き始めたいくつかの企画の実現をこの目で見届けられるなら——まさ

に本望です。

　みずき書林は有終の美を飾ることになるでしょう。


　いくつかの企画が動いているが、ここではそのうちのひとつ、保苅実の本を出すことについて書いておく。

　ブログでも本書でも何度も取り上げている歴史学者・保苅実。

　彼が残した『ラディカル・オーラル・ヒストリー』以外の論文やエッセイをまとめようというプロジェクトが動いている。ちょっと信じがたい僥倖のような話だ。

　そもそもの始まりは2018年にまでさかのぼることになるだろう。大川さんが最初の本『マーシャル、父の戦場』を、保苅実のお姉さん、由紀さんに献本した。『ラディカル・オーラル・ヒストリー』にあやかって「歴史実践」というサブタイトルを付けた同書を、せめて保苅実の一番近くに届けたかったのだろう。下北沢の郵便局から発送したのを憶えている。

　由紀さんからは折に触れて感想のメールが届くようになり、そんなふうにやりとりが始まった。

　大川さんの2冊目の『なぜ戦争をえがくのか』も献本し、やはり1章を読むごとに、丁寧な感想のメールが届いた。

そのようなやりとりがあったところに、僕が病気になった（保苅実は血液のがん、僕は胃がんだ）。そして僕はブログのなかで堀くんと往復書簡をはじめ、そこでふたりとも保苅実への思い入れを綴った。僕が病気になったこと、そして年若い後輩に後事《こうじ》を託せる環境にあることも、おそらく由紀さんのなかで弟の原稿を託すのに小さくない役割を果たしたと思う。

そのような縁がつながって、ある日、弟の遺稿集をまとめないかと由紀さんから話があった。

これを書いている4月末の段階で、全体の構成はほぼ決まり、原稿データを入力に出すなど、編集作業は鋭意進行中である。

エッセイと卒論・修論をまとめた1冊目と日本語と英語の論文を整理した2冊目をみずき書林から刊行し、3冊目となる博論『Grindji Journey: A Japanese Historian in the Outback』の翻訳は、堀くんの図書出版みぎわから刊行する計画だ。

保苅実の本を出すこと。

それは僕にとって心底特別な企画だ。

もちろんやることはいつもとそう違うわけではない。文章を整理してゲラにして校正を回して装丁を作って……という本作りのプロセスはいつもと変わらない。著者が不在で著者校正などがないぶん、いつもよりシンプルな作業になるといってもいいくらいだ。

ただし、それが保苅実という、あの『ラディカル・オーラル・ヒストリー』という一冊の本だけを残して若くして亡くなった研究者の遺稿であるゆえに、その意義は深い。それは僕と堀くんにとってだけでなく、世に数多くいる保苅実に影響を受けた研究者・学徒たちにとっても、待望の本になるだろう(大川さんも大喜びしてくれるだろう)。そして『ラディカル・オーラル・ヒストリー』以外では今回収録する文章が、彼が残したほぼ全てになる、つまりこれ以外にもう保苅実の本は出ないという意味でも、大事な企画になるだろう。

そのような本を手掛けることができることに奇跡に近いものを感じている。

保苅実が亡くなっても本が残ったように、僕がいなくなった後も本は残る。そのことの意味をあらためて考えさせられている。

このような企画を抱きかかえて再起動できる喜びと驚きをあらためて感じている。

2 0 2 3

3月7日（火）

往復書簡「本を作ること、生きること」最終回
――心から幸せになりなさい

堀くんへ

君の最後の一節「岡田さんにとって、『本を作ること』って、どんなことですか？」を受けて。

僕にとって「本を作ること」とは、唯一習い覚えた、この世間を渡っていくための方法であり、誰かと親密な関係を結ぶためにたったひとつ知っている手段、ということになると思う。

考えてみれば、僕は本を作って売る以外に、日々の米塩の資を得る方法をなにひとつ知らない。本作りだけが、唯一の技能だ。それ以外のスキルは何ひとつ知らない。考えてみれば心細いことではある。人文系の本を作れるという技と術だけが、僕が手にしている生きる手段だ。

同時に、それは僕にとって最も大切なことである、他者と結びつき交流するための手段でもある。僕がこの世で手に入れたもっとも誇らしく貴重なものは、人間関係だ。本ではない。だから本作りは、よい関係を築くための手段にすぎない。

こんなふうに書くと、何か代替可能な手段に過ぎない、大したことのないテクニックのように思われるかもしれないけど、どうせこの世界で暮らしていくために何らかの技術を身に着けないといけないとするなら、僕が手に入れたそれが本作りの技術であってよかったなと思っている。

やっぱり本が好きだからね。

好きなものを自作できるというのは楽しいものです。

そんなふうに本を作ってきて、かれこれ21年にもなるわけだけど、その間には自分にとってエポックになるような本もいくつかありました。

『マーシャル、父の戦場』は確かにそうだったし、『いかアサ』を作っていたときと刊行後のテンションも間違いなく画期だった。『なぜ戦争をえがくのか』と『なぜ戦争体験を継承するのか』を同時進行させていたときも静かな興奮があった。『旅をひとさじ』も作っているときから特別な本になることがわかっていた。

前職でいえば、早坂先生の全集、小長谷先生と作った梅棹忠夫の本、東京空襲写真集、広島と長崎の写真集などは、自分にとって重要な本だった。

その他にもひとつひとつの本に、代替不可能で、手段と割り切るには濃すぎる思い出が詰まっている。

本作りは、唯一習得した生きる手段であり、ひととつながる方法であり、学ぶところが多く好きな作業でした。いま振り返ってみても、「(本作りではなくて)やっぱりこっちのスキルを習い覚えておけばよかった」と思うことはまったくない。映画を撮る、絵を描く、書店を経営する、小説を書く、絵本を作る、写真を撮る……たくさんの才能のある人に出会った。そのなかで、僕にとっては編集と出版運営のささやかな能力が、必要にして十分な、楽しいと思える技能だった。

幸運な21年間ということになるのでしょう。

＊

逆に言えば、1年くらいでは技術を研ぎ澄ませて体制を整えるには不十分だし、大切な人間関係がずらっと並ぶにはもっと長い時間がかかるだろう。

そういう意味では、1年後の図書出版みぎわの目標、「当たり前に企画の相談を受けられて、当たり前に本が刊行できて、当たり前に本を売ることができる出版社になっていること」は、（普通っちゃ普通だけど）まず妥当なものだと思います。

ちなみに4月13日が創立記念日のみずき書林の、創立1年後あたりをちょっと覗いてみると、

2019年4月12日「海へ来なさい」
4月13日「1周年記念ロゴ」
4月16日「『いかアサ』関連の長文テキスト」

ある人から井上陽水の歌詞を教えてもらって感激し、妙なロゴを作り、そしてなによりこの時期、刊行したばかりの『いかアサ』の反響で完全な躁状態にありました。浮足立っていた、といってもいい。この時期もまた青春時代だったのは間違いありません。

みずき書林も、1年くらいではぜんぜん固まっていないし、右往左往している雰囲気が伝わると思う。

2 0 2 3

こうやって昔のブログを読み直していると（最近はそういう時間が多い。「思い出すこと」をひとつのテーマにした自分の本の準備をしているから）、この時期の自分が羨ましくてしかたがなくなる。すごく楽しそうだ。

同時に、いまからこの時期を迎え、そのあとにもずっと長い時間が待っている君のことが羨ましくなる。

以下、往復書簡の第1回に戻って無限ループ……。

＊

……あらためて思わざるを得ない。

どうやら僕は間もなく死んでしまうらしい。

そのことをしみじみと感じてみると、不思議な気がします。怖くはない。ただ、不思議な感じです。

自分がいなくなること。それでもきみやみんなの生活が続いていくこと。このキーパンチをしているみずき書林の部屋はそのまま残ること。でもいま視界に入っている10本の指先は灰になって消えること。僕の座っていたダイニングテーブルの椅子、僕の寝ていたベッド、読みかけの本、そういったものは残ること。

僕だけが、ぽっかりいなくなること。

そのことを考えると、不思議な気持ちです。


思えば僕は、長く引き伸ばされた死を生きています。

告知を受けて1年半が経ち、その間に死ぬことに対して向き合わざるをえなくなりました。

昨年末の死にかけレベルから今のそれほど悪くないレベルまで、体調は行ったり来たりしつつも、実際に死にそうな感じは遠ざかっている。

死ぬ死ぬと言われ、また言いながら、でも実際は意外と元気に生きている。

僕は引き伸ばされた死を生きていて、死について考え、みんなにお別れを言う時間はしっかりあるのです。

これもまた、不思議な感覚です。

まさか自分の人生に、そんな時間が巡ってくるなんて、考えてもいませんでした。

こんなふうに人生が終わっていくなんて、予想もしていませんでした。


僕はゆっくり時間をかけて死につつある。

2 0 2 3

今朝も看護師さんと、どんなふうに弱って死んでいくのかについて少しだけ話をしました。

僕としては、痛みや苦しみが次第に強くなっていってやがて死ぬのかと思っていました。

でもいまは、痛みや苦しみはある程度コントロールできるようです。

ただコントロールするためには強い薬を使わなければならず、意識が朦朧としている時間が増えることになるとのこと。

朦朧と覚醒の間を行ったり来たりするうちに、次第に朦朧の時間のほうが長くなり、自分でも気づかないうちに朦朧から死へと移っていくことになるのでしょうか。朦朧としているうちにいつの間にか死ぬのであれば、楽といえば楽ですが、その境目が知覚できないのは、怖いといえば怖い。自分でも知らないうちに死んでしまうわけですから。

それともそれこそがよくいう「眠るように死ぬ」ということで、決して怖いことではなく、むしろ幸福な死に方なのでしょうか。

最後の瞬間のことは、いくら考えてみてもよくわかりません。

1年後、図書出版みぎわが「当たり前の」出版社になっているころ、僕はもうこの世にはいない可能性が高い。

保苅実は『ラディカル・オーラル・ヒストリー』で、「丁寧に勉強し、静かに深く感じ、そして身体で経験し続けたいと思います。それ以外に豊かに人生を生きる方法なんてないでしょうが」と書いています。

そのように生きていってください。

そしてときおり、僕のことやこの往復書簡で交わしたことばのことを思い出してください。

そのときの僕に居場所があるとするなら、あなたたちの記憶のなかだけでしょう。

*

この往復書簡はこれでいったん終わりですが、いちおうオープンエンドということにしておきましょう。

つまり、それぞれのブログの記事で呼びかけがあれば、いつでも応答するようにしましょう。

僕は毎日、図書出版みぎわのブログを覗いていますから、更新されればすぐにわかります。

2 0 2 3

そこにもし僕への問いかけや呼びかけがあれば、召喚に応じて返信を書くことにします。

＊

この記事は何日かにわけて書かれていて、そのときどきでかかっていたBGMもまちまちだけど、ここはその中から、「海へ来なさい」を収める1979年の『スニーカーダンサー』を。

「海へ来なさい」は陽水が生まれたばかりの息子にむけて書いたもののことだけど、ひとりで何かをなそうとしている人のための歌詞になっているので、ぜひ聴いてみて。

堀郁夫くんからの提案を受けて、5回限定でそれぞれのブログ上で往復書簡を行った。これはその最終回のテキストとなる。

「思えば僕は、長く引き伸ばされた死を生きています」

という感慨は、いまもいっそう強く感じている。

いまのところ、僕の体調は悪くなく、いますぐ死に瀕するようなことはなさそうな雰囲気だ。

明日明後日にいきなり体調が悪化することはないような気がするし、そのように日々を送っていけば、いずれは自分でも予想もしていなかったほどに長く生きていた、ということもありそうだ。

しかしそのいっぽうで、崩れるときは崩れるのだろうとも思う。なんらかのきっかけで体調は意外と簡単に悪化し、その日を境に、加速度的に死に接近していく、という可能性も否定はできないのかもしれない。そうなると、僕は予想外にあっけなく死んでしまうだろう。

結局のところ、いまの段階ではどう転ぶかはわからない。それは僕だけがわからないのではなく、医者にも看護師にも誰にもわからないことのようだ。時折、主治医の先生に訊いてみることがある。いつまで生きられるのか、死ぬとしたらどんなふうに死んでいくことになるのか、と。返答はいつも「わからない」だ。実際にそうなのだろう。

僕はそれほど長生きはしないだろう。でもそれ以外のことは本当にだれにもわからないことなのだろう。それは知ろうとしてはいけないことですらあるのかもしれない。

自分がいつ死ぬかなんて、知る必要のない、知ろうとしてはいけないことなのかもしれない。そう考えてみると、気も晴れるような気持ちがする。

あるがままを受け入れ、そのときが来るまでは平然とした顔で生きている、というのが

2023

理想なのかもしれない。痛みや苦しみがあるときなど、それがときにとても難しいことであることは承知の上で、何も知らないままでなおかつ平気で生きるというのが、僕たちが目指すべき、ふさわしい最後のあり方なのかもしれない。

3月24日（金）

髪を切った夕方には

夕方、久しぶりに髪を切りに行く。

外は雨で、せっかく咲いた桜の花が雨に叩かれて散っていく。

5時頃に終了。さっぱりする。

以前だったらこの時間に恵比寿の駅前にいたら、スーパーで晩ごはんの買い物をしてから家に帰るところだ。

髪を切ってもらいながら、献立を考える。冷蔵庫のなかに何が残っていたっけ。お酒はあるんだっけ。そんなことも考えながら。

このまえから美味しいパスタが食べたかったんだった。

王道のカルボナーラなんかはどうだろう。だったらブロックベーコンがあればいい。卵と黒胡椒とニンニクとチーズは冷蔵庫にあったはず。

あとは野菜だけど、雨が降っていてちょっと肌寒いので、蒸し野菜にしよう。芽キャベツ、新じゃが、新玉ねぎを蒸籠《せいろ》で蒸す。梅干しがあったから、オリーブオイルやポン酢をつかって簡単なドレッシングを作ろう。

それとビールと白ワインをひと瓶。

そんなことを考えながら買い物を済ませて家に帰る。

6時30分くらいから料理にとりかかる。ビールをグラスに注いで、BGMは高野寛の傑作『Rainbow Magic』にしよう。

……そんなことをすることもなくなりました。

今日も髪を切りにいく直前に吐いたばかりです。

お腹が重たくて食事はまったく量を食べられなくて、料理をする気もなかなか起きません。まことに残念なことながら。

そんなふうに失われた習慣のことを考えると、呆然としてしまいます。

時代劇風に言うと、無念、ということばがぴったりです。

2023

僕が禁じ手にしている用語でいうなら、未練です。

未練は悲しくてキリがないから、考えてはいけません。

でもそれでも、久しぶりに髪を切って、雨に濡れる桜並木を歩いている夕方などは、なくしてしまった楽しい時間のことを思い出して、悲しくなってしまうのです。


自分で書いた文章ながら、再読するとちょっと切なくなる。失われたいくつかの習慣。楽しかった時間。

病気がわかってからもごはんが食べられるうちは、たまに我が家に人を招いてちょっとしたホームパーティを開催した。よく来てくれたお客さんは、大川さん、田中さん、見元さん、そして智秋さんなど。アーヤさんが来てくれたこともあったし、クリームを仲介してくれた弁護士の濱口先生をお招きしたこともあった。濱口先生はいつも美味しいワインをたっぷり持って来てくださった。義妹夫婦を呼ぶことも多かった。

みんなを招く日は、仕事は早々に切り上げて、昼過ぎから買い出しに行く。

それから料理の仕込みをして半日を過ごす。ホームパーティのコツは、みんなが来てからの作業工程をどれくらい少なくしておけるかだ。だから塩豚とか牛の赤ワイン煮とか、事前にじっくり準備ができる煮込み料理なんかを仕込んでおくのがいい。あとは作り置きして切り分けるだけなんていうのも簡単だ。スパニッシュオムレツやキッシュをよく作った。そういう意味では、オーブン料理も時間が料理してくれるからいい。ラムのローストは得意料理のひとつだった。

そんなふうに事前に準備しておけばいい料理と、その場で調理するものとをきちんとわけておくのがコツだ。パスタなんかはどうしてもその場で茹で上げて温かいソースと絡めないといけないから、付きっきりにならざるを得ない。だからその前後には、上述のような作り置きや煮込み、オーブン料理を配しておくといい。

あとはサラダを2種類ばかり作っておいて、パンや生ハムやオリーブみたいなちょっとした前菜はあらかじめ買っておく。

飲み物と食後のデザートは、ゲストの方が持って来てくださることが多かった。

最後のホームパーティはいつのことだっただろうか。

スマホのカメラロールを確かめれば、日付も献立も確認することができるだろうが、なぜかそれをしようという気が起こらない。

いつの間にか失われてしまった、楽しかった時間。

未練だから考えてはいけないと言い聞かせても、つい思い出してしまう。

思えば僕はずっと、幸福だったのだろう。

2023

5周年記念ラジオ

4月13日(木)

「満月の夜のクリームーン」と題して、大川史織さんと藤岡みなみさんがパーソナルなラジオ番組を作ってくださっています。

昨年の11月、僕が入院中の病床にあったときから始まって、月に1度ずつ、満月の夜に収録して届けてくださるのです。

今日、みずき書林の創立5周年記念日に、第6回となる最新の音源が届きました。「みずき書林5周年スペシャル」と題して、なんと30分以上の音源が4回分もあります。

内容は、たくさんの人たちからの創立祝いのメッセージ。膨大な量です。

なかいさん、森さん、濱口先生、松澤くん(福山雅治氏)、吉田くん、武内さん、黒古さん、坂田くん、橋本さん、大橋くん、竹井くん、井上陽子さん、末松さん、アーヤさん、後藤悠樹さん、花本さん、三橋さん、涌井さん、尚史、帯谷さん、今井さん、山下さん、河内さん、金澤さん、誠っちゃん、比留川さん、拓也くん、森山さん、勉さん、安細大使、松本さん、なかし、富永（伊藤）さん、宋さん、島さん、江尻さん、五戸さん、畑澤さん、工藤さん、本山くん、竹内さん、見元さん、塚田さん、宗利さん、小澤さん、岡田さん、清水さん、保苅由紀さん、市田さん、斉藤ガブリエルさん、小倉先生、堀くん、遠藤薫さん、河村さん、森岡さん、柳澤さん、三上先生、諏訪さん、石原先生、後藤亨真さん、田中さん、そしてそして、大川さんと藤岡さん。
本当にありがとうございます。

みなさまにスペシャルサンクスを。

僕は人に恵まれています。そのことを強く実感しました。
この一連のラジオ番組はそのことを証明する、まさに僕にとって宝物になりました。

おかげさまで、とても素敵な5周年記念日になりました。
みなさま、どうか6年目もよろしくお願い申し上げます。

大川さんと藤岡さんによる私家版ラジオ「満月の夜のクリームーン」。

2023

みずき書林ゆかりの人たちの5周年のお祝いのメッセージを集めて読み上げてくださった。それはまったくのサプライズだった。

なかには、僕の学生時代の友人たち、前職の知人たち、まったく別の企画の著者など、どうやってコンタクトをとったのだろうと思う人たちもたくさん含まれていた。そういった人たちに接触して趣旨を説明してメッセージを集め、それを2時間以上の音源としてまとめた労力は膨大なものだったと推測される。

本当にありがたく、これ以上ないほどの創業5周年のお祝いになった。

いくら御礼を言っても言い足りない。

この本でも何度か書いてきたが、みずき書林は人との関わりに恵まれた出版社だった。

メッセージのなかに、前職の同期であり相棒であった吉田祐輔くんからのものがある。

「創業5周年、おめでとうございます！　5年で為したとは思えない、濃密な人との繋がりと愛が横溢した心と歴史に残るラインナップですね。続く出版を勝手ながら願わせてください！」

吉田くんらしい、簡潔にして要を得たテキスト。まるで帯文。

「濃密な人との繋がりと愛が横溢した」とは、過分な褒めことばとも思えるが、その通りだとも思える。吉田くんのようにみずき書林以前からの付き合いも含めて、この5年間は本当に人に恵まれた大冒険だった。世間的に見れば、小さな会社がひとつ立ち上がって、20冊程度の本を刊行したにすぎない。あまりにもささやかで吹けば飛ぶような営為にすぎない。

でも誰がなんと言おうが、それは僕にとっては大冒険の日々だった。毎日ワクワクして楽しくて、ときにドキドキと心配で、心臓が跳ね回るような日々だった。

そしてそれは、病気を経たいまでも続いている。こんな日々が少しでも長く続きますよう。僕もまた、みずき書林の続く出版を心から願っている。

4月28日（金）

ひとまず書き上げる

いま、みずき書林の通常の編集業務と同時進行で、自分の本の執筆をしています。たったいま、その執筆がひととおり終わりました。

もちろんひとまず最後まで書き切っただけで、これから二巡目の推敲に入っていくことになります。大幅な書き換えが必要な部分も出てくるかもしれません。

「あとがき」などもこれから書かないといけません。

ゲラ校正などまで考えると、やっと素材の原形質が揃ったという段階に過ぎません。とはいえ、ひとまず最後まで書かないことには次のステップに進めないので、まずはここまでたどり着いたことを喜んでおこうと思います。

早速いま、原稿を編集者の後藤さんに送信したところです。

また明日には、この本にとって重要な参考文献になる予感がしている本が手元に着く予定です（大川さん、ありがとうございます！）。

後藤さんの意見をうかがいつつ、新たな本の内容にも触発されつつ、少しでもよい本になるように推敲を続けていきたいと思います。

＊

それにしても、もし病気になっていなければ、このような本を書く機会は巡ってこなかったと思います。

病気になったことは不運なことでした。

でも必ずしも悪いことばかりをもたらしたわけではありませんでした。病気になったことでこうして本を書く機会にも恵まれました。そして自分がどれだけ大切な人に囲まれて、大切にされながら生きているかを実感することもできました。

いま同じような病気で苦しんでいる他の人たちにも妥当する考え方かはわかりません。実際、亡くなった智秋さんは「病気になってよかったなんてことは何ひとつなかった」と言っていました。

それでもなお、僕としてはこう言ってしまいたい気持ちがあります。病気になったからこそ感じることのできた良き感情もたくさんあった、と。

4月30日（日）

こんな日が続いていくなら

昨日は従兄弟の拓也くんが遊びに来てくれる。

同時にNHKの取材がその様子を撮影してくれる。

15時から17時過ぎまで。体調が比較的良くて、わりと長丁場の話ができたのが嬉しい。NHKの番組もなんとなく方向性が見えてきた。面映《おもは》ゆいけれど、やるからにはしっかり喋ってきちんとした対応をしたい。

その後拓也くんとはクリームの散歩も一緒にしてから解散。


今日はさっきまでオンライン読書会。

いつもは聖書をテキストにしているんだけど、今日は特別編として村上春樹の新刊『街とその不確かな壁』。

参加者4人が全員春樹の愛読者なので。


この後夕刻より、以前お世話になった先生が訪ねてきてくださる。

お目にかかるのは本当に久しぶりになる。


合間に、テッサ・モーリス＝スズキ『過去は死なない』と、AHA！（Archive for Human Activities／人類の営みのためのアーカイブ）編『わたしは思い出す』を読み進めていく。

これらの本についてはまたあらためて書くこともあるだろう。特に後者については、案の定、いま僕が書いているこの本との親和性が強い。もちろん内容はまったく異なるのだけど、過去の自分との対話というコンセプトがとても似ている。

2日前にひとまず書き上げたあと、原稿は編集者の後藤さんに送ってあるので、このGW中は僕の手を離れていることになる。連休明けには改稿作業に着手する予定だけど、そのときに『わたしは思い出す』は参照軸のひとつになるだろう。

赤の他人の日常生活を読むことがなぜ面白いのか。考えるべき点のひとつだ。


かけている音楽は引き続きキース・ジャレット。それとステイシー・ケントのアルバム。ステイシー・ケントのジャジーで伸びのある声が実に素敵だ。晴れた日にも、今日みたいな雨模様の曇りの日にも合う。


こんなふうに日々を過ごすのが好きだ。人と会って、仕事をして、本を読んで、音楽を聴いて、ときおりこんなふうに考えていることを書き綴って。

特別なことは何もなくても、やるべきことややりたいことがたくさんある。

そんなふうに一日一日を過ごしていくことができたら、どんなにいいだろう。こんな日がずっと続いていくなら、どんなに素晴らしいだろう。

体調の悪い日もあるけれど、ここ最近は薬によるコントロールがうまくいっていて、わりと落ち着いている。

まだまだ前向きに生きていくことはできる。

半年が経過

5月3日(水)

3番目の、いまのところ最後の入院から半年が経ちました。

退院したのが昨年の12月頭。

そのときは非常に具合が悪く、実際に入院中は、妻は「いい話じゃありません」と主治医の先生に呼ばれて、もしかしたらこのまま退院できないかもと言われました。

退院してからはめきめき回復していくのですが、それでもしばらくは体調不良に悩まされました。

その頃は仕事を続けていくのはもう無理だと思い、会社を縮小化する方向で動きました。

具体的には代表取締役を妻に変更してもらい、出版部門をクローズして、在庫管理部門だけを当面残す方向に舵を切りました。

また正式な遺言状を制作し、僕が死んだあとも不要な事務的な心配をかけないようしました。

そんなことをしているうちに、しかし僕は徐々に回復していきました。

この頃、何人かに「奇跡的」ということばを使って祝福されたのですが、つい数カ月前に死にかけていたとは思えないほど、僕はめきめきと回復していくことになりました。


ほんの少量ですが、口からものを食べることができるようになりました。

酸素吸入器、トイレの手すり、車椅子などなど、自宅介護用にレンタルしていたさまざまな器具はもう使わなくてよいと判断できるようになり、少しずつ返却していきました。

起き上がって活動できる時間も徐々に長くなっていき、いまでは夕方のクリームの散歩に1時間ほど出ることもできるようになっています。

出版活動も再開しました。


すべては在宅医療に携わる医師・看護師のみなさまのおかげです。

病院を離れて在宅で療養するときに一番不安になるのは、病院ほど手厚く看護が受けられるか、という点です。

自宅には戻りたいけど、日々のケアには心配がある。

そんな不安や心配を払拭してくださったのが、在宅医療の主治医の先生と看護師のみなさまです。病院にいたときと比べて何ら遜色のない、むしろ顔が見えるぶんより丁寧なケアをして下さることに感謝します。


半年間。

過ぎてしまえばあっという間でしたが、それは病とともに生きている僕のような人間にとっては、実に長い期間なのです。半年あれば、状況はすっかり変わり得ます。

この間に死んでしまっていてもおかしくなかったのですから。


たとえば今から半年後に自分がどうなっているのか、まるで想像もつきません。

いまは具合も比較的落ち着いています。腹膜炎など、死のトリガーとなりうる症状もまるで見当たらず、いまのところすぐに死んでしまう兆候はありません。もしかしたら半年後もいまと同じように、ある程度の小康をえながら生きているのかもしれません。

しかしその一方で、崩れるときはあっという間に崩れるのがこの病気の怖さでもあるようです。いまから半年後というと11月。告知から2年以上を生きたことになります。

そのような長生きができるものなのか、まったくわかりません。

半年後には、僕はもうこの世にいない可能性も少なからずあります。


でも、この半年間の僥倖のような日々を含めて、これまでの年月があったからこそ、僕に不満はありません。

もちろん、これでもう十分と言えるほど達観はできません。できることならもっと長生きしてみたい。でも仮に明日体調が急変してそのまま死んでしまうとしても、なんとか受け入れられる気がするのです。

……いやどうだろう。やっぱり未練が残るかな。無念という思いが残るかな。

でも少なくとも、受け入れることはできると思う。もっとこうしたかった、あれもしたかったという思いに苛まれながらも、それでもこの生と死を受け入れることはできると思うのです。

この半年間で、そんなふうに思えるようになりました。

2023

5月6日（土）

『わたしは思い出す』と自分の本

『わたしは思い出す』（AHA！［Archive for Human Activities／人類の営みのためのアーカイブ］編、2023年）を読了。

東日本大震災の前年に生まれた子どもの11年分の育児日記を再読することで、3・11を従来とはまったく違った観点から見つめ直そうとする、展示と書籍からなるプロジェクトの成果物。

育児日記そのものを収録しているわけではなく、それを震災から10年後に再読した主婦かおりさん（仮名）の思い出すこと、憶えていることを聞き書きしている。そのテキストは膨大な量にのぼる。

本文の大半を占める、11年分のその回想の記録を読み進めていく。

僕には育児の経験もないし、震災当時は東京に住んでいたので、仙台で被災したかおりさんとは震災体験の質も違う。そもそも東北にゆかりもない。性別も違う。

まるで異なる環境にいた赤の他人の記憶が、しかしなぜこんなにも引き込まれるように読めてしまうのだろう。単に、震災というあのとき日本に暮らしていた人たち全員が共有した体験があるからとは言えない。この本は震災体験を中心に描かれたものではなく、中心に据えられているのはあくまでかおりさんとその家族の生活史だからだ。震災とその爪痕は、彼らの暮らしのなかで時折顔を覗かせるにすぎず、記述の大半は暮らしの些細な細部であり、そこでかおりさんたちがどう振舞ったかに割かれている。

僕は相当に分厚い本書をある人にお送りいただいてから、膨大なテキスト群を1日に2年分のペースで読み進めていき、1週間足らずで読了した。

その間、退屈することはまったくなく、淡々と、しかし実に興味深く読み進めていった。

繰り返すが、縁もゆかりもなく、環境もずいぶん違う人が自分の11年間を振り返った、個人的な生活史である。なぜそのような内容が面白く感じるのか。不思議といえば不思議だ。

先に結論めいたものを書いてしまえば、つまるところ、我々は他人とどれだけ一緒かということを知ったときに、感慨を抱くということなのではないだろうか。かおりさんと僕の人生が直接交差することはない。でも、たとえば2018年4月11日、かおりさんはラジオを聴きながら、手紙の処分と書類の仕分けをやっている。僕の会社の創業日はその2日後。このことは何らの接点のなさを強調するとともに、我々が同時代を淡々と生きていることをも表している。

たとえば震災から1年後の3月12日、かおりさんと長女のあかねはアンパンマンミュージアムに行っている。帰宅してからはリビングの室内遊具セットで遊んでいる。翌13日は僕は34歳の誕生日。34歳といえば、前職で社長になった年だ。

やはり接点はなく、僕の人生も彼女の人生も、淡々と過ぎて行っている。

要するに、人生とはそういうものであり、そしてだからこそ、そこに曰く言いがたい感動や感慨があるということなのだろう。ひとつの人生には歴史があり、ことばにならない、あえてことばにしない思いがふんだんに詰まっている。そこが面白い。

偶然、同時進行で読んでいた『歴史する! Doing history!』(福岡市美術館、2017年。この本もある人からの頂き物だ)のなかで、岸政彦が似たことを言っている(まあ岸氏は同書に限らず、どこでもこういった趣旨のことを繰り返し語っているが)。

「歴史というのは、フォーマルな、教科書的な歴史もいいですけど、一人ひとりの中に歴史があるんだよということを、僕はそれがいちばん面白いという信念を持ってやってる」

「一人ずつ歴史なんです。だから、歴史がタクシー運転してるんですよ。歴史がゴーヤチャンプル作ってるんですね。歴史が民宿やってるわけです。歴史が県庁で公務員をしているんです」

そのような個人の営みに触れるときに、我々はその人の中に歴史を感じ、ひるがえって自分の中にも流れる歴史の時間を意識するのだろう。


以下、手前味噌な記述になるが、僕はいま自分の本を書いている。

この5年間の約1200件のブログから100件ほどを抽出し、それにいまの自分の思いや考えを書き下ろしで加筆していくという構成になっている。

これは『わたしは思い出す』と似たような構成である。かおりさんは育児日記を再読していまの思いを語る。僕はブログを再読して、いま考えていることを書いていく。いずれも過去の自分との対話という意味で共通している。

僕の本はいまとりあえずひととおりの書き下ろしを終え、編集者に送ってあるところだ。連休明けに打ち合わせをして、今後の修正方針や書名などを検討することに

2　0　2　3

なっている。

ひとまず一巡目を書き切ることを目的としてこの2カ月程集中して書いていったが、途中で果たして面白いのかどうか、自分ではわからなくなっていった。そのわからなさを端的に言うと、あまりにも個人的な内容で、パブリックにする必要があるのかどうかわからなくなっていった、ということだと思う。

一体この個人的な記録をパブリッシュすることで、誰が面白がってくれるのだろうか、ということだ。

そんなことを思い悩みながら書いているときに、『わたしは思い出す』に出会い、とても勇気づけられた。上記のとおり、「個人の記録は面白い」ということに気づいたからだ。

おこがましいことだが、『わたしは思い出す』が面白いなら、僕の本を面白いと思ってくれる人も一定層いるのかもしれない、と思えた。

その面白さを言語化することはなかなか難しいが、ひとりの人間が生まれ育つところを見つめ続けたかおりさんの11年間が個人の記録・記憶として読みごたえがあるとしたら、僕のささやかな5年間の記録と記憶——僕は逆に死にいこうとしている——もまた、誰かに何かを感じさせるものになっているかもしれない。

いまはそう信じて、書き進め、ブラッシュアップしていくしかない。

ところで、『わたしは思い出す』は誰が著者かというと、語っているのはもちろんかおりさんという仮名の主婦なのだが、それを一冊に編み上げるプロセスを考えると、実質的な編集者・編者は、プロジェクトを主導し、形式を整え、膨大な聞き取りをしてテキストを整理したAHA!の松本篤さんということになるだろう。

その松本さんが、巻末に「わたしは思い出す、を思い出す」と題して、この実践のプロセスを振り返っている。このテキストが実にいい。まさに保苅実が言う「歴史実践」の具体例といえようか。

そのテキストのなかで、松本さんがこのようなことを書いている。

時間的・空間的な「遠さ」や「ズレ」の中に〈対話の可能性〉を見出そうとする私たちの活動の真価を汲んだうえで……遠い未来、遠い土地にも届くメッセージを、しがらみのない立場から再設定する

大阪での活動を起点とし、直接3・11を身近に体験しなかった松本さんも、自分が東日本大震災を扱った展示と書籍を作ることに、当初抵抗を感じていたという。しかし本企画の展示会場となるせんだい3・11メモリアル交流館のスタッフと交渉してい

くなかで、上記のような思いを抱くに至る。

　ここにも保苅実のキータームのひとつである「ギャップごしのコミュニケーション」が遠望される。遠さやズレがあることを前提として、そのうえでそのようなギャップを埋めようとするのではなく、ギャップごしに対話し、手を伸ばし合う努力をすること。

『わたしは思い出す』ではそのギャップは、震災体験の有無であり、仙台と大阪という距離的な遠さであり、育児経験の有無といった生活に関わる差異でもあったかもしれない。

　ひるがえって、僕の本ではそれはひとり出版社という経験であり、なによりがんという病気の経験の有無ということになる。

　そのようないくつかのギャップごしに、本を誰かに届けることができるか。できると信じるとして、そのためにもっとも有効なトーンや文体をどう獲得していくか。

　なにも大袈裟なことを考えているわけではないが、しかしせっかく本を作るのだから、ひとりでも多くの人に届いてほしい。「遠い未来、遠い土地にも届くメッセージ」を作る努力をしたい。

　誰が言ったのか知らないが、「人間は誰でも生涯に1冊、本を書くことができる」

ということばがある。最近、自分の本を準備していて、そのことを実感している。僕たちは歴史的な人間であり、みんなそれぞれにライフヒストリーを持っている。それは多くの場合、個人的でごくささやかなもののように見えるが、実は生きていることの本質はそのささやかな私性《わたくしせい》にこそあるのではないだろうか。

僕たちは考えようによっては長く、でも実際にはごく短いそれぞれの人生を生きる。そして短いとはいえ、そこには常に歴史の蓄積がある。それは私的であると同時に、史的なものだ。

その他者の私的歴史に触れるとき、僕たちはみな等しく歴史のなかを生きていることを実感する。その他者が決して交わらない無名の人であればあるほど。

『わたしは思い出す』を読むことは、そのようなことを感じさせてくれる読書体験だった。

2　0　2　3

5月10日(水)

死についてぼんやり思う

ここのところ体調が悪くないです。

今日は久しぶりに嘔吐があったけれど、それ以外はまず順調な体調と言っていいと思います。

ここ数日、夜中に1時間半おきくらいでトイレに目覚めていて、なかなか寝付けなくて困っていたのだけど、今朝はそれもよくなって、2回起きただけでした。なぜそうなったのかわからないけれど、改善されたのはいいことです。


でもそのいっぽうで、毎日死について考えないことはありません。

何も深いことを考えるわけではないけれど、それでも日々どこかのタイミングで、ふと自分の死について考えます。

神よ願わくば私に
変えることのできる物事を変える勇気と
変えることのできない物事を受け入れる落ち着きと

常にその違いを見分ける知恵とを
　授けたまえ

有名なことばです。
たとえば散歩しているとき、ふと仕事の手を休めたとき、読書が一段落したとき、こんなことばを不意に思い出して、ぼんやりと死ぬことについて連想します。

昨夜からフランクルの『それでも人生にイエスと言う』を再読しています。
だから彼の言葉に勇気づけられてもいます。

いつか、そう遠くないときに、僕は死んでしまうのでしょう。
そのことを落ち着いて受け入れ、最後のときまでは自分なりの生きる意味を手離さず、人生が自分に何を求めているのかを見つめていたいと思うのです。

今日は保苅実の命日です。
そんなことも今日一日、ずっと頭に残っています。

2023

丁寧に勉強し、静かに深く感じ、そして身体で経験し続けたいと思います。それ以外に豊かに人生を生きる方法なんてないでしょうが

（『ラディカル・オーラル・ヒストリー』）

5月11日（木）

それでも人生にイエスと言う

重要なことは、自分の持ち場、自分の活動範囲においてどれほど最善を尽くしているかだけだということです。活動範囲の大きさは大切ではありません。大切なのは、その活動範囲において最善を尽くしているか、生活がどれだけ「まっとうされて」いるかだけなのです。各人の具体的な活動範囲内では、ひとりひとりの人間がかけがえなく代理不可能なのです。だれもがそうです。各人の人生が与えた仕事は、その人だけが果たすべきものであり、その人だけに求められているのです。

（フランクル『それでも人生にイエスと言う』）

「人生に意味はあるか？」という問いに対して、フランクルは重要な発想の転換として、「自分が人生に何を期待しているかではなく、人生が自分に何を期待しているかを追究しなくてはならない」と応答しています。

上記はそれに関連して、フランクルが仕事について述べた個所です。

（ここでいう「仕事」とは、いわゆる金銭を得るための労働のことでもあり、それ以上に、その人がやるべき・なすべきことという意味もあります）

自分が人生に何を期待できるかではなく、逆に生きること自体が自分に意味を問うている。という発想の転換は、『夜と霧』を初めて読んだとき以来、大きな衝撃とともに印象に残っています。

とくに病気になって以来、この考え方はより強く心に響いています。

病になったことを、この人生に対して、文句をつけてみてもしかたがありません。そうではなくて、病とともに生きることを課されたいま、僕自身の人生が僕を見つめ、僕になにかを期待していると捉えること。そこに、それでも前向きに真摯に生きる契機があるように思えます。

ゆえに、問われている状況は常に具体的で、一回かぎりで、いまこのときにかかっているということになります。僕の人生の問いは、僕自身だけのものだということです。

茫漠と誰にでも適用できる「生きる意味」を問うても意味はありません。おそらく、そういう意味で万人に合致する「生きる意味」というものはありません。それは常に具体的な自分だけのシチュエーションにおいて、各人がそれぞれに見つけなければならないものなのでしょう。

40代でシビアながんに侵されているひとり出版社の「生きる意味」と、たとえば、恵まれない家庭環境の中で苦学して地方の公立大学に通って社会学を専攻している女学生とでは、それぞれに「生きる意味」が異なって当然だということです。

ということで、僕は常に自分だけで、この個別一回限りの人生の場面のなかで、自分の生きる意味を見定めていかないといけません。

それはしかし、いまのところ、それほど困難な課題ではありません。

僕にはやりたい仕事があります。大事にしたい人間関係があります。このふたつが、僕自身の生きる意味を提供してくれています。

いま、やるべき仕事とやりたい仕事が合致していること。このブログを書き綴ることも含めて、編集したり自分の本を書いたり、来客対応をしたり、これまでみずき書林としてやってきたことを全うすること。それが僕の人生が僕に課している、一番やりがいのある仕事なのだと思います。

それは規模感で言えば大きな仕事ではないかもしれません。しかしフランクルの言う通り、活動範囲の大きさは大切ではありません。大切なのはその活動範囲の中で最善を尽くしているかどうかです。他の同業他社と比べて、何か特別なことをするわけではありません。ただ、僕にできることを淡々と丁寧にし続けていくだけです。

そして人間関係も僕にとってなにより大切なものです。

いままで一緒にやってきて、これからも様々なかたちで一緒にやっていきたい人たちがいます。これもやはり、僕が彼ら彼女たちに、何か特別なことを提供できるわけではありません。ただ、大切に思っています。そのことを、人生の最後に伝えることができるなら、それに勝ることはないと思っています。これからやってくる僕の最後の時間は、それを伝えるために費やされるでしょうし、そうありたいと願っています。

最後に、『それでも人生にイエスと言う』から、もうひとつだけ長い引用をメモしておこう。

2　0　2　3

私たちは、いつかは死ぬ存在です。私たちの人生は有限です。私たちの時間は限られています。私たちの可能性は制約されています。こういう事実のおかげで、そしてこういう事実だけのおかげで、そもそも、なにかをやってみようと思ったり、なにかの可能性を生かしたり実現したり、成就したり、時間を生かしたり充実させたりする意味があると思われるのです。死とは、そういったことをするように強いるものなのです。ですから、私たちの存在がまさに責任存在であるという裏には死があるのです。

5月14日(日)

在宅医療のありがたみ

昨日から両親が上京しています。

昨日はＮＨＫの三橋カメラマンも交え、我が家で喋っていました。

子どもの頃の話、学生時代、愛読書である『夜と霧』のこと、いまのところ3度目で最後の入院である昨年末の危うかった頃のことなどなど話はあっちこっちに飛びますが、そのなかで少し触れた、在宅医療がいかに手厚く信頼できるものか、ということをここでも強調しておきたい気持ちです。

僕はいま、自宅で療養しています。基本的には日中に仕事をして、犬の散歩なんかもできて、ほぼ普段と変わらない生活を続けています。

その暮らしのなかで、週に2回ほど主治医の先生に来てもらっています。

加えて毎日朝9時半に、看護師の方に来ていただいて、1時間ほどケアをお願いしています。

退院したばかりでまだ体調が悪く、在宅医療ということをよく知らなかった当初は、果たして看護師さんやお医者さんに訪問してもらって、それで事が足りるのか、十分な治療が受けられるのか、心配でした。

入院していれば、四六時中、すぐ近くに看護師・医師が待機していて、それこそ深夜であれ早朝であれ、困ったことがあればいつでもナースコールを押せば駆けつけてくれます。患者にとっては、こんなに安心なことはありません。

在宅療養となると、もちろん二四時間対応ではあるのですが、さすがにすぐ近くにいて何かあればあっという間に駆けつけてくれる、というシステムではありません。

病院に比べれば、多少のタイムラグは生じます。その点が不安といえば不安でした。

しかし実際にやってみると、在宅療養はすごくスムーズに、安心できる環境のなかで進んでいくことになりました。もちろん病状が比較的落ち着いているということも大きいとは思いますが、それにしても、看護師さんたちが毎朝来てくださるという安心感と信頼感は格別のものがありました。

しかも、病院だとすごくたくさんの看護師さんたちがローテーションのなかで動くので、どうしても顔と名前が一致せず、同じ質問を繰り返し尋ねられているような気がしていささか疲れたり、看護師と患者以上の信頼関係が築きにくい側面があるのですが、在宅看護の場合は、スタッフの数も限られているので、顔と名前が容易に一致し、そのぶん患者と看護師を超えた人間関係・信頼関係が生まれます。

主治医の先生とも時には雑談もしますし、看護師さんたちはみんなクリームのことが大好きです。ひとりの患者としてだけでなく、人として、僕のことを「知ってくれている」という安心感が生まれます。

いまの僕の暮らしが安定しているのは、支えてくださる医師・看護師のみなさんのおかげで、いくら感謝してもしたりない思いです。

このあと僕の病状がどうなるのか、最終的にどういうふうに僕はこの世界に別れを告げることになるのか、それは誰にもわからないことです。

でもいまは自宅に戻って療養できていることがとてもありがたいですし、この半年間、それを可能ならしめてくれた在宅医療の仕組みには、本当に感謝です。

このブログは実際の闘病に役立つようなことはほとんど書かれませんが、もし通院治療・入院・ターミナルケアなどなど様々な選択肢に迷われている同病の方がいらっしゃるなら、その選択肢のなかに在宅というかたちもありうることを強調しておきたいと思います。

5月30日(火)　また入院してます

ここ数日体調が思わしくなかったのですが、本日からまた入院しています。

いま現在、具合はあまり良くありませんが、明日以降、どういう経過になるかよくよく注視していくしかありません。

この間、連絡が滞ることもあるかと思います。

ご迷惑をおかけする方もいるかと思いますが、どうかご了解ください。

筋力の衰え

6月11日(日)

まだ入院中。

早ければ次の水曜日には退院できるとのことで、あと少しの辛抱です。

入院中、愕然とするほど筋肉が落ちました。

とくに足の筋肉が弱くなっており、ベッドやトイレから立ち上がるだけでも、力を相当込めないと立ち上がれない。

歩くときも足を上に持ち上げる力が弱まっているから、ほとんど摺り足のような歩き方になっていて、何もない平らな地面を歩いていてもつまづいて転びそうになります。

理学療法師さんについてもらって、毎日病棟を歩いていますが、日常に復帰するのがちょっと恐ろしいほど衰えを感じます。

せめて退院まではできるだけ病棟内を歩いて、帰宅後はクリームに散歩に連れて行ってもらって、衰えた筋肉を少しずつでも回復していかないと。

ああ、それにしても、今回の入院は本当に苦しい。いままでこの病気に関して4回入院して、危うい局面を迎えたこともあったけれど、僕自身の体感としては、今回が一番厳しいかもしれない。

肉体的な苦痛もさることながら、やはり精神的なメンタル面をやられると、人は脆い。

自分の弱さを容赦なく突きつけられています。

フランクルを、保苅実を、早坂暁を、大林宣彦を心のうちに召喚しながら、まだまだ僕は彼らのしなやかさには遠く及ばない。

せめて彼らの万分の一の強さでもあったなら。

憶えている

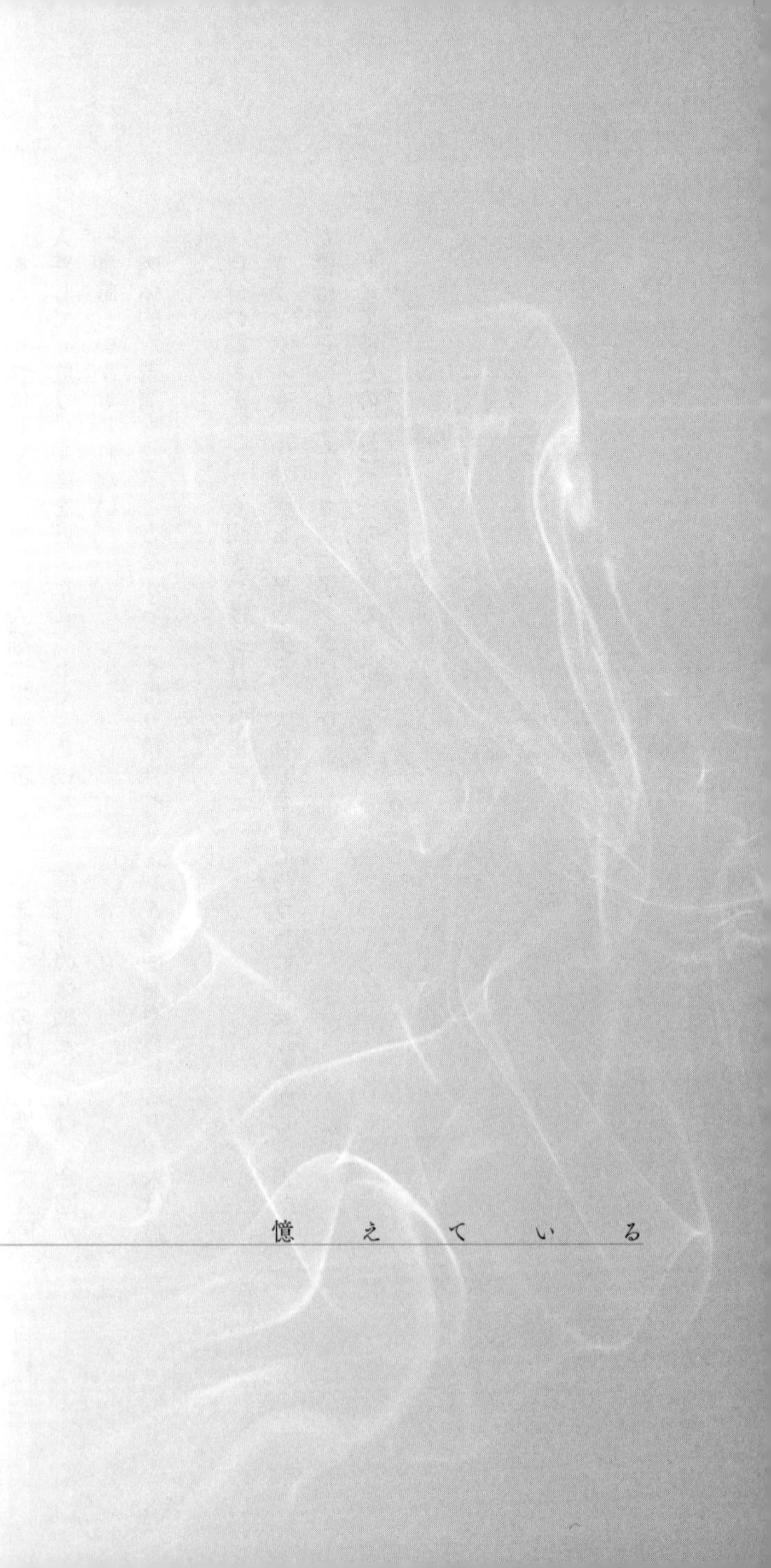

あとがき

この文章は病院のベッドで横になって、スマホのフリックで書かれています。

2週間ほど前から、僕は4度目の入院をしていて、今のところ退院の目処は立っていません。

僕の左脇腹からはチューブが飛び出していて、右の鼻の穴からも胃の中身を吸い出すためのチューブが伸びています。腕には点滴の管が繋がっているのは言うまでもなく、我ながら痛々しいビジュアルです。

本書の元となったブログの全文は以下のみずき書林ウェブサイトから読むことができます。https://www.mizukishorin.com/blog

感謝を捧げないといけない人はたくさんいます。

本書に名前を載せた人、載せられなかった人、ひとりひとりを挙げていったら膨大な数になるでしょう。

紙幅の都合でみんなの名前を挙げることはできませんが、僕の人生に関わってくれたみんな、本当にありがとうございます。おかげで楽しく充実した人生でした。

そしてここではその中でもとりわけ、本書を書くように勧めてくださったコトニ社の後藤さんにスペシャルサンクスを。

この本を残すことができたことは、僕にとってとても大きな意味を持っています。僕の生きた証は、自分で編集したみずき書林の本があれば十分だと思っていました。もちろんそれだけでもよかったのですが、それに加えて自分のことばで編まれた本を残すことができたのは、望外の喜びでした。

最後に、本書を僕の妻、裕子さんに捧げたいと思います。

振り返れば、お互い人生の半分くらいを一緒に過ごしてきました。結婚してからも16年もの月日が経っています。なかなかの時間です。そしてその時間はまだまだこれから先も伸びていくと思っていました。こんなタイミングで、こんなふうにふたりの時間が終わっていくなんて、信じられない思いです。

ねえ裕子さん、僕なしの残りの人生を、あなたはどんなふうに過ごすのでしょう。

どうかよい人生を歩んでください。できれば僕も一緒に歩いていきたかった。

でもそれは叶いそうもありません。

だからせめてことばだけでも残しておくね。

愛してるよ、裕子さん。

2023年6月13日　国立がん研究センター中央病院18階個室にて

岡田林太郎

岡田林太郎

Rintaro Okada

1978年生まれ。早稲田大学卒業後、
出版社へ入社し、編集の仕事に従事。
2012年、同社社長に就任。
2018年、退職。
同年4月、ひとり出版社〈みずき書林〉創業。

主な刊行物に、
大川史織編『マーシャル、父の戦場』、
岡本広毅・小宮真樹子編
『いかにしてアーサー王は日本で受容されサブカルチャー界に君臨したか』、
早坂暁著『この世の景色』、
沖田瑞穂著『マハーバーラタ、聖性と戦闘と豊穣』、
山本昭宏編『近頃なぜか岡本喜八』、
大川史織編著『なぜ戦争をえがくのか』、
蘭信三・小倉康嗣・今野日出晴編『なぜ戦争体験を継承するのか』、
松本智秋著『旅をひとさじ』など。

2023年7月3日、永眠。享年45歳。

憶えている

40代でがんになったひとり出版社の1908日

2023年11月20日　第1刷発行
2024年 3 月13日　第3刷発行

著者……岡田林太郎
発行者……後藤亨真
発行所……コトニ社
〒274-0824
千葉県船橋市前原東5-45-1-518
TEL：090-7518-8826
FAX：043-330-4933
https://www.kotonisha.com

印刷・製本……モリモト印刷
DTP……江尻智行
ブックデザイン……宗利淳一

ISBN 978-4-910108-13-1